I0510709

ÉTUDE MÉDICO-LÉGALE

SUR LA

SIMULATION DE LA FOLIE

CONSIDÉRATIONS CLINIQUES ET PRATIQUES

A L'USAGE DES MÉDECINS EXPERTS, DES MAGISTRATS ET DES JURISCONSULTES

PAR

Le Docteur Armand LAURENT

MÉDECIN EN CHEF DE L'ASILE D'ALIÉNÉS DE MARSEILLE,

ANCIEN INTERNE DE L'ASILE PUBLIC D'ALIÉNÉS DE MONT-DE-VERGUES (VAUCLUSE),
ANCIEN MÉDECIN-ADJOINT DES ASILES D'ALIÉNÉS DE LA SEINE-INFÉRIEURE (QUATREMARES ET
SAINT-YON), ANCIEN MÉDECIN DES BUREAUX DE BIENFAISANCE DE LA VILLE DE ROUEN,
MEMBRE CORRESPONDANT DE LA SOCIÉTÉ MÉDICO-PSYCHOLOGIQUE DE PARIS,
DE LA SOCIÉTÉ DE MÉDECINE DE ROUEN, DE LA SOCIÉTÉ IMPÉRIALE D'HORTICULTURE
DE LA MÊME VILLE, DE LA SOCIÉTÉ D'AGRICULTURE DE VAUCLUSE, ETC., ETC.

> La Philosophie moderne est une réaction contre l'idée
> dominante du moyen âge que la science se transmet et
> s'accepte plutôt qu'elle ne se fait par le travail libre de la
> pensée. Cette idée dominante avait pour conséquence forcée
> d'habituer les esprits à penser d'après autrui, au lieu de se
> livrer à une observation personnelle et indépendante.

PARIS

VICTOR MASSON ET FILS

PLACE DE L'ÉCOLE DE MÉDECINE

1866

ÉTUDE MÉDICO-LÉGALE

SUR LA

SIMULATION DE LA FOLIE

PRINCIPALES PUBLICATIONS DU MÊME AUTEUR :

Quelques Considérations sur la diarrhée chez les Aliénés, 1859.

Quelques Observations relatives à l'influence qu'exerce la musique sur les Aliénés (*Annales médico-psychologiques*, 1860).

Détails cliniques sur l'assassin de M. le docteur Geoffroy, médecin en chef de l'asile public d'Aliénés de Vaucluse (*Archives cliniques des maladies mentales et nerveuses*, 1861).

De la physionomie chez les Aliénés (*Annales médico-psychologiques*, 1863).

Des Indications dans le traitement des maladies nerveuses (*Congrès médico-chirurgical de France*, session tenue à Rouen, 1863).

Corbeil. — Typ. et stér. de Crété.

ÉTUDE MÉDICO-LÉGALE

SUR LA

SIMULATION DE LA FOLIE

CONSIDÉRATIONS CLINIQUES ET PRATIQUES

A L'USAGE DES MÉDECINS EXPERTS, DES MAGISTRATS ET DES JURISCONSULTES

PAR

Le Docteur Armand LAURENT

MÉDECIN EN CHEF DE L'ASILE D'ALIÉNÉS DE MARSEILLE,

ANCIEN INTERNE DE L'ASILE PUBLIC D'ALIÉNÉS DE MONT-DE-VERGUES (VAUCLUSE);
ANCIEN MÉDECIN-ADJOINT DES ASILES D'ALIÉNÉS DE LA SEINE-INFÉRIEURE (QUATREMARES ET
SAINT-YON), ANCIEN MÉDECIN DES BUREAUX DE BIENFAISANCE DE LA VILLE DE ROUEN,
MEMBRE CORRESPONDANT DE LA SOCIÉTÉ MÉDICO-PSYCHOLOGIQUE DE PARIS,
DE LA SOCIÉTÉ DE MÉDECINE DE ROUEN, DE LA SOCIÉTÉ IMPÉRIALE D'HORTICULTURE
DE LA MÊME VILLE, DE LA SOCIÉTÉ D'AGRICULTURE DE VAUCLUSE, ETC., ETC.

> La Philosophie moderne est une réaction contre l'idée
> dominante du moyen âge que la science se transmet et
> s'accepte plutôt qu'elle ne se fait par le travail libre de la
> pensée. Cette idée dominante avait pour conséquence forcée
> d'habituer les esprits à penser d'après autrui, au lieu de se
> livrer à une observation personnelle et indépendante.

PARIS

VICTOR MASSON ET FILS

PLACE DE L'ÉCOLE DE MÉDECINE

1866

A

M. NAPOLÉON GALLET

MANUFACTURIER A ROUEN,

CHEVALIER DE L'ORDRE IMPÉRIAL DE LA LÉGION D'HONNEUR,

PRÉSIDENT DU CONSEIL DES PRUD'HOMMES,

MEMBRE DU CONSEIL MUNICIPAL,

DIRECTEUR DE LA CAISSE D'ÉPARGNE, PRÉSIDENT DE LA SOCIÉTÉ

DE SECOURS MUTUELS DE L'*UNION*, ETC., ETC.

Hommage de reconnaissance.

ARMAND LAURENT.

AVANT-PROPOS.

Lorsque je réunissais les recherches que je publie aujourd'hui, je ne me doutais guère que je deviendrais un des successeurs d'un homme dont la science psychiatrique s'honore à juste titre, et qui a apporté à cet édifice une si large part de méditations et de travaux, d'un homme que l'estime publique n'a cessé d'entourer et que ses concitoyens citent avec orgueil. Aubanel a poursuivi dans la Provence la noble tâche de soigner les malades que le dix-neuvième siècle a protégés d'une manière plus digne de l'humanité. Ce praticien était doué d'une rectitude de jugement que l'on ne saurait trop faire ressortir ; et ses appréciations médico-légales prouvent combien ses idées sur la folie avaient une base solide et exacte. Médecin-légiste distingué, il a publié dans les *Annales médico-psychologiques* plusieurs rapports importants.

L'on comprendra sans peine que je vienne

évoquer ce nom mémorable, puisque le sujet que
j'ai choisi se rattache d'une manière toute particulière à la médecine légale.

Cette branche de la médecine n'était pas considérée autrefois comme constituant un corps de
doctrine, et on ne l'enseignait pas. Elle se bor-
nait à des usages consacrés par le temps et
se ressentant des notions médicales imparfaites
qu'on avait alors. En France, elle n'a commencé
à apparaître que sous le règne de Philippe le
Bel, en 1311 ; et on ne la trouve appliquée que
dans l'ordre civil. Le bref du pape Pie V (1565),
qui proclame la compétence des hommes de l'art
dans l'appréciation des faits médicaux en matière ecclésiastique, établit cette compétence dans
l'ordre canonique. C'est à partir de ce moment
que quelques médecins furent appelés pour les
faits criminels, et que peu à peu la médecine légale sortit du domaine purement juridique pour
prendre sa place légitime dans les sciences médicales. Elle est due réellement à la vulgarisa-
tion des connaissances de toutes sortes. Les progrès des arts et des sciences ont amené en même
temps la subdivision des recherches et la création

des aptitudes spéciales. L'impossibilité pour l'esprit humain d'embrasser une étendue aussi vaste et des points aussi nombreux a, par conséquent, enfanté la médecine légale.

On peut la définir *l'application des connaissances médicales à l'appréciation de certains faits appartenant plus spécialement à la compétence judiciaire et administrative.*

C'est une science toute différente de celle qui s'occupe de l'histoire et du traitement des maladies. Aussi réclame-t-elle de la part du médecin une étude particulière. Sa nature est d'embrasser la liaison des faits et de s'élever à des généralisations. Elle demande en outre une certaine finesse et une certaine habitude d'observation pour combiner les faits qui sont présentés à l'examen. Plus ceux-ci sont obscurs et plus la mission du médecin expert devient importante dans la recherche de la vérité.

L'intervention des médecins aliénistes est de date plus récente encore. La notoriété publique tenait lieu d'enquête médico-judiciaire. Elle suffisait pour autoriser les magistrats à prononcer

l'incapacité des individus, la séquestration des
fous nuisibles et à appliquer enfin toutes les
mesures prescrites par les lois. Mais de plus, les
médecins n'étaient guère que des empiriques et
la question du surnaturel ne quittait pas celle de
l'aliénation mentale.

De nos jours, ce n'est certainement plus le
surnaturel qui fait rencontrer tant d'opposition
relativement à la compétence médicale, mais
bien encore les fausses idées que l'on a sur la
nature de la folie. Tant qu'on n'y voit qu'une
lésion de l'intelligence, une erreur de l'imagination, un vice de logique, on ne doit considérer ce
qui regarde la folie que comme une question de
psychologie ou de philosophie morale ; on ne peut
l'envisager que comme une affaire de morale publique ressortissant du tribunal seul et du simple bon sens.

J'ai appuyé les considérations que j'ai développées dans ce livre sur la manière de voir qui
me paraît la plus saine et la plus en dehors de
tout esprit systématique. « La folie est une maladie, et une maladie, non pas de l'intelligence
ou de l'âme, mais une maladie qui procède de

l'association de l'âme et du corps. » (Chap. II, pag. 13.) C'est à ce titre que la partie de la médecine légale, qui est relative aux aliénés, ne laisse pas d'être complexe.

L'on peut avoir à rechercher si celui qui est accusé d'un crime ou d'un délit se trouvait, au moment du fait, dans un état qui ne lui a pas laissé la faculté d'agir librement. L'on peut avoir à déterminer si un individu est capable de faire un testament, de déposer un témoignage, de remplir une fonction, d'administrer sa fortune, etc... Ces problèmes comprennent la connaissance complète de la folie réelle, de sa marche, de ses variétés, la découverte de la folie exagérée, simulée, imputée ou supposée.

Dans ces sortes d'affaires, tous les médecins, indistinctement, ne sont pas aptes à remplir la mission d'expert. Les connaissances que les maladies mentales réclament ne s'acquièrent que dans un milieu déterminé où sont soignés les individus atteints de ces sortes d'affections. On n'apprend à les connaître qu'en les suivant pendant un certain temps; et rien ne saurait remplacer l'expérience acquise par une saine observation.

Toutefois, on ne doit pas se dissimuler que le magistrat, par état, plus que par sa propre conviction, est tenu de douter de la réalité de la folie, qu'il est obligé de réclamer des explications très-nettes pour admettre une situation mentale morbide, de susciter des controverses et des objections nombreuses qui ne sont pas sans laisser quelquefois le jury dans un certain embarras vis-à-vis d'opinions très-contradictoires. Mais il y a loin de cette condition nécessaire à la plus stricte impartialité, il y a loin de ce travail juridique consciencieux à un parti pris ou à une prévention arrêtée qui a pour résultat une suspicion bien regrettable à l'égard des appréciations des aliénistes. Si quelques membres de la magistrature et du barreau ont pu céder à de semblables faiblesses et lancer de vives atteintes contre la compétence des médecins spécialistes, le plus grand nombre sont d'une opinion plus judicieuse et plus impartiale. MM. Élie et Chauveau, dont on ne saurait suspecter la capacité en jurisprudence, déclarent formellement que *c'est à la science que la justice doit demander des lumières pour ne pas égarer ses décisions, et que les visites, les interrogatoires, les rapports des gens de l'art sont les plus sûrs moyens d'apprécier la véritable situation morale de l'inculpé.*

Ces conclusions ressortent naturellement d'une connaissance suffisante de la folie et paraîtront encore plus exactes après la lecture des développements que nous avons donnés à notre sujet.

Mais si l'on ne peut révoquer en doute l'importance de la mission du médecin légiste, celui-ci ne doit pas non plus confondre la part de responsabilité qui lui incombe avec celle qui appartient aux juges et aux avocats. « Le médecin expert doit donner à la succession des diverses manifestations morbides vraies ou fausses, l'interprétation la plus claire et la plus saisissante pour les différents membres du tribunal chargés de leur côté d'appliquer tout ce qui regarde la pénalité. » (Chap. II, pag. 12.)

En publiant cette étude médico-légale, j'ai eu en vue de faire savoir principalement par quels moyens il était possible de reconnaître si une folie était réelle ou simulée. Ce point n'avait pas

encore fait l'objet de recherches particulières ;
et les matériaux divers, capables de diriger le
médecin expert dans une question aussi digne
d'intérêt, étaient épars dans les différents traités
de médecine légale, dans les ouvrages sur l'aliénation mentale, dans les publications périodiques
scientifiques et judiciaires. Il m'a semblé qu'un
travail de ce genre ne serait pas sans utilité pour
les hommes qui ont à s'enquérir des caractères
qui distinguent la folie. Ils trouveraient ainsi
réunis les faits de simulation les plus saillants
que la science possède dans ses annales. Ils ver-
raient dans ces exemples combien la ruse et la
perversité peuvent se combiner pour tâcher d'é-
viter les peines encourues par les dommages
qu'elles ont fait subir à la société. Ils y appren-
draient quelles ressources la science médicale a
en sa possession, et à quels subterfuges elle peut
avoir recours sans se compromettre. J'ai tâché de
suivre la marche la plus naturelle pour la réalisation du travail du médecin expert.

Voici le plan que j'ai suivi dans l'exposition de
cette question :

Après avoir dit quelques mots sur la difficulté inhérente à la découverte de la folie simulée dans certains cas, j'ai énuméré les sources où j'avais puisé les faits que j'ai médités.

J'ai examiné ensuite le point de vue auquel devait se placer le médecin expert et quelles devaient être les bases de son expertise médico-légale.

J'ai montré que l'enquête se composait de deux parties essentielles : l'examen des pièces, des dépositions et des antécédents de l'individu et de l'examen direct ou personnel. J'ai suivi pas à pas les éléments que ces deux parties de l'expertise fournissaient au diagnostic de la folie réelle et, par contre, à la découverte de la folie simulée.

J'ai résumé toutes les notions pathologiques de la psychiatrie et les ai complétées par un résumé succinct des principales formes mentales.

J'ai présenté, en dernier lieu, des considérations sur certains cas spéciaux qui, sous le rapport médico-légal, non moins que sous rapport clinique, offrent une importance particulière. C'est ainsi que la simulation de la folie par d'anciens aliénés m'a permis d'étudier les intervalles lucides, les paroxysmes, les rémissions ; la simulation par

des imbéciles m'a procuré l'occasion d'émettre,
sur le diagnostic de la ruse, une opinion qui
tend à faire un élément indépendant de l'intelligence. J'ai cru devoir aussi parler de la simulation de la folie par des femmes enceintes et montrer
jusqu'à quel point cette cause seule méritait d'être
invoquée.

J'ai terminé par l'influence que la simulation
de la folie a sur les simulateurs eux-mêmes, et
j'ai fait voir qu'il y en avait qui, à ce jeu dangereux, avaient perdu réellement l'intégrité de leurs
faculés intellectuelles.

Chaque particularité importante a été appuyée
sur des observations et des rapports médico-légaux.

Tel est le travail que je soumets à l'appréciation
de mes lecteurs. Puisse ce résultat d'une expérience consciencieuse, acquise depuis près de
douze ans dans les Asiles d'aliénés, être couronné
d'un accueil favorable! je me trouverai ample-
ment récompensé des efforts que m'a demandés
cette étude médico-légale.

MARSEILLE, le 15 mars 1866.

ÉTUDE MÉDICO-LÉGALE

SUR LA

SIMULATION DE LA FOLIE

CHAPITRE PREMIER

La folie est simulée surtout par des criminels.

Quelques mots sur la difficulté de reconnaître le faux aliéné. — Deux observations à l'appui. — Paul Zacchias : résumé de son article sur la folie simulée.
— Révolution opérée par Pinel et par Esquirol. — La folie est simulée
surtout par des criminels. — Différents cas où on a rencontré la simulation.
— Source des observations recueillies.

*Nullus morbus fere est qui facilius et frequentius si-
mulari soleat quam insania, nullus item qui difficilius
possit deprehendi*, écrit, en commençant son chapitre de
la *Folie simulée,* Paul Zacchias, proto-médecin de l'État
de l'Église vers 1650 (*quæstiones medico-legales*). Si
cette phrase était l'expression de la vérité à cette époque,
on ne peut l'accepter comme telle aujourd'hui. La première proposition relative à la facilité et à la fréquence
de la simulation est complétement inexacte. En faisant
des recherches sur ce sujet, je me suis adressé à plusieurs confrères habitant depuis longtemps des centres
de population considérable, et plus à même que d'autres, en raison de leur situation auprès des tribunaux,

1

d'être requis pour examiner les prévenus offrant des symptômes de folie. MM. les docteurs Lasègue, Legrand du Saulle, Lunier, Prosper Lucas, Delasiauve, Calmeil, à Paris, Campagne à Montdevergues, Bazin à Bordeaux, Marchand à Toulouse, Dagonet à Strasbourg (Stephansfeld), à qui j'ai écrit pour demander s'ils avaient observé des cas de simulation, m'ont répondu que ces faits étaient excessivement rares. Bien d'autres médecins spécialistes ou attachés aux prisons m'ont confirmé cette rareté. Quant à l'autre proposition, au premier abord, il semble qu'elle soit exagérée et qu'il n'y ait rien de plus facile que de reconnaître un aliéné et surtout un faux aliéné. Nous ne saurions trop insister pour détromper ceux qui conservent une pareille opinion. S'il est des cas où il suffise du simple bon sens pour découvrir une simulation, il en est au contraire de très-difficiles qui exigent un examen très-profond. Il est des individus d'une grande intelligence et doués d'une force de volonté digne d'une meilleure cause qui ont tout intérêt à feindre et qui embarrassent et mettent en défaut les observateurs les plus distingués. Les faits que nous relaterons dans le courant de ce travail sont des preuves évidentes des difficultés qui s'offrent au diagnostic des maladies mentales. Voici deux exemples de la persistance des simulateurs.

Première observation. — J'emprunte cette observation à M. le docteur Vingtrinier, médecin en chef des prisons de Rouen, qui l'a publiée dans les *Annales d'hygiène et de médecine légale* (1853).

Picard (Augustin-Frédéric), âgé de trente-sept ans,

teinturier, demeurant à Yvetot, fut accusé de banque-
route frauduleuse en 1828. Aussitôt son arrestation, cet
homme se livra à des actes extravagants et l'on put le
croire fou. Cependant il fut envoyé à la maison de
justice pour passer en cour d'assises ; mais préalable-
ment le procureur général chargea M. le docteur Vingtrinier, médecin en chef des prisons, de l'observer et
de donner son avis. Il fut transporté à Bicêtre, le 13 septembre, afin d'être plus facilement observé et traité, s'il
y avait lieu, sur la demande de ce praticien qui acquit
bientôt la certitude d'une simulation soutenue avec une
persévérance et un courage remarquables, mais marquée
par une trop grande variété dans les actes de folie.

Dans un rapport écrit et à l'audience de la cour
d'assises, où Picard se livra à toutes sortes d'excentricités, M. Vingtrinier donna longuement les motifs de
sa conviction fondée sur l'incohérence elle-même des
idées folles, un silence obstiné devant le médecin, une
agitation du pouls et une inquiétude visible causées par
les questions qui lui étaient faites, enfin par des expériences douloureuses supportées sans aucune manifestation de douleur lorsque des preuves de sensibilité
physique avaient été d'avance fournies par le trompeur.
La cour d'assises condamna Picard à cinq ans de travaux
forcés et à l'exposition.

Le 17 septembre, jour fixé pour l'exposition, Picard
se livra à de nouveaux actes extravagants. On retarda
l'heure. Mais sur la nouvelle attestation faite par
M. Vingtrinier d'une simulation certaine, l'arrêt fut
exécuté.

Renvoyé de nouveau à Bicêtre parce que, continuant ses actes de folie, Picard était insupportable aux autres prisonniers, le praticien que nous avons nommé eut toute facilité pour se convaincre de la rare ténacité de cet homme. Cependant il dut aller reprendre la chaîne à Alençon, le 9 août 1829. Mais là on le crut fou et après un long séjour on le renvoya à Rouen. M. Vingtrinier dut faire un nouveau rapport à l'autorité administrative et insister pour faire partir au bagne le trompeur persévérant ; il partit définitivement pour Toulon le 7 mars 1830, d'où il a été libéré le 8 décembre 1833.

Jusqu'à la fin Picard a fait le fou ; mais aussitôt rentré chez lui à Yvetot, il a discontinué son rôle, ce qu'il eût été adroit de ne pas faire, et a repris son travail.

M. Vingtrinier a appris plus tard que, pour se faire exempter du service militaire, ce même homme avait simulé une incontinence d'urine pendant une année et supporté les plus durs traitements de ses camarades auxquels il se rendait insupportable.

Deuxième observation. — Elle nous est fournie par Bucknill (*Manuel de médecine psychologique*).

En 1855, John Jackes fut accusé aux assises du Devon de vol à la poche (*pocket-picking*). Il fut condamné aux travaux forcés pour quatre ans. En entendant la sentence, il tomba comme frappé d'apoplexie. Transporté à la prison, il parut hémiplégique et privé de connaissance. Il fit plusieurs actes qu'on ne saurait rapporter à la démence qui suit l'apoplexie. Par exemple, il fut volontairement malpropre et alla même jusqu'à man-

ger ses excréments. Sa folie fut attestée par le chirurgien de la prison et par un second médecin. On le trans-
porta donc à l'asile. Malgré les certificats délivrés par
les médecins touchant sa folie, les magistrats accusa-
teurs, qui connaissaient son caractère et le savaient criminel de grande aptitude, pensèrent qu'il simulait.
Ainsi prévenu, Bucknill examina cet homme avec
grande attention. Il présentait tous les symptômes de
l'hémiplégie, traînait le gros orteil en marchant, serrait
difficilement les objets avec la main, présentait une légère déviation des traits et avait la langue rejetée du
côté paralysé. Tous ces symptômes s'offraient d'une
manière si naturelle, que, s'ils étaient feints, leur imitation était une comédie parfaite, fondée sur une observation attentive. Une fois dans l'asile, le malade ne fut
plus malpropre ; il était tranquille et dans un état apparent de démence, on était obligé de le faire manger,
de l'habiller et de le déshabiller, de le conduire d'un
endroit à un autre ; on ne pouvait le faire parler ; il dormait bien. Dans la nuit du 17 août 1856, il s'échappa
de l'asile d'une manière qui confirma les magistrats
dans la pensée qu'il avait simulé l'aliénation et réussi
à tromper quatre ou cinq médecins. Avec la poignée d'un
gobelet d'étain il se fit une fausse clef avec laquelle il
ouvrit une serrure qui gardait une fenêtre ; ce fut par
là qu'il s'échappa de nuit dans le jardin d'où il escalada
une porte haute de huit pieds et plus loin un mur de la
même hauteur. C'est ainsi qu'il s'enfuit. Il rejoignit
probablement ses anciens complices. On n'en a jamais
entendu parler depuis.

Le savant médecin légiste dont j'ai cité le nom en
commençant ce travail a traité d'une manière très-lu-
cide de la simulation de la folie, et les préceptes qu'il
donne méritent d'être rappelés. Foderé, dans sa *Médecine légale*, n'a ajouté que fort peu de choses à ce sujet
et a traduit presque textuellement le passage que je vais
résumer brièvement.

Après avoir signalé les formes qui peuvent être le plus
souvent simulées, ainsi la mélancolie simple, la mélancolie avec fureur, l'imbécillité (*fatuitas*) jointe à la sur-
dité et à la mutité, Paul Zacchias recommande d'abord
l'examen du facies de l'individu soupçonné de simulation ; puis il appelle l'attention sur l'état de veille ou de
sommeil. Il faut ensuite se reporter à l'origine de la
maladie, étudier quelles sont les causes, leur valeur,
leur continuité d'action. Il ne croit pas que la mélancolie puisse venir d'une manière soudaine et rapide,
et signale la modification qui peut survenir lors de
l'arrivée de l'accès dans la mélancolie périodique.
Il signale quelques-unes des idées bizarres et erronées qui conduisent les aliénés à certains actes absurdes,
comme l'abstinence forcée, par exemple, que ceux qui
simulent ne peuvent offrir d'une manière aussi nette,
aussi particulière que chez les véritables aliénés.....
Il faut analyser ensuite l'état des affections de l'âme.
Le silence le plus absolu et le défaut de toute manifestation sensitive deviennent un obstacle considérable à la
découverte de la réalité ou non de l'aliénation mentale. Paul Zacchias termine ce chapitre en parlant de certains délires qui peuvent être provoqués

par l'ingestion de quelques substances ou boissons.

Dans le chapitre suivant il s'occupe de la simulation de l'épilepsie, de l'extase, de l'apoplexie, de la syncope, etc.

Ces préceptes du médecin du pape Innocent X décèlent une connaissance approfondie de l'aliénation mentale et suffisent pour nous faire voir que les études médico-légales n'étaient pas alors aussi loin des éléments véritables qui ont constitué, dans le dix-neuvième siècle, une branche importante de la médecine. Toutefois on ne saurait révoquer en doute la révolution opérée par Pinel et par Esquirol dans l'étude des maladies mentales. Les progrès de l'anatomie et de la physiologie ont aussi beaucoup éclairé la marche et la nature des maladies nerveuses. La recherche des caractères et des moyens par lesquels on peut reconnaître si la folie est simulée ou réelle a par conséquent dû recevoir des éléments qui la rendent plus facile. Mais il ne faut pas se dissimuler non plus que, si les connaissances sur l'aliénation mentale sont devenues plus complètes, les individus qui ont des raisons pour la simuler ne manquent pas d'en profiter et leurs efforts deviennent par cela même plus difficiles à déjouer.

La recherche des phénomènes qui caractérisent la simulation de la folie n'est pas moins importante aujourd'hui qu'elle l'était au dix-septième siècle. Si l'opinion que l'on s'est faite sur cette maladie à différentes époques a subi des modifications, les motifs qui portent à la simuler sont tout aussi puissants. De tout temps il a existé des individus qui ont tâché de se mettre à

l'abri des châtiments que la société cherchait à leur infliger en raison des torts qu'ils lui avaient faits. Pourtant la folie n'a pas servi de masque qu'à des malfaiteurs.
Le respect qui entourait l'insensé avait pu engager quelques hommes courageux à le contrefaire. Le roi David,
Solon l'Athénien, Junius Brutus, etc., avaient caché, sous
la protection accordée à une affection de *nature divine*,
les projets hardis qui les stimulaient. Il n'en est certainement plus ainsi. Depuis longtemps ce prestige sur-
humain a disparu. L'on ne classe plus le fou parmi les
sorciers, les possédés du démon, ou les victimes d'un
être mystérieux. Mais il est resté dans le monde, attachées à la folie, certaines idées telles qu'un individu ne
consent à passer pour fou que pour des raisons majeures.
Que l'on considère la folie comme une punition du ciel,
comme une affection névropathique héréditaire, à tort
ou à raison, cette répulsion n'en est pas moins générale.
Le soin que chaque famille met à taire cette maladie
plus que toute autre et les précautions qu'elle prend
pour la faire traiter dans le plus grand secret sont des
témoignages bien évidents du prix qu'elle attache à l'intégrité des facultés mentales. C'est ce qui fait que nous
ne rencontrons la simulation de la folie que dans les
cas où un danger imminent est à éviter, et, dans la grande
généralité, chez des criminels qui cherchent par tous
les moyens possibles à se soustraire à une condamnation
ou à un châtiment plus ou moins terrible, et encore même
le plus grand nombre aime mieux passer pour criminel et subir sa peine que de passer pour aliéné.

Pourtant, en recherchant les diverses conditions

dans lesquelles la folie simulée a eu lieu, nous trouvons
que ce moyen a été employé pour faire annuler des
contrats, des achats, pour obtenir l'exemption du service militaire, pour faire condamner l'auteur d'un acte
de violence (coups sur la tête, frayeur, émotion vive).
Des prisonniers de guerre s'en sont servi pour tâcher
de se faire libérer. Certaines femmes nerveuses, volontaires, capricieuses, simulent des tentatives de suicide
pour arriver à ce qu'elles désirent. Quelques personnes
simulent par amour certains états d'excitation ou de dépression pour arriver à leur but ; un amant, une demoiselle, prétextent des troubles intellectuels et moraux plus
ou moins accentués pour obtenir soit un consentement,
soit un refus. Une jeune fille, par affection pour sa sœur
aliénée, a simulé la folie de cette sœur pour ne pas se
séparer d'elle (*Arch. cliniques*, t. I, p. 229). Enfin presque tous les asiles peuvent citer des exemples de simulation de folie d'anciens aliénés guéris qui, ne retrouvant
pas dans leur famille ni dans leur pays le bien-être, la
vie régulière et facile des établissements spéciaux, ont
feint l'aliénation mentale pour y retourner. Mais les cas
de simulation fournis par les criminels sont bien de
tous les plus fréquents. Ainsi, parmi les cinquante-huit
observations que nous avons pu recueillir, nous en notons
quarante-neuf appartenant à des personnes qui ont
commis des actes coupables et placées entre les mains
de la justice ; sur ce nombre, nous devons distinguer les
individus sains d'esprit ou réputés tels, les anciens aliénés guéris qui se sont rendus coupables de méfaits et
qui simulent l'aliénation, les simples d'esprit crimi-

nels qui simulent la folie ou exagèrent l'imbécillité.

Il résulte de l'examen de ces différentes situations, où la folie peut être feinte, que la simulation de la folie devient une question de médecine légale plutôt qu'une question de médecine pratique. Aussi est-ce dans ce sens que nous l'envisagerons.

Nous allons essayer, d'après les ouvrages et les travaux qui concernent la folie, d'après les leçons de nos maîtres et d'après notre expérience personnelle, de tracer la marche à suivre pour la découverte de la simulation de cette affection, de décrire les phénomènes qui la trahissent et les procédés qui la font découvrir.

Il serait inutile de citer tous les traités nombreux, journaux, recueils français, anglais, allemands, italiens, que nous avons consultés, appartenant, soit à la médecine légale, soit à la jurisprudence. Voici les sources où nous avons trouvé des faits de folie simulée : Paul Zacchias, Pinel, Fodéré, Esquirol, Marc. Ce dernier médecin s'est beaucoup occupé de la simulation de la folie. Il se proposait de publier un traité sur les maladies simulées, douteuses, exagérées et prétextées, quand la mort est venue l'enlever à la science. Aussi son ouvrage, *De la folie considérée dans ses rapports avec les questions médico-judiciaires*, contient-il un certain nombre d'observations sur ce sujet et de détails sur les moyens de reconnaître quand cette maladie est feinte. Les *Annales d'hygiène et de médecine légale* m'ont fourni des observations de Henri Bayard, d'Ollivier d'Angers, de Leuret et de Vingtrinier ; les *Annales médico-psychologiques*, des faits observés par Conolly, Windler

SURTOUT PAR DES CRIMINELS.

et Zinc, Baillarger, Morel, Auzouy, Billod, Renaudin, Bonnet, Parchappe, Rousselin et Eulenberg ; les
Archives cliniques des maladies mentales, des faits observés par Combes, Renaut du Motey ; le *journal allemand
de psychiatrie* (Allgemeine Zeitschrift für Psychiatrie)
renferme un mémoire important de Snell sur cette question de médecine légale. Bucknill a cité aussi dans son
ouvrage, au chapitre du Diagnostic, des faits intéressants
de folie simulée. Le *The asylum journal of mental science*
a reproduit ce chapitre. Chambert a mentionné, dans
un rapport sur l'asile de Rodez, un cas de simulation ;
Casper a inséré dans son *Traité de médecine légale* de
nombreux faits de folie simulée qui lui sont person-
nels. Nous avons retrouvé dans la *Gazette des tribunaux* plusieurs des faits que nous venons d'énumérer.

A ces observations, qui s'élèvent environ au nombre
de cinquante et une, et que j'ai méditées avec soin, il
faut ajouter des matériaux inédits non moins importants, sept observations que je dois à l'obligeance de
M. le docteur Lunier, inspecteur général des asiles d'a-
liénés, de M. le docteur Campagne, mon ancien chef
de service, médecin en chef de l'asile d'aliénés de Montdevergues (Vaucluse), de M. le docteur Prosper Lucas,
médecin en chef de l'hospice de Bicêtre, de M. le docteur Combes, médecin-directeur de l'asile de la Roche-
Gandon (Mayenne), de M. le docteur Dagonet, médecin
en chef de l'asile d'aliénés de Stephansfeld (Bas-Rhin) (1).

(1) Je remercie vivement M. Jules Drouet, interne à l'asile Saint-
Yon, de la complaisance qu'il a mise à me faciliter la connaissance
des ouvrages et journaux anglais, en me traduisant aussi soigneuse-
ment que possible les articles divers qui avaient trait à mon sujet.

CHAPITRE II

Bases de l'expertise médico-légale.

Rôle du médecin expert dans les cas de simulation. — Notions essentielles sur la nature, la symptomatologie et la marche de la folie en général. — Nécessité de l'intervention d'un médecin spécialiste dans les cas de folie simulée. — Idées qui doivent présider à la mission du médecin expert. — Différents points de départ qui peuvent servir de base à l'expertise et aux rapports médico-légaux. — Troisième observation. — Quatrième obervation. — Criterium d'après M. Devergie. — Meilleur mode de procéder à l'expertise médico-légale.

Le médecin légiste, appelé à prononcer sur un cas de simulation, ne doit pas se contenter, comme tout autre médecin, d'avoir pour lui-même une base solide qui serve au diagnostic de l'aliénation mentale; il doit pouvoir énoncer ce criterium de manière, pour ainsi dire, à faire toucher du doigt le plus possible les phénomènes qui constituent cette simulation à d'autres personnes étrangères à l'art médical, à ses lois et à ses expressions. Il doit leur découvrir le voile qui masque certains actes ou qui en laisse supposer certains autres qui n'existent pas du tout. Il doit enfin donner à la succession des diverses manifestations morbides vraies ou fausses l'interprétation la plus claire et la plus saisissante pour les différents membres du tribunal chargés de leur côté d'appliquer tout ce qui regarde la pénalité (1).

(1) Voir l'ouvrage du docteur Legrand du Saulle : *La Folie devant les tribunaux.*

Ce n'est vraiment qu'en se reportant aux symptômes caractéristiques et essentiels de la folie que l'on peut se former ce criterium.

Ainsi, d'abord la folie est une maladie, et une maladie, non pas de l'intelligence ou de l'âme, mais une maladie qui procède de l'association de l'âme et du corps et qui se manifeste et par des lésions des facultés mentales ou symptomes psychiques et par des lésions des fonctions corporelles ou symptômes physiques.

Les théoriciens qui n'ont voulu voir dans la folie qu'une affection du principe psychique se sont grandement trompés ; et c'est à tort qu'ils ont construit, comme les poëtes, sur les idées et sur les passions, des types de fantaisie. La folie ne réside pas davantage dans cette partie de l'intelligence qui crée les idées que dans cette exaltation de la sensibilité qu'on nomme passion. C'est par une pareille erreur que s'est constitué le système du soi-disant *traitement moral* et d'après lequel un médecin se met à discuter pendant des heures entières avec un aliéné qui raisonne très-logiquement d'après de fausses sensations ou erreurs de la sensibilité. Ce même médecin devrait d'abord guérir cet état morbide qui amène cette fausse sensation, la lésion fonctionnelle nerveuse (vasculaire ou autre) qui produit lentement ou subitement un trouble mental plus ou moins général, qui empêche l'individu de se rendre compte des rapports de causalité ordinaire. Ce n'est pas à dire que le moral ne joue un rôle important dans la production de la folie. Les causes morales (1) n'agissent-elles pas d'une manière puissante dans la genèse de toutes les maladies du cerveau et du système nerveux ? Il n'est pas nécessaire d'être de ceux qui nient l'innéité des idées et la raison pure pour accorder une part assez large à l'influence matérielle, résultat auquel la réflexion et l'expérience m'ont conduit depuis longtemps. Mais il convient d'apprécier le plus possible les conditions de solidarité du principe psychique et de l'élément matériel pour ne pas se fourvoyer dans des théories systématiques qui faussent la pratique et conduisent à des erreurs non moins regrettables en médecine légale qu'en thérapeutique.

Quoique la folie se manifeste par des symptômes psychiques et physiques, ce sont surtout les premiers qui caractérisent cette maladie, et ils apparaissent à l'observateur d'une certaine façon qu'on est convenu de nommer délire (delirare). Cependant, comme le dit très-bien Griesinger (2), « dans beaucoup de cas, il n'y « a pas délire, à proprement parler, ou du moins le « malade n'en manifeste pas ; mais le caractère, les « sentiments, la volonté, sont altérés d'une façon mor- « bide, et, en raison de l'état de maladie du cerveau, ils « pénètrent tellement l'individu, que le jugement est « obscurci, l'intelligence compromise dans sa forme, « l'esprit entravé. Dans cet état, l'individu peut tenir

---

(1) Parchappe. — *Recherches statistiques sur les causes de l'aliénation mentale,* 1839.

Leuret et Gratiolet. — *Anatomie comparée du système nerveux,* t. II, p. 584.

(2) *Traité des maladies mentales* par Griesinger, traduit par Doumic, p. 140.

« des discours raisonnables, c'est-à-dire sans com-
« mettre d'erreurs grossières sur les circonstances ob-
« jectives ordinaires ; il peut diriger sa conduite avec
« réflexion apparente ; il peut, au moins pendant quel-
« que temps, avoir une assez bonne tenue extérieure,
« et pourtant son humeur peut être si profondément
« altérée, ses sentiments affectifs peuvent être si com-
« plétement détruits, que cet individu est devenu pour
« lui-même (pour son moi ancien) et pour les autres,
« tout autre qu'il n'était, et qu'à chaque instant l'irrita-
« tion de son caractère peut se manifester par des actes
« et des penchants pervertis et souvent criminels. »

La folie se manifeste par des symptômes très-variés ;
mais, si variés qu'ils soient, ils ne le sont pas tellement
qu'on ne puisse grouper ensemble des folies se présentant avec des symptômes semblables et former des
catégories qui facilitent beaucoup la connaissance de
ces sortes d'affections. Les divers modes de l'exercice
moral et intellectuel se retrouvent toujours les mêmes,
quand on les étudie sur une vaste échelle. Ils n'égalent
pas, tant s'en faut, le nombre des objets sur lesquels
peut porter l'activité de l'esprit et des sens. Le fond du
délire est très-souvent déterminé par les dernières séries
d'idées qui ont vivement occupé le malade avant l'explosion de la folie. Aussi peut-on dire que cette diversité des phénomènes morbides est bien plus apparente
que réelle.

D'ailleurs toute maladie est soumise à des lois, s'il est
permis de se servir de ce terme pour l'approprier à ce
qui n'est pas normal et d'exprimer ainsi que tout désor-

dre a pourtant lieu suivant un certain ordre. La folie est, en effet, un désordre plus ou moins durable et symptomatologiquement parlant, surtout un désordre des facultés mentales. Ce trouble respecte cependant la dépendance réciproque des diverses facultés entre elles et l'ordre de succession qui les régit depuis leur origine. Il est en outre une évolution qui lui est propre et une marche (origine et développement) qui obéit à cet agencement intellectuel. C'est pour cela que tout délire a sa logique et que tout désordre mental a ses degrés. Si nous ajoutons les conditions d'existence de l'altération fonctionnelle, l'état pathologique que nous fournit l'élément corporel, les lois de l'union de l'âme et du corps, nous avons en peu de mots les propositions qui assurent que la folie n'est pas une maladie où les symptômes se présentent indifféremment et au hasard.

C'est parce que les coupables qui veulent simuler l'aliénation mentale n'ont pas sur cette maladie des notions suffisamment exactes qu'ils donnent prise à la découverte de la simulation. C'est pour le même motif qu'ils ont osé feindre la folie. En raison de la complexité des phénomènes psychiques et physiques plus ou moins mélangés, complexité indépendante de la volonté, il est impossible au simulateur de fournir au médecin-expert le cortége naturel des désordres appartenant à cette maladie.

Pourquoi donc a-t-on dit que les investigations sur l'état mental pouvaient être entreprises et menées à bien par quiconque était doué de bons sens sans qu'il fût médecin? qu'un homme d'un jugement sain était tout aussi compétent que le plus habile de tous ses confrères ? que l'ignorant avait même l'avantage d'être étranger à toute prévention scientifique ?

Je laisse à leurs auteurs la responsabilité de semblables objections qui ne dénotent, si elles partent d'une conviction intime, que le défaut de connaissances suffisantes sur la folie.

C'est en présence des difficultés qu'offre le diagnostic de certains cas de simulation de folie que se révèle précisément toute l'inanité de ces attaques contre la compétence médicale. L'analyse psychologique de l'état mental d'un individu comparé à l'état mental de ce même individu aux diverses époques de son existence, comparé à des états semblables dans diverses conditions pathologiques chez d'autres individus, demande plus que le seul bon sens dont il faudrait d'abord établir les règles et faire disparaître les irrégularités subordonnées à l'âge, au tempérament, à la vie sociale, etc... Elle demande même plus que quelques notions, sans une expérience spéciale et sans une certaine habitude d'analyser les actions des hommes. Casper, de Berlin, juge nécessaire la connaissance du monde des criminels pour être apte à distinguer la folie feinte de la folie réelle. Ce n'est certes pas exagéré, car on ne saurait trop se figurer jusqu'où peut aller la puissance d'imitation des individus pervers ou pervertis. La dissimulation ne demande pas moins d'études spéciales, de lumières et d'intelligence.

Nous jugeons donc de toute nécessité que ce soit un médecin spécialiste qui examine les individus soupçonnés de folie feinte ou atteints de folie réelle. C'est à l'intervention première de médecins non suffisamment instruits, que l'on doit toutes ces incertitudes que l'on rencontre dans certaines affaires médico-judiciaires. Les certificats ou rapports faits en premier lieu induisent en erreur les médecins-experts qui sont appelés ensuite pour confirmer ou vérifier des faits incomplétement ou mal observés ; aussi le spécialiste doit-il accepter avec la plus grande réserve les conclusions émises par des confrères dont l'autorité en matière d'aliénation mentale n'est pas suffisamment reconnue.

Partant des principes que nous venons de poser sur la folie, plaçons-nous au moment même où le médecin est appelé comme expert par le tribunal. Après avoir été invité à prendre connaissance des pièces du procès et des renseignements que la justice a entre les mains, il est chargé d'examiner si un individu est atteint ou non de folie réelle et jure de donner son avis en honneur et conscience.

Il est essentiel de se pénétrer de l'importance de la mission du médecin-expert, de la part de responsabilité qui lui incombe et de ne pas la confondre avec celle qui appartient aux juges et aux avocats. L'idée que l'on se fait du rôle que l'on a à remplir, dans cette circonstance, domine toute la série des recherches que l'on doit faire, et peut avoir des conséquences d'autant plus fâcheuses, qu'elle peut fausser le résultat qui aurait été obtenu avec une manière de voir bien différente. Ainsi supposons que le tribunal soit prévenu en faveur de la simulation et que le médecin-expert accepte dès le commen-

cement cette prévention. Son but sera de la démontrer
et il ne conclura à l'aliénation mentale que s'il ne peut pas
faire autrement. Avec cette condition, la neutralité est
presque impossible dans une expertise médico-légale, et
on est porté à conclure contre le prévenu. Voilà évidemment le résultat d'une opinion extrême : ne voir
partout que des coupables. Mais il est un autre point de
départ qui n'est pas moins pernicieux à la vérité de la
cause, quoique plus favorable à l'individu. C'est, tout
en tenant compte des chances de simulation, de rechercher surtout le diagnostic de l'aliénation mentale et de
ne conclure à la simulation qu'autant que l'investigation a un résultat négatif. C'est, en effet, la prévention
opposée, celle que les magistrats reprochent surtout
aux médecins, et principalement à ceux qui s'occupent
des maladies mentales : ne voir dans les criminels,
quels qu'ils soient, que des malades, que des victimes
d'une organisation altérée ou vicieuse, auxquelles les
secours de la médecine conviendraient mieux que les
rigueurs de la justice. Il y a donc deux écueils essentiels
à éviter ; car ce sont également deux sources d'erreurs.
Ce que demande au médecin le tribunal, c'est l'état
mental du sujet au moment du méfait ; c'est la mesure
de son intelligence et la capacité de ses facultés mentales lors de l'accomplissement du crime ou du délit.

Il existe donc d'autres méthodes d'arriver à la découverte de la vérité. L'étude des différents rapports qui
ont été faits par des médecins-experts sur les cas de
simulation nous permet d'en signaler effectivement
d'autres moins imparfaites que les deux précédentes. Une

méthode que nous mentionnerons encore ici et que nous blâmerons aussi comme n'offrant pas toutes les garanties suffisantes, quoique procédant avec une entière impartialité, c'est celle qui consiste, dans l'observation directe du prévenu, à mettre isolément en regard les particularités militant pour ou contre la simulation, à peser ces arguments contradictoirement, puis à en déduire logiquement des conclusions. L'attention donnée à toute particularité fait oublier les rapports de cette particularité avec l'ensemble, puis on omet souvent un détail insignifiant au premier abord, et qui cependant a une valeur réelle quand on la compare avec le tout. On n'est conduit ainsi qu'à une vraisemblance et non à une affirmation rigoureuse.

Ces considérations expliquent jusqu'à un certain point les conclusions différentes qui se trouvent à la suite de rapports faits à propos d'une même affaire judiciaire par des médecins partant d'une base différente dans leur examen.

Snell, qui a publié sur la simulation de la folie un mémoire très-important inséré dans le *Journal général de psychiatrie*, en fournit un exemple très-digne de fixer l'attention des médecins légistes. Renaudin en a fait l'analyse (*Annales médico-psychologiques*, années 1857 et 1858).

Troisième observation. — Le nommé Stockhausen, né en 1797, avait perdu son père fort jeune. Il n'avait que sept ans quand sa mère contracta un second mariage. Son éducation fut fort négligée. Il eut même à subir de mauvais traitements jusqu'au moment où il quitta sa famille. Il servit dans un régiment, se maria. Peu après il subit une première condamnation de trois ans de détention pour un vol. Après la mort de sa femme, en 1828, nouveau vol et condamnation à huit ans de détention ou de surveillance ; en 1839, trois vols avec effraction le firent condamner à la détention perpétuelle. Sa bonne conduite le fit grâcier en 1850. Mais, à peine libéré, il se livra de nouveau à l'ivrognerie et fut séquestré pour vol. Il prétendit se nommer Carl Lœve. Les recherches de la justice ayant fait découvrir son nom véritable, ses réponses devinrent incohérentes, et même il se renferma dans un silence complet. C'est alors que le docteur Böcker fut chargé de l'examiner. Son rapport conclut à la simulation.

Mais entre ce moment et l'ouverture des assises, Stockhausen se montra sous différents aspects. Il mangeait peu, se plaignait de douleurs intercurrentes dans l'estomac, la poitrine et la tête. Il était malpropre, parlait peu ou répondait aux questions qu'on lui adressait : *Tout est parti, tout est vendu, je n'ai plus rien, fusillez-moi.* Les docteurs Böcker et Hertz furent appelés comme experts à l'ouverture des assises. Ce dernier n'ayant pas eu le temps nécessaire pour asseoir sa conviction, la cause fut renvoyée à une autre session et on adjoignit un troisième expert, le docteur Richarz. Stockhausen continua à se montrer aussi incohérent et aussi irrégulier dans ses actes, à être malpropre. Il ne manifestait de dégoût pour rien, souvent gardait le silence, tantôt s'excitait ou répondait au rebours des questions, faisait des erreurs grossières sur son âge, sur celui d'une personne à laquelle il attribuait cent ans, ou bien il prétendait avoir perdu la mémoire. Les inhalations de chloroforme furent employées sans succès pour pénétrer le mystère de sa véritable situation.

En septembre 1851, les trois experts remirent leur rapport. Böcker persista à soutenir que *vraisemblablement* Stockhausen n'était pas atteint d'aliénation mentale, et que *vraisemblablement* les symptômes observés étaient l'œuvre de la simulation. Il indiquait l'opportunité de continuer l'observation pour arriver par un moyen ou par un autre à une certitude. Hertz conclut également à la simulation habile d'une faiblesse intellectuelle. Il reconnaissait n'avoir pas à sa disposition les moyens d'investigation nécessaires pour résoudre d'une manière certaine l'entière sanité d'esprit à l'instant du vol. Le docteur Richarz pensait que *vraisemblablement* Stockhausen était véritablement atteint d'aliénation mentale et que, quant à l'état de l'accusé au moment du vol, s'il n'était pas alors aliéné, il était au moins dans la période d'incubation. En présence d'assertions si peu précises, la solution de la question n'était pas plus avancée. Aussi l'autorité judiciaire jugea-t-elle nécessaire de le confier à un asile d'aliénés; et le docteur Jacobi fut chargé de faire un rapport sur cet individu.

Dès le début, Stockhausen conserva la même attitude que devant les premiers experts. Mais au bout de quelque temps l'influence de la douche modifia sensiblement ses allures. Il finit par renoncer à ses cris et à ses mouvements désordonnés, prit régulièrement ses repas, accepta les occupations qui lui furent offertes, prit une part active à la vie commune dans les différents quartiers où on le fit passer successivement, à mesure qu'il paraissait plus calme et plus obéissant. Il témoigna d'une certaine intelligence dans quelques emplois qui lui furent confiés. Toutefois son irritabilité s'excitait quand on revenait sur le passé, et, pour peu qu'on insistât, ses discours étaient ceux d'un fou.

Après un examen d'un an, Jacobi conclut à la simulation. Le 7 décembre 1852, malgré la nouvelle manifestation subite des symptômes, les réponses incohérentes faites au président, malgré les assertions contraires du docteur Richarz, le tribunal, à la majorité absolue, condamna Stockhausen, coupable du crime, à quinze ans de détention. Son pourvoi en cassation fut rejeté. A partir de ce moment, cet individu se montra tranquille, laborieux, silencieux, mais présentant toujours quelques singularités dans ses allures. Il cherchait constamment à être seul. Les tentatives qu'on fit à diverses reprises pour le soumettre à la vie commune excitèrent vivement son irritabilité, et pour plus de sûreté on se décida à le laisser seul dans une cellule.

A quelques visites subséquentes des premiers experts dans la maison de détention, Stockhausen feignit de ne pas les reconnaître et se montra irrité. Il se plaignit de perte d'argent, d'accès de fureur, de rêves fatigants. Son emportement ne connaissait pas de bornes quand on lui reprochait le vol qu'il avait commis.

Le docteur Snell, après avoir exposé toutes les phases du procès avec une complète impartialité, arrive enfin à exprimer son opinion et il conclut à la simulation.

L'examen comparé des pièces détaillées de pareils procès judiciaires est évidemment d'un enseignement capital pour l'étude des maladies mentales. Car, en se plaçant au point de vue différent de chaque expert et discutant avec lui les raisons pour ou contre l'aliénation, on se forme un criterium qui peut servir pour des occasions analogues. On est même conduit à mieux approfondir certains symptômes essentiels qui peuvent apparaître d'une manière plus ou moins vraisemblable et à apprécier jusqu'à quel point ils peuvent dépendre de la volonté du simulateur. Car même chez l'aliéné on rencontre quelquefois des manifestations exagérées, simulées ou dissimulées par l'individu suivant les degrés divers de sa capacité volontaire et intellectuelle. M. le docteur Baillarger, dans une note de la traduction de Griesinger (p. 144), croit même qu'un homme peut avoir une véritable monomanie dont il n'a pas conscience et simuler dans un intérêt particulier une folie qu'il n'a pas.

Il serait à désirer que les rapports médico-légaux que le tribunal a en sa possession eussent plus de publicité dans l'intérêt de la science. Qu'il y ait simulation ou non, les conclusions dissidentes ne sont pas moins intéressantes et instructives.

Dans le cas de Stockhausen nous retrouvons précisément les différentes méthodes que nous avons signalées précédemment. Le docteur Richarz a employé la seconde ; le docteur Böcker avait pris le point de départ que nous avons reproché à la première et le docteur Herz s'est servi de la troisième. Le docteur Jacobi, qui est intervenu aussi 'dans ce débat scientifique et judiciaire, a suivi une méthode plus conforme aux véritables idées qui doivent présider au diagnostic de la simulation (1).

En France, parmi les matériaux que nous avons recueillis nous ne trouvons guère qu'un cas de simulation où trois experts aient formulé des conclusions opposées à celles de trois autres experts. En même temps que MM. Bayard, Devergie et Boys de Loury examinaient l'état mental de M..., accusé de s'être approprié frauduleusement une somme de 16,000 francs et présentant des signes d'aliénation mentale, MM. Falret, Trélat et Manec furent appelés par les parents et le défenseur de M... pour constater la situation des facultés intellectuelles. On désirait, en provoquant l'interdiction de M..., le faire passer pour fou et le faire ainsi déclarer irresponsable du méfait précité. Les trois derniers médecins conclurent au défaut d'intégrité de l'état mental. Toutefois l'avocat général Nouguier (23 janvier 1847)

(1) Il paraîtrait, d'après un mémoire de M. Nittermaier, sur les expertises médico-légales, mémoire traduit par M. H. Dagonet, médecin en chef de l'asile de Stephansfeld, et inséré dans les *Annales médico-physiologiques* (1865), que Jacobi aurait déclaré plus tard, lorsqu'il revit en prison le condamné, s'être trompé en ne reconnaissant pas l'état d'aliénation.

Cette simulation aurait pu exister d'abord et avoir pour conséquence une véritable aliénation, comme nous le démontrerons dans le chapitre XI. Cet aveu, qui témoigne de la difficulté de la découverte de la simulation, ne prouve rien contre le vice de certaines idées préconçues ou de certaines bases de l'expertise médico-légale, vice sur lequel nous avons insisté dans ce chapitre et que nous considérons comme capable de fausser l'appréciation du véritable état mental.

après avoir étudié avec le plus honorable scrupule les
éléments de cette délicate et singulière affaire, dans les
conclusions qu'il a données à la cour a pensé qu'il ne
résultait ni de l'enquête ni de l'opinion de MM. Falret,
Trélat et Manec que M... fût atteint d'aliénation mentale. Le rôle qu'il avait joué en son mutisme obstiné
était la preuve de l'astuce et de l'énergie de cet homme.
MM. Bayard, Devergie et Boys de Loury avaient d'ailleurs conclu à la simulation et avaient rapporté des faits
qui motivaient cette conclusion.

Le rapport médico-légal de ces trois derniers médecins a été inséré dans les annales d'hygiène (1847).
Nous n'avons pu nous procurer le rapport opposé.

Les recherches nombreuses que nous avons faites en
étudiant la simulation de la folie nous ont mis à même
de fournir la véritable solution d'un autre fait dont l'histoire est rapportée tout au long dans l'ouvrage de Marc
(t. I). Cette observation ne laisse pas d'être très-instruc-
tive. Car elle montre combien est difficile dans certains
cas la découverte de la simulation et qu'on ne doit né-
gliger aucune ressource diagnostique. Nous avons appris que le nommé Gilbert n'était qu'un simulateur
adroit et rusé et qu'il avait fini par avouer que sa folie
était feinte. Le premier rapport fait par Jacquemin
rentre précisément dans la troisième méthode que
nous avons blâmée, certaines preuves ne sont pas assez
concluantes, par exemple l'opinion des autres criminels;
son enquête ne paraît pas suffisante pour permettre
l'affirmation qu'il a cru devoir donner devant le tribunal. Le certificat où Esquirol a pris part de concert

avec le médecin précédent est au contraire fait avec une grande réserve. D'après cela on peut voir qu'Esquirol émettait un certain doute puisqu'il demande un examen plus approfondi. Différents rapports ont été faits ensuite par Ferrus, Ollivier d'Angers et Marc. Leuret, qui a fait subir un long interrogatoire reproduit dans le livre de Marc, quoique penchant pour la réalité de la folie, fait néanmoins remarquer la dissimulation si grande du prévenu. Cet interrogatoire très-détaillé qui prouve cette puissance de Gilbert à diriger ses réponses aurait dû donner l'éveil. Certains actes et certaines paroles méritaient une attention particulière. D'ailleurs la relation médicale nous fournit un mélange de symptômes qu'il est facile d'apprécier quand on la relit muni de connaissances suffisantes sur la folie et ses différentes formes. Nous reprochons aux médecins-experts chargés de l'examen de Gilbert de n'avoir employé aucun procédé pour s'assurer de la réalité de la folie, ce qui eût abrégé de beaucoup la durée de l'épreuve du prévenu et eût conduit à un résultat contraire à celui qu'ils ont obtenu. Ce n'est qu'à la fin qu'une surveillance continue et bien faite a réduit à néant la volonté de ce criminel.

La longueur des détails donnés par Marc à cet égard m'oblige à résumer une grande partie de cette observation importante. Je l'ai complétée par les renseignements ultérieurs que je dois pour la plupart à l'obligeance de M. le docteur Prosper Lucas, médecin en chef à Bicêtre, et du surveillant en chef de sa section qui a vu et a suivi toutes les phases de la simulation de Gilbert.

Quatrième observation. — Le nommé Gilbert, voleur d'une très-grande habileté, était parti de Paris avec deux coquins comme lui, Jobert et Rodolphe, dans le but de se rendre à Reims pour y voler de concert un curé de cette ville, oncle de Jobert. A quelques lieues de Paris, ils s'arrêtèrent pour prendre le repas du soir dans une auberge. Le souper fini, le neveu du curé qu'on doit dévaliser déclare que c'est à lui de payer la dépense : *Tiens,* lui dit Gilbert, *tu as donc le sac ?* — *Mais oui,* lui répond le compagnon, et il laisse voir une certaine quantité de pièces d'or qu'il tenait renfermées dans une ceinture de cuir cachée sous ses vêtements. On le laisse payer et l'on se remet en route, l'homme à la bourse en tête. *Rodolphe,* dit alors Gilbert au troisième larron avec lequel il marchait un peu en arrière, *si tu es de mon avis, nous n'avons pas besoin de nous traîner jusqu'à Reims ; puisque le camarade a le sac aux écus, faisons-lui son affaire et retournons à Paris.* Rodolphe accepta sur l'heure et Gilbert, tirant un pistolet de sa poche, s'approche tranquillement du neveu du curé qui ne se doutait de rien et lui fait sauter la cervelle. On débarrasse le mort de la ceinture qu'il portait et on jette le cadavre dans un fossé de la route. Il y fut retrouvé dès le lendemain matin à une si faible distance de l'auberge où les voleurs avaient pris leur repas, que le mort fut reconnu par l'aubergiste pour l'un des trois individus qu'il avait reçus la veille. La police, ainsi mise tout d'abord sur la piste, arrêta rapidement Gilbert et Rodolphe à Paris. Ils avaient encore une partie de l'argent volé à leur victime.

Après instruction suffisante ils furent tous les deux renvoyés devant la cour d'assises. Mais sur ces entrefaites, quelque temps avant de comparaître, Gilbert fut attaqué d'une manie subite. Il fut pris d'agitation violente compliquée de délire et d'hallucinations.

Le docteur Jacquemin, qui l'examina à la Force, fit un premier rapport où il déclarait que Gilbert était dans un état évident d'aliénation mentale. A la suite de ces conclusions, datées du 16 février 1838, Gilbert fut transféré à la Conciergerie. Le 28 février, Esquirol et Jacquemin furent commis par le président de la cour d'assises pour visiter de nouveau Gilbert.

Voici les termes qui terminent ce rapport :

« 1° Gilbert nous a présenté plusieurs symptômes caractéristiques de la folie. Dans une position sociale ordinaire, nous n'hésiterions pas à le déclarer aliéné ; mais, considérant que la gravité de l'accusation qui pèse sur lui lui donne un grand intérêt à simuler et qu'il a pu faire une étude de cette simulation dans les différentes prisons où il a été détenu et en particulier dans celle de Bicêtre, nous craindrions d'affirmer que dans cet état il n'y ait rien de simulé ;

« 2° Cette question de simulation pouvant laisser quelque doute, il est nécessaire que Gilbert soit soumis à une surveillance continue exercée par des hommes ayant l'habitude de vivre avec des aliénés et de les soigner ;

« 3° Dans la situation morale et intellectuelle où il se trouve il est impossible de le faire comparaître devant la cour d'assises ;

« 4° En admettant l'existence de l'aliénation mentale,

elle nous paraît susceptible de guérison et il y a lieu
de croire que, par l'absence de toute complication et
par l'influence de la belle saison, un traitement de
trois mois ramènera la guérison, ou qu'à cette époque on
pourra se prononcer d'une manière affirmative sur l'état
de ses facultés intellectuelles.

« Signé : Jacquemin, Esquirol. »

Les deux coupables amenés devant la cour d'assises,
le 13 mars 1838, Gilbert continua à faire le fou. Après
avoir répondu d'une manière juste aux questions relatives à son nom et à son âge, il répondit ensuite ainsi :

D. *Quel métier faisiez-vous avant votre arrestation ?*
— L'accusé se tournant d'un air hébété vers les gendarmes qui sont à ses côtés : *Vous savez bien que je
marchais à Reims.*

D. *Où êtes-vous né ?* — L'accusé se tournant vers le
gendarme qui est à sa gauche : *Qu'est-ce que tu as à dire,
toi....*

Lecture faite de l'acte d'accusation, l'avocat général
demandant une nouvelle visite, la cour donne au docteur Jacquemin la mission d'examiner l'accusé Gilbert
pour être son rapport fait séance tenante. Ce médecin
conclut à la réalité de la folie et à la nécessité d'un traitement. On proroge l'affaire quant à Gilbert et il est
passé outre aux débats à l'égard de Rodolphe. Celui-ci
seul en cause allègue pour sa défense que Gilbert a fait
le coup de lui-même, à l'improviste, sans le prévenir de
rien ; qu'il est innocent du meurtre et qu'on ne peut
lui reprocher que d'avoir consenti à profiter du crime

et à recevoir une part de l'argent volé. L'absence de Gilbert dont la présence n'avait pas été jugée nécessaire en raison de l'état mental, l'impossibilité de toute confrontation, de toute contradiction venant en aide à son dire, Rodolphe ne fut condamné qu'aux travaux forcés à perpétuité.

Gilbert fut envoyé à Bicêtre aux soins du docteur Ferrus alors médecin en chef. Ce criminel continua son rôle de maniaque. Il se balançait comme un ours dans sa loge, feignait des hallucinations, refusait parfois de manger et se vautrait même dans ses excréments ; il affectait un air extrêmement craintif, reculait quand on l'approchait. Il redoutait le moindre geste et se mettait en garde comme pour éviter un soufflet. Ses yeux étaient hagards, ne se fixaient jamais sur aucun objet. Il y avait même un peu de strabisme et une mobilité extrême des yeux. Ce manége suivi avec un talent et une persistance incroyables se prolongea pendant des mois, jusqu'au jour où, instruit du jugement de son complice et de son résultat et croyant avoir suffisamment endormi la surveillance, il se calma peu à peu. Dans un certificat sur l'état de cet individu où est jointe la reproduction d'un interrogatoire fait par Leuret, le docteur Ferrus croyant à la réalité de la folie constate que, depuis le 26 juillet, Gilbert est redevenu peu à peu raisonnable et que depuis cette époque sa raison n'a été aucunement altérée.

En conséquence de cette attestation, Gilbert fut traduit, le 29 novembre 1838, devant la cour d'assises de la Seine.

Marc assista à une partie des débats et particulièrement à l'interrogatoire de cet accusé. Il l'observa avec beaucoup d'attention sans pouvoir découvrir en lui la moindre trace d'un désordre mental. Gilbert chercha à faire prévaloir les mêmes raisons que Rodolphe avait invoquées pour rejeter la faute sur son complice. « Il chercha, écrit Marc, à combattre les charges accablantes qui s'élevaient contre lui, avec beaucoup de sang-froid et de ruse, mais surtout avec une dissimulation remarquable et dont il avait déjà fait preuve à Bicêtre, pendant l'interrogatoire que le docteur Leuret lui avait fait subir à une époque où la raison n'avait reparu que pendant vingt-quatre heures et n'était pas à beaucoup près aussi consolidée qu'au jour de sa mise en jugement. »

Gilbert, condamné à la peine capitale, retomba en moins d'une heure dans un nouvel accès de manie sur lequel Ollivier d'Angers et Marc furent chargés de statuer.

Seize jours après l'invasion maniaque, le 23 décembre 1838, ces médecins conclurent à la réalité de la folie :

1° Parce que Gilbert a déjà été aliéné avant sa condamnation et sans qu'il y ait eu feinte ;

2° Parce que dans les variétés de la forme de folie dont il a été atteint, il existe une certaine analogie qui ne saurait être simulée que par une personne instruite et qui aurait fait une étude profonde des maladies mentales ;

3° Parce que plusieurs signes extérieurs que nous

avons indiqués et qui ne peuvent être contrefaits dénotent la réalité de l'exaltation maniaque ;

4° Enfin parce que l'absence presque complète de sommeil depuis que Gilbert est au dépôt des condamnés, son agitation et sa loquacité qui sont les mêmes la nuit que le jour, ne peuvent se concilier avec la simulation.

Ollivier d'Angers et Marc conclurent que, pour observer cet individu avec plus de suite et pour s'occuper des moyens de le guérir, s'il était possible, il était indispensable de le transférer dans un hospice d'aliénés.

Le 3 janvier 1839 Ferrus constatait dans un nouveau certificat un état de délire maniaque très-caractérisé et très-intense.

L'état de Gilbert, pendant son second séjour à Bicêtre, varia peu jusqu'à l'époque de sa fuite. A des accès d'agitation toujours accompagnés d'hallucinations succédèrent des retours de remittence et même de lucidité, pendant lesquels il fit plusieurs tentatives de suicide et d'évasion dont la dernière réussit (le 11 avril 1839).

Il s'évada un matin de la Sûreté avec l'aide d'un de ses camarades et se cacha dans les bois de Meudon. Il y vécut on ne sait trop de quoi ni comment ; puis revint à Paris chez un de ses parents, pour y changer de linge et y prendre de l'argent dans le but de s'éloigner. Mais il fut aussitôt reconnu et arrêté le 19 avril.

Les docteurs Ollivier d'Angers et Marc furent de nouveau chargés de faire un rapport sur la situation mentale de ce condamné.

Les conclusions confirment celles que nous avons

reproduites précédemment : la non-simulation de Gilbert. Celui-ci avait donné des détails circonstanciés sur son évasion de manière à faire croire qu'il avait été décidé à se sauver parce qu'un aliéné lui répétait continuellement : *Gilbert, on te guillotinera demain*. D'ailleurs il proteste contre toute participation à l'assassinat de Jobert.

Après certaines considérations qu'il serait trop long de reproduire ici et qu'on pourra lire dans tout leur développement dans l'ouvrage de Marc, Ollivier d'Angers et Marc admettent que Gilbert est dans un intervalle lucide analogue à ceux qu'il a déjà présentés à Bicêtre avant et depuis sa condamnation ; que le contact des aliénés pourrait exercer sur lui une influence fâcheuse et qu'il devrait être transféré dans une prison où il pourrait être soumis, si on le jugeait nécessaire, à l'observation ainsi qu'aux soins des médecins.

A la suite de ce rapport, la condamnation capitale de Gilbert fut commuée. Le calme de l'esprit et la lucidité des idées continuèrent. Il fut ramené à la Conciergerie. Toutefois l'espoir d'une évasion plus facile à Bicêtre qu'au bagne lui donna l'idée de simuler de nouveau l'aliénation. Il réussit à se faire reconduire à Bicêtre. Mais cette fois, parfaitement édifiés sur le compte de ce brigand, les gardiens ne le quittèrent plus d'une seule minute. Il ne sortait de sa loge qu'en camisole de force. Las, au bout de quelques mois, de cet invariable régime de surveillance qui, en compensation de toutes ses rigueurs, ne lui laissait même pas l'espérance de la fuite, Gilbert insista pour voir son avocat. Il lui fit l'aveu qu'il avait simulé la folie pour se faire reconduire à Bicêtre, où il se trouvait mieux que dans la prison et d'où il avait l'espoir de s'évader, mais que, reconnaissant que toute évasion était devenue impossible et ne pouvant plus tenir au traitement qu'il était condamné à subir, il réclamait son droit d'être reconduit au bagne, dont la vie allait mieux à ses goûts que celle qu'il menait à la Sûreté.

M. le docteur Devergie (1) propose un criterium pour la recherche la plus exacte de la véritable situation psychique. Le médecin-expert devrait faire en même temps deux hypothèses relatives à l'application de l'acte soumis à son appréciation. Il devrait supposer : 1° que l'individu est criminel ; 2° que l'individu est aliéné. Celle de ces hypothèses qui se rapprocherait le plus de la vérité expliquerait sans difficulté tous les phénomènes signalés et leur évolution naturelle, tandis que l'autre offrirait une série d'invraisemblances qui choqueraient notre jugement et qui s'éloigneraient de l'état véritable. En étudiant le fait à ces deux points de vue, M. Devergie pense que le doute s'évanouirait facilement, que la conviction se raffermirait et la conséquence serait l'énonciation précise de la vérité.

Ce travail comparatif que propose M. Devergie n'est autre chose que celui qui constitue l'opération mentale qu'on appelle raisonnement, jugement, et je ne vois pas qu'on doive faire une méthode particulière des conditions essentielles appartenant à une bonne logique. Suivant

---

(1) *Annales d'hygiène publique et de médecine légale*, 2ᵉ série, t. II.

nous, la meilleure méthode est de se reporter aux principes que nous avons émis brièvement sur la folie. C'est de leur observance qu'il sera possible d'arriver à l'exactitude la plus grande. C'est en groupant les symptômes entre eux dans l'ordre où ils se présentent, et en comparant cet ensemble aux groupes que nous fournit l'étude clinique de la folie ; c'est en le rattachant aux états physiologique et pathologique antérieurs, en suivant le mode d'action des différentes causes, la marche et l'évolution des transformations qui ont pu s'opérer dans des conditions très-variées, qu'on arrivera à déterminer la situation mentale actuelle et celle qui existait au moment où l'acte incriminé a été commis.

CHAPITRE III

Examen indirect.

Nécessité de l'examen des pièces et de l'examen direct. — Questions que suscite l'examen des pièces. — Nature de l'acte. — Il résulte de la perversité, de la passion, de la folie. — Motif de l'acte. — Ce méfait est-il unique, multiple ou une récidive? — Cinquième observation. — A quel moment remonte l'aliénation mentale. — Sixième observation. — Intérêt que l'accusé peut avoir à simuler la folie. — Détails sur les antécédents d'après les documents judiciaires. — Hérédité et prédisposition.

On peut diviser en deux parties l'enquête médico-légale relative à la découverte de la simulation :

1° L'examen des pièces, des dépositions et des antécédents de l'individu ou examen indirect;

2° L'examen direct.

Nous n'avons pas à entrer dans la discussion de la nécessité de ces deux examens, nécessité qui a été résolue alternativement, tantôt affirmativement, tantôt négativement par les médecins et par les jurisconsultes. M. le docteur Griesinger nous fait savoir qu'il n'y a pas bien longtemps que l'on demandait aux médecins de faire leur rapport, d'après l'instruction écrite de l'affaire : « Dans la Faculté de médecine d'une petite uni- « versité du nord de l'Allemagne, en 1850, on n'en re- « venait pas de le voir demander l'examen personnel de « l'accusé, pour éclairer une affaire judiciaire. Pareille « chose ne s'était jamais vue (1). » On a reconnu la valeur

(1) Griesinger, p. 146.

de la connaissance de tous les détails, quels qu'ils soient.

Mais doit-on d'abord procéder par la première partie ou bien s'adresser en premier lieu à l'examen direct, pour comparer ensuite son opinion avec celle qui surgit de l'étude de la première partie? Nous ne saurions attacher une bien plus grande importance à l'une ou à l'autre de ces deux manières de faire. Dans une récente affaire criminelle, MM. Renaudin et Bonnet, chargés de l'expertise médico-légale, font savoir dans leur rapport qu'ils ont commencé, chacun de leur côté, par l'examen direct, dans l'intention de conférer ensuite sur leur opinion et de la confronter avec les résultats fournis par l'examen des différentes pièces. On peut agir de cette façon quand on est dans les conditions de ces deux médecins, et que, le malade étant dans l'asile, il est possible de le voir facilement, aussi souvent qu'on le désire, de le revoir après la connaissance de tous les documents du procès. Mais le tribunal n'autorise pas toujours le transfèrement du prévenu dans un établissement spécial ; et il faut alors que le médecin arrive, en sa présence, muni des renseignements les plus exacts, capables d'éclairer son diagnostic. Car un long temps est quelquefois nécessaire avant de trouver le côté faible d'un homme aliéné. M. le docteur Dumesnil, médecin directeur de l'asile de Quatremares, dans un mémoire : *Les Aliénés et les Enquêtes médico-légales*, cite un exemple digne d'imitation qui, tout en témoignant de la difficulté du diagnostic, fait aussi honneur aux magistrats chargés de l'enquête judiciaire. Après avoir échoué dans leur interrogatoire, ces messieurs eurent recours au médecin en chef et lui demandèrent comment l'aliéné qu'ils examinaient pouvait donner prise à l'appréciation des phénomènes morbides et manifester ses idées délirantes.

Les mensonges et les exagérations de l'inculpé sont des causes d'erreur qui ne peuvent être détruites que par la connaissance des actes et des dépositions. Même quand le tribunal confie l'inculpé à un asile d'aliénés, je crois préférable la méthode qui consiste à prendre d'abord communication de toutes les pièces de l'affaire.

Cette première partie fournit plusieurs questions à élucider :

1° Quel est l'acte et de quelle manière a-t-il été commis ?

2° Quel a pu être le motif de cette action ?

3° Le méfait que l'on reproche est-il seul ou multiple ? A-t-il été commis d'autres fois par l'individu dans le courant de son existence ?

4° A quel moment remonte l'aliénation mentale ?

5° Quel intérêt l'accusé peut-il avoir à simuler la folie ?

6° Mais en même temps se présente la question si importante des antécédents qui devient inséparable des cinq autres pour l'appréciation de l'état mental. Les documents judiciaires ne fournissent pas toujours à cet égard tous les détails désirables.

1° *Quel est l'acte et de quelle manière a-t-il été commis ?* — Cette première question a une bien grande valeur, car il est possible quelquefois d'avoir, d'après l'examen seul de l'acte, une forte présomption en faveur de l'aliénation mentale. Notre savant chef de ser-

vice, M. le docteur Morel, a insisté très-souvent sur
l'importance d'étudier la nature de l'acte par rapport
à la maladie spéciale ou au trouble de l'entendement.
M. le docteur Dagonet, dans sa dissertation inaugurale (1), a étudié avec soin les actes commis par l'individu aliéné. Tout acte considéré en lui-même est, en
général, le dernier terme d'une série d'opérations mentales. Ces opérations présenteront nécessairement des
différences suivant que les facultés viendront à fonc-
tionner d'une manière régulière ou bien qu'elles opére-
ront en dehors des lois qui président à leur libre
exercice. L'acte étant donc une résultante, son appréciation nous fournira un moyen précieux pour arriver
à la découverte de la véritable méthode psychique.

S'il est important de se demander quel est l'acte, il
l'est bien plus de se demander comment il a été exécuté.
La manière dont auront été commis un attentat à la
pudeur, un acte de violence, un vol, un incendie, un
homicide, un suicide, etc..., pourra déjà faire préju-
ger de l'état des facultés intellectuelles, attendu qu'il
existe bien des façons d'effectuer un ou plusieurs de
ces méfaits, suivant qu'ils sont le résultat de la perversité, de la passion ou de la folie.

L'homme pervers ou vicieux qui préjuge la responsabilité qui lui incombe, qui a conscience du mal qu'il
fait et du dommage qu'il fait subir à son semblable ou
à la société, et qui connaît quelquefois d'avance quel
est le châtiment qu'il encourt, commet son action mau-

(1) *Considérations médico-légales sur l'aliénation mentale* (thèses de
Paris 1849).

vaise en s'entourant des plus grandes précautions. Tout
dans l'acte incriminé annonce cette prévoyance. Il a
recours aux ruses et aux stratagèmes de toutes sortes.
La nuit, le silence, les endroits écartés doivent être les
témoins les plus ordinaires de ses crimes. Il doit chercher à se cacher le plus possible ; l'occasion, malgré
toutes ses séductions, ne saurait empêcher qu'il n'y eût
au moins une ou plusieurs preuves d'une certaine précaution. On trouve la liaison entre une multitude de
faits et l'acte incriminé. Après l'exécution, il se dérobe
avec soin aux regards de ceux qui pourraient le reconnaître ou le soupçonner. Est-il découvert et arrêté, il
nie le fait avec l'aplomb le plus opiniâtre, se défend
contre les accusations qu'on porte contre lui et ne se
rend quelquefois même pas devant l'évidence des faits
et les preuves les plus nombreuses qui l'accablent. Il
faut une bien grande habitude du crime, une âme bien
endurcie, une intelligence rompue aux roueries du mal
et expérimentée dans les moyens de se soustraire à la
justice, pour ne pas trahir d'une manière ou d'une autre cet esprit de prudence et ce sentiment de crainte. Le
criminel ne renferme que rarement en lui-même les projets qu'il médite. Il a des complices qui lui ressemblent
plus ou moins sous le rapport moral, s'il est incapable de
réussir seul, ou encore, dans ce dernier cas, il ne se con-
centre pas comme l'aliéné. Mais en outre, pendant qu'il
méditait son méfait et qu'il travaillait à le commettre,
le criminel n'a pas moins suivi le cours ordinaire de sa
vie. C'est ainsi qu'il buvait, mangeait, parlait, vaquait
même à ses affaires comme les autres personnes.

Dans les passions, que l'on peut considérer en général comme des émotions d'une nature particulière susceptibles d'acquérir assez de force pour troubler notre jugement et paralyser notre liberté morale, la volonté a des degrés nombreux de puissance. Au plus haut degré, alors qu'elles s'élèvent jusqu'à l'exaltation, on ne remarque plus le cortége de précautions si caractéristiques de la perversité. Il y a des passions qui, quoique moins violentes, ne les comportent pas davantage et qui les méprisent. Il en est d'autres qui n'excluent pas une préméditation quelquefois très-ancienne et profondément élaborée. On comprend que dans ces différentes conditions l'acte se ressente de la spontanéité ou de l'entraînement. Parmi ces mouvements de la sensibilité, c'est surtout la vengeance que l'on rencontre. On cherche à faire du tort à son ennemi, à raffiner la souffrance qu'on lui impose et l'intérêt n'a que très-peu de place dans ces opérations. L'ambition, le fanatisme, sont des passions non moins puissantes.

Quand c'est un aliéné qui a commis un méfait, ce méfait trahit d'abord en général ce trait si caractéristique de l'aliénation, l'exagération morbide de la personnalité ou l'égoïsme. On peut y reconnaître cette concentration du malade qui le porte à se replier sur lui-même, à vivre en dehors des autres individus, à ne pas communiquer à d'autres personnes les projets qu'il médite pour répondre à l'impression que font sur lui de fausses sensations, des hallucinations, des conceptions délirantes, etc... En un mot, le méfait a un cachet d'isolement que ne présentent pas les actions du criminel.

On rencontre encore des caractères particuliers différents suivant l'état mental, suivant la forme d'aliénation.
Non pas que chaque action puisse constituer une espèce
morbide, comme la fausse interprétation de la monomanie porterait à le faire croire, mais parce que chacune des actions que nous avons nommées plus haut ne
peut être en effet considérée que comme un symptôme,
fin d'une impulsion d'une nature spéciale raisonnée ou
non, et pouvant par conséquent s'offrir dans plusieurs
phrénalgies à la fois et dans l'une plutôt que dans l'autre. Ainsi le vol peut être accompli par l'aliéné hystérique, par l'aliéné dément, par le paralysé général,
par l'imbécile. Il n'a pas lieu de la même manière, selon
que l'on a affaire à l'un ou à l'autre de ces aliénés. Les
mobiles qui interviennent dans sa perpétration sont
certainement bien différents. La volonté est plus ou moins
dépourvue des auxiliaires qui donnent à l'auteur de l'acte
la conscience pleine et entière. Nous pourrions citer des
différences analogues pour les actes de violence, l'homicide, l'incendie, etc... dans d'autres formes de folie. Ces
tendances criminelles peuvent encore se manifester sous
l'influence de certaines liqueurs ou de certains poisons.

En général, l'aliéné cherche peu à cacher son
méfait. Le mélancolique délirant par persécution n'a
qu'un but, se venger de ceux qui le poursuivent et
lui font du tort. Il va droit au résultat et se soucie peu
de ce qui lui adviendra. Pour quelques-uns, il y a même
une espèce de forfanterie qui les engage à agir au plus
grand jour possible. Le maniaque exécutera avec des
bizarreries et des minuties inconnues. Au moment de

l'action, on remarquera certains symptômes, tels que
turgescence et coloration de la face, yeux hagards, etc.
Ce n'est pas que la préméditation et l'astuce la plus
pénétrante n'interviennent chez celui qui est atteint de
folie, et qu'il ne cache pendant des mois et même pendant
plus longtemps l'idée nuisible qui le domine. Il y a des
aliénés qui usent d'une ruse quelquefois extraordinaire
et mettent dans la combinaison de leur plan tout le
soin d'un homme raisonnable. Il est même certains
aliénés qui, après l'acte accompli, tremblent et se ca-
chent. Chez d'autres, l'acte a été la crise qui a fait cesser
l'état de souffrance de l'organisme, comme une convul-
sion fait cesser une névropathie. Ils avouent avec un
repentir profond. Ou bien encore, cette crise a laissé
l'individu dans l'ignorance de ce qu'il a commis. Il arrive que de la stupeur ou une sorte d'hébétude résulte
de ce mouvement de l'organisme. Il faut avoir soin de
ne pas les confondre avec l'indifférence et la perversité extrême du cœur humain.

Toutefois l'acte en lui-même et la manière dont il a
été accompli ne sauraient suffire, malgré les détails
dans lesquels nous venons d'entrer ; il est un grand
nombre de cas où cette valeur médico-légale de l'acte
ne peut fournir la preuve de l'existence ou non de la
folie. Dans quelques cas seulement, elle donne une
très-forte présomption.

2° *Quel a pu être le motif de cette action ?* — Le motif qui a pu déterminer l'acte ne laisse pas de fournir
un argument d'un certain poids. Il ressort le plus souvent de l'acte lui-même et l'intérêt qui en résulte appa-

raît généralement sans qu'il soit nécessaire de longues enquêtes, attendu que le méfait est assez significatif. Les personnes ou les objets sont suffisamment dignes d'envie, de cupidité pour expliquer le crime. Pourtant, au moment où le criminel est saisi et dans ses premiers rapports avec les agents qui l'arrêtent, s'il ne nie pas l'acte qu'il a commis, il allègue quelquefois des raisons dont il faut tenir compte dans le courant de l'examen médico-légal, soit qu'il y ait contradiction ou non. Ces raisons peuvent mettre sur la voie du diagnostic, attendu que certaines idées délirantes dominent plutôt dans telle forme d'aliénation que dans telle autre. Quelques simulateurs diront qu'ils n'avaient pas leur tête à eux, qu'ils sont faibles d'esprit, qu'ils ont été entraînés malgré eux, etc. Chez l'aliéné, cette confession de faiblesse d'esprit ou de folie ne se rencontre que rarement. Chez le maniaque, ces actes sont commis sans motifs plausibles. Chez le mélancolique, ce sera pour obéir à une voix, à une hallucination, soit pour obtenir une pénitence qui lui fera gagner le ciel, soit pour se débarrasser d'un ennemi personnel, soit pour préserver une personne chère d'un malheur ou des atteintes d'un ennemi ; chez l'épileptique, ce sera encore le résultat d'une hallucination, d'une impulsion instinctive ou d'un trouble qui a enlevé le souvenir de l'acte ; chez l'hystérique, le motif sera des plus futiles et le souvenir sera conservé ; chez le dément, chez le paralytique, le motif restera inconnu. Ils ne se rappellent pas l'action qu'ils ont commise. Les motifs qui déterminent les actes des aliénés s'expliquent très-souvent par la nature de leur maladie.

La recherche du motif est essentielle, car, s'il ne suffit pas le plus souvent pour fonder un jugement sur l'état psychologique, il peut être d'une grande utilité, et, ajouté à d'autres documents de l'examen, il acquiert un certain poids. Il n'est pas toujours possible de connaître le véritable motif qui détermine l'acte d'un aliéné. Ensuite, comme le dit M. le docteur Morel dans ses lettres au docteur Bedor (*Gazette hebdomadaire*, 1857), il est parfois bien difficile de séparer de l'ensemble les incitations ou impulsions déterminées par la maladie elle-même. Puis l'aliéné oublie complétement le motif qui l'a poussé en dernière analyse à commettre un acte. Nous avons cité quelques-unes des formes où la mémoire était en défaut.

En général, le motif de l'action des aliénés est peu en rapport avec la gravité de cette action. La cause n'a d'importance qu'aux yeux de l'insensé. Il n'en est plus de même du criminel qui a un intérêt bien marqué dans l'accomplissement du méfait et qui, en raison de sa vie antérieure et de son degré de perversité, apprécie bien différemment certaines actions morales.

3° *Le méfait que l'on reproche est-il seul ou multiple? a-t-il été commis d'autres fois par l'individu dans le courant de son existence?* — La troisième question n'éclaire pas moins le diagnostic de la perversité ou de l'aliénation. Un méfait isolé dans la vie d'un homme qui a toujours été honnête, laborieux, ne peut être que le résultat d'une circonstance extraordinaire, d'un changement dans sa manière d'être, de la passion ou de la folie.

D'un autre côté, la reproduction d'un même ou de

plusieurs mêmes faits criminels dans des conditions semblables et pour des motifs insignifiants, peut être l'indice d'un état mental maladif. Car le crime a ses degrés presque nécessaires et le criminel récidiviste aura acquis une expérience qui tendra à lui faire éviter les fautes qui ont fait échouer ou surprendre son action. Cette recherche des actes plus ou moins blamables dans la vie d'un prévenu est d'une importance considérable. Car tel ou tel méfait, comme nous le disions (p. 40), n'est pas accompli indifféremment par tel ou tel individu perverti ou aliéné. Ces antécédents, ou les condamnations précédentes, fourniront la mesure de la capacité intellectuelle.

Il ne faudrait pourtant pas considérer des condamnations nombreuses comme un criterium infaillible de la perversité. Nous avons malheureusement dans la science des faits qui prouvent que certains états de folie ont été méconnus. Le temps est venu prouver que certaines récidives fréquentes périodiques n'avaient été que le résultat d'un état morbide. Nous pourrions citer des exemples à l'appui de ce que nous avançons. Il nous suffit toutefois de dire que ces conditions doivent appeler toute l'attention du médecin-expert qui se livrera à une analyse détaillée des méfaits antérieurs.

4° *A quel moment remonte l'aliénation mentale?* — Quand il s'agit d'un méfait, on comprend combien il importe de savoir quand est-ce qu'on a noté les premiers symptômes de folie.

· *a.* L'aliénation qui se manifeste avant l'acte incriminé modifie de beaucoup la situation du médecin-expert. Je n'ai pas recueilli de faits où la folie ait été simulée avant l'accomplissement d'un crime. Pourtant, de pareilles circonstances peuvent se présenter. Il peut arriver qu'un individu adroit, rusé, profondément pervers, calcule la réalisation de son projet criminel de façon à s'enlever toutes les conséquences de la responsabilité. La conduite du médecin-expert consiste à constater si l'état mental actuel correspond exactement à celui qu'accusent les manifestations antérieures et si le mode d'évolution est conforme à celui de folies semblables que la science a décrites ou que l'expérience du médecin-expert lui a fournies. Un cas de ce genre, offert par quelqu'un qui aurait des notions suffisantes sur la folie, serait très-embarrassant et très-difficile.

b. On trouve des cas où l'aliénation mentale s'est manifestée avant l'arrestation. Voici entre autres une observation très-curieuse que je résume après l'avoir puisée dans les *Annales d'hygiène et de médecine légale* (1842).

Cinquième observation. — Une fille de quatorze ans fut appelée de la province à Paris pour entrer dans une maison en qualité de domestique. Peu de temps après son arrivée, des vols nombreux furent commis dans cette maison. On porta plainte devant l'autorité; et, une enquête ayant eu lieu, on retrouva parmi les effets de la jeune fille et dans sa chambre des objets appartenant à ses maîtres. Un étudiant, Alfred C., que l'on croyait d'une sagesse exemplaire et qui ne sortait jamais qu'aux heures des cours ou des offices religieux, appelé en témoignage, déposa contre l'accusée qui, déclarée coupable, fut envoyée pendant trois ans dans une maison de correction.

Mais, après l'arrestation de la jeune fille, on continua de voler. L'étudiant lui trouva des complices. Il se dit lui-même persécuté par eux, disparut un soir et ne rentra qu'au bout de deux jours, les vêtements en désordre, blessé à l'épaule gauche, en disant qu'il avait été conduit dans des souterrains où les voleurs avaient voulu le punir de sa dénonciation. Le commissaire de police, informé de ces faits, les trouva peu vraisemblables et instruisit le procureur du roi. L'étudiant, se croyant l'objet de quelques soupçons, eut des crises de nerfs, des extases, des absences de raison pendant lesquelles il parlait très-haut, répétait toute une scène de voleurs dont il aurait été victime ; il écrivait des choses incohérentes, faisait des représentations de têtes de mort, ne répondait pas aux questions qu'on lui adressait. On le conduisit dans une maison d'aliénés.

Bientôt, les charges s'accumulant contre lui et un commencement d'instruction le désignant comme voleur et comme calomniateur de la jeune fille, il fut mis en prison. MM. Ollivier d'Angers et Leuret furent chargés de faire une enquête sur son état mental.

Examiné d'abord dans la maison de santé, ce jeune homme avait la figure pâle ; son air était triste, le regard incertain. Ses réponses arrivaient avec lenteur, mais paraissaient toujours réfléchies. Il disait avoir de l'insomnie, des cauchemars, être sans cesse obsédé par des idées tristes ; que de temps à autre il avait des crises qui débutaient par un mal de tête, puis que dans ses

crises il perdait complétement la vue, qu'alors son imagination lui représentait les voleurs par lesquels, après
une longue résistance, il était entraîné les yeux bandés
dans des souterrains ; qu'ensuite, marchant sans savoir
où il allait, il se heurtait avec plus ou moins de violence
contre tout ce qui se trouvait sur son passage... Aucune
trace de contusion ou de blessure autre que celles que
avons signalées précédemment n'a été trouvée. Aux
questions qui lui ont été adressées concernant les vols
commis chez ses parents, il a demandé si des vols avaient
été commis et si l'on en connaissait les auteurs, paraissant ainsi vouloir demander ce que les autres savaient au
lieu de dire ce qu'il savait lui-même. La conversation
amenée sur d'autres sujets, le sieur Alfred C. parlait
sans réticence quoiqu'avec lenteur. Quant à l'état de
l'intelligence, rien qui ne fût normal.

Au dépôt de police, il a été parfaitement raisonnable
dans sa tenue et dans ses réponses, chaque fois qu'il
n'était pas question de vols commis chez son oncle.
Mais quand la conversation était amenée sur ce dernier
point, il faisait des réponses embarrassées, ambiguës ;
il avait un air étrange qu'il ne conservait pas quand il
était question d'autre chose. Les extases et son agitation
avaient disparu. Interrogé sur la cause à laquelle il attribuait son rétablissement, il affirma n'avoir jamais
été malade et n'avoir pas perdu la raison. Mais il
ne dit pas qu'un prisonnier l'a menacé de le mettre
à la raison, s'il ne se tenait pas tranquille. Quant
aux médicaments, il répondit avoir pris une poudre
blanche qui l'avait purgé et une poudre verte qu'il croyait

être de la belladone. Mais le médecin traitant assura ne lui avoir jamais prescrit ce dernier médicament.

L'examen de la blessure conduisit MM. Ollivier d'Angers et Leuret à croire à une blessure qu'il avait dû se faire lui-même.

Au jour du jugement, des preuves nombreuses s'étant accumulées de plus en plus contre Alfred C., et les médecins-experts affirmant qu'il y avait simulation d'extase, d'aliénation mentale et de la blessure, ce jeune homme finit par avouer lui-même qu'il était seul coupable, qu'il avait calomnié cette jeune fille et qu'il avait réellement simulé.

c. Le cas le plus fréquent est celui où l'aliénation mentale apparaît après l'arrestation. Cette condition de la manifestation de la folie est un motif très-grand de suspicion. Car qu'un trouble mental ne se révèle qu'après l'arrestation d'un individu, il y a là, à n'en pas douter, un phénomène fortuit qui ne laisse pas d'être extraordinaire quand on ne trouve rien qui décèle cette disposition morbide avant le méfait. La connaissance profonde de l'aliénation mentale ne permet pas de nier une pareille fortuité. Il est des cas de folie qui peuvent se développer brusquement à la suite d'une émotion vive, d'une grande douleur, d'une grande surprise, de l'insolation, etc. Il est même des cas où la manifestation subite de l'aliénation cessera après l'exécution d'actes épouvantables pour reparaître au bout de quelque temps sous la forme d'un accès qui suivra son cours. L'invasion subite est un fait excessivement rare. L'organisation du délire aliéné est toujours précédée d'une incubation plus ou moins longue, plus ou moins mani-

feste, ou bien l'on trouve dans l'état pathologique antérieur des phénomènes morbides et des conditions pathogéniques en rapport avec la soudaineté de la folie.
L'étude de l'aliénation tend de jour en jour à éclairer
ces faits surprenants de folie instantanée. Dans ces cas,
on doit donc soupçonner la simulation.

d. L'aliénation mentale peut se montrer après la
condamnation et alors que l'individu subit sa peine depuis assez longtemps.

Voici un fait que j'ai été à même de voir moi-même.
La simulation a été découverte par M. le docteur Campagne, alors mon chef de service.

Sixième observation. — Le 24 novembre 1855, entre
dans l'asile d'Avignon le nommé M... (Xavier), célibataire, âgé de 21 ans environ, arrivant de la maison
centrale de Nîmes.

A l'appui de l'ordre d'admission se trouvait le certificat suivant du médecin de la prison :

« Nous soussigné, etc..... après avoir examiné et soi-
gné pendant un certain temps le nommé M... (Xavier),
avons constaté et déclarons ce qui suit :

« Ce détenu a commencé à donner quelques signes
d'aliénation mentale dès les premiers jours du mois
d'octobre 1855. Il a été admis à l'infirmerie le 16. Il
était alors dans un état complet de démence, parlant
sans cesse et tenant des propos décousus, ne reconnaissant aucune des personnes qui lui adressaient la parole
et ne répondant jamais juste aux questions qu'on lui faisait. Il était sans fièvre, mangeait quelquefois avec avidité, restait d'autres fois un jour entier sans prendre

d'aliments. Il lui est arrivé souvent de mêler à sa soupe son urine et ses excréments. En proie à une agitation continuelle, il ne dormait presque point.

« Cet état se prolongea jusqu'au 23 ; tout à coup il redevint calme, s'étonna d'être à l'infirmerie et se plaignit de maux de tête. Il raisonnait fort bien et avait grand appétit. Le 5 novembre l'amélioration persistait. M... était fort tranquille lorsque le 6 il se mit à divaguer de nouveau. Depuis ce jour sa folie est redevenue ce qu'elle était auparavant, même désordre dans les idées et dans les actes. M... crie, s'agite constamment. Il déchire et met en pièces tout ce qui se trouve à sa portée, brise tous les ustensiles, mais il ne commet aucun acte de violence contre les personnes.

« Nous pensons d'après ce qui précède que le détenu M... est frappé d'aliénation mentale, que le trouble qu'il occasionne dans l'infirmerie y rend son séjour incommode et dangereux même pour les autres malades. Son transfèrement dans une maison de santé nous paraît même d'autant plus nécessaire que s'il recevait promptement les soins appropriés à sa maladie, il pourrait être ramené à la raison.

« Nîmes, le 13 novembre 1855. »

Feu le docteur Geoffroy, alors médecin en chef de l'établissement, constata dans son certificat d'entrée que M..., admis pour cause d'aliénation mentale, était atteint de cette maladie, mais qu'il croyait devoir attendre le certificat de quinzaine avant d'assigner un caractère à cette affection mentale (25 novembre 1855).

M...était comme imbécile. On le voyait faire des gestes, des grimaces. Il répondait rarement aux questions qui lui étaient adressées. Il aimait à bousculer les gens sans avoir l'air de savoir ce qu'il faisait. Le médecin en chef crut devoir, quinze jours après le premier certificat, confirmer ce qu'il avait déjà dit, et de plus que cet individu était atteint de manie sans fureur dont la cause était inconnue (8 décembre 1855).

Au bout de peu de jours M... devint assez calme, et M. Geoffroy l'envoya à l'atelier des cordonniers. De temps en temps le condamné avait soin d'enfreindre le règlement de la maison, de se faire punir, et puis il rentrait à l'atelier où il pouvait obtenir une nourriture meilleure. Ce n'est qu'au mois de juillet suivant que le médecin en chef constata dans le registre officiel une amélioration dans l'état physique et dans l'état moral du sus-nommé qui sortit guéri le 2 mai 1857, après quatorze mois de traitement.

Le 23 avril 1857 (1) le docteur Geoffroy mourut victime d'un aliéné épileptique et fut remplacé quelque temps après par le docteur Campagne.

Le 20 juin suivant, c'est-à-dire quarante-neuf jours après sa sortie, M... fut réintégré dans l'asile d'Avignon.

« Le détenu M... qui, à la suite d'un rapport en date du 13 novembre 1855, avait été transféré dans un asile d'aliénés, a été réintégré dans la maison centrale de Nîmes le 4 mai 1857. Il avait sans doute été considéré comme guéri par les médecins de la maison de santé

(1) Voir dans les *Archives cliniques des maladies mentales* les détails que j'ai donnés sur l'assassinat du docteur Geoffroy, t. I, p. 216.

d'Avignon, et en effet, pendant les premiers jours de son
séjour à Nîmes, il a été fort calme et très-appliqué à
son travail. Il eût été difficile de reconnaître en lui l'a-
liéné de 1855. Mais le 25 mai dernier, M... a de nouveau
donné des signes d'aliénation mentale. Son état s'est
aggravé depuis lors; et aujourd'hui il est dans un état
de démence complet. Tous les désordres que nous avions
signalés dans notre premier rapport se sont reproduits
et il devient urgent que ce détenu soit de nouveau
transféré dans une maison d'aliénés, pour y recevoir les
soins spéciaux que réclame son état, et qu'il ne peut
recevoir dans la maison centrale où du reste sa présence
est une cause de troubles et même de danger. »

Tel est le nouveau certificat d'admission émanant du
médecin de la prison qui avait déjà fait le premier.

M. le docteur Campagne déclara dans son premier
certificat d'entrée que M... ne présentait que des signes
vagues d'aliénation mentale et qu'il devait être maintenu dans l'établissement pour y être soumis à une plus
longue observation et à un traitement s'il y avait lieu.
Dans le certificat de quinzaine, notre chef de service
émit un doute dans les termes suivants : « Ce détenu
paraît simuler la folie, mais notre conviction à cet égard
n'étant pas encore formée, nous croyons que M... doit
être soumis à une plus longue observation. Tout nous
fait espérer que, dans un délai peu éloigné, il nous sera
possible de déterminer d'une manière certaine la nature
des symptômes que M... nous offre. »

C'est dans cet intervalle de quinze jours que se pas-
sèrent les faits que nous allons raconter.

Au moment de son admission, M... était excessivement
agité. Toujours en mouvement, il n'avait pas un seul
instant de repos, ses gestes aussi nombreux que variés
avaient pourtant un certain degré de bizarrerie, peu
marqué à la vérité, mais incontestable. Il allait, venait,
courait, se roulait par terre, renversait les meubles et
les personnes, déchirait ses effets, criait, tournait ses
jambes, et en faisant tout cela, il était rouge, essoufflé.
Son cœur battait avec force et la sueur ruisselait de son
front. Son appétit ne laissait rien à désirer, et cependant
sa langue, rouge vers la pointe et les bords, était évidemment saburrale. Sa sensibilité aux piqûres et au
chatouillement restait intacte. Les selles régulières
n'offraient rien d'anormal. Le sommeil, d'après le rapport des gardiens, manquait entièrement; car dans la nuit
comme dans le jour ses mouvements, ses gesticulations,
ses cris se répétaient presque continuellement. On avait
beau le questionner, M... conservait un mutisme complet.
Il ne parlait pas non plus ni aux gardiens ni aux aliénés
qui le connaissaient depuis longtemps. En proie à un
état nerveux intense, il semblait être poussé par un ressort fortement tendu qui l'obligeait à faire les mouvements les plus désordonnés et qui le mettait dans l'impossibilité de comprendre ce qu'on lui disait. On aurait
dit que M... était entièrement étranger à tout ce qui l'entourait, tant son regard semblait vague, morne, indifférent. Ne demandant rien, ne paraissant rien désirer, il
acceptait et dévorait gloutonnement les aliments qui lui
étaient offerts, tout en continuant sa mimique ordinaire.

Ce détenu présentait donc les signes d'une manie franche assez bien caractérisée. Toutefois son mutisme, sa prétendue simplicité d'esprit, la bizarrerie de ses actes, provenan plutôt de leur mode de succession, de leur variété que de leur nature, la sensibilité de la peau constatée au milieu des efforts qu'il faisait pour paraître insensible, l'état de sa langue avec la persistance de l'appétit et enfin une foule d'autres particularités plus faciles à sentir qu'à formuler et que l'habitude seule peut permettre de saisir, donnèrent à M. Campagne quelques soupçons au sujet de la réalité de la folie. Pour éclairer ses doutes, le médecin en chef ordonna un bain et une douche. Sous l'impression du jet d'eau froide et sous l'influence de la crainte que lui inspirait la gêne de la respiration produite par la nappe d'eau, M..., qui avait paru regarder d'un œil inquiet les préparatifs de la douche, poussa quelques cris inarticulés au milieu desquels se fit entendre le mot *pardon*. La douche cessa de couler et M. Campagne adressa plusieurs questions à ce détenu. M... ne répondit pas ; mais l'impression de sa physionomie, la vivacité et la profondeur de son regard annonçaient que, malgré son désir d'induire en erreur, il n'était pas étranger à tout ce qui se passait. Une seconde douche plus forte que la première donna la conviction qu'il entendait parfaitement et que, s'il ne répondait pas aux questions qu'on lui faisait, c'est qu'il avait le parti pris de garder le silence. Il fut alors prévenu qu'il recevrait des douches du matin au soir tant qu'il simulerait la folie et que l'aveu de sa simulation était le seul parti qui lui restait à prendre. Le robinet

fut ouvert pour la troisième fois et l'eau coula plus abondamment et plus longtemps que pour les douches précédentes. Fatigué par les mouvements qu'il imprimait
à son corps et à sa tête pour échapper à la frayeur qui le
dominait, M..., craignant de mourir asphyxié, demanda
pardon à deux ou trois reprises d'une voix forte et claire.
La douche cessa et, quelques instants après, voyant sans
doute que le médecin en chef n'était pas disposé à quitter la partie, il avoua que sa folie n'existait pas et qu'il la
simulait afin de rester dans l'asile, car en prison, il avait
une mauvaise nourriture et beaucoup de travail.

Cette confession dissipait les doutes qui s'étaient élevés
dans l'esprit de notre chef de service. Cependant
M. Campagne lui adressa ces paroles :

D. Vous étiez entré ici comme étant atteint d'aliénation mentale ; après avoir trompé les médecins qui
vous ont examiné dans la maison centrale, vous avez
voulu nous tromper ; vous le reconnaissez vous-même ;
mais qui nous assure que vos paroles sont actuellement
l'expression de la vérité ?

*R. Monsieur, je vous le jure, je ne suis pas aliéné et
je ne chercherai plus à faire le fou.*

D. Pour que je puisse vous croire, il me faut autre
chose que des paroles ; vous allez vous reposer pendant
quelques jours et, lorsque vous serez remis de vos fatigues, je vous donnerai l'ordre de contrefaire l'aliéné
et vous recommencerez à faire vos folies.

*R. Je veux bien, monsieur. Je ferai tout ce que vous
voudrez.*

Il sortit du bain avec la permission de se coucher ou

de rester dans la cour avec tous les autres malades. Une bonne nourriture lui fut prescrite et le soir on lui donna une pilule d'opium destinée à calmer la surexcitation du système nerveux.

Pendant cinq jours M. Campagne ne lui adressa pas la parole, mais ses actes, ses discours n'échappaient pas à la surveillance dont il était entouré. M... se conduisit parfaitement et très-raisonnablement pendant tout ce temps. Au sixième jour, à la visite, il fut averti que le moment de montrer son savoir-faire était arrivé et aussitôt il se mit à gambader, à gesticuler, à se rouler par terre et à reproduire exactement l'état dans lequel il avait été vu au début de son séjour dans l'établissement. Jour et nuit, sans relâche, M... se livrait aux mouvements désordonnés précités, son mutisme, certains mouvements des muscles de la face, l'état saburral de la langue, l'éréthisme nerveux, la sueur générale, les battements du cœur, la gêne de la respiration, complétaient l'appareil symptomatique qu'il fabriquait pour ainsi dire à volonté et pièce par pièce. Il mettait tout en train. Il faisait les choses si consciencieusement qu'au bout de deux jours et demi M. Campagne le pria de cesser ses extravagances. Immédiatement après il reprit son calme, recouvra la parole et devint raisonnable.

Le doute n'était plus possible. La folie de M... était évidemment simulée.

Il a été impossible de se procurer des renseignements sur ses parents et sur sa jeunesse. On tient de lui-même les suivants. Étant jeune, il était, dit-il, un franc mauvais sujet, paresseux, dissipé, joueur et voleur. C'est pour vol avec discernement qu'il fut condamné une première fois, le 25 mars 1847, par le tribunal de Carpentras, à être renfermé dans une maison de correction jusqu'à l'âge de 18 ans. Il avait alors 13 ans seulement. De 18 à 20 ans, il paraît avoir terminé l'apprentissage de cordonnier commencé en prison. Le 14 novembre 1854, c'est-à-dire deux ans après sa sortie de prison, il fut condamné par la cour d'assises du Gard à 5 ans de détention et à 5 ans de surveillance pour vol, la nuit, dans une maison habitée, vol commis à l'aide d'effraction ; on avait admis des circonstances atténuantes.

M. Campagne se disposait à renvoyer M... à la maison centrale, mais au milieu d'une conversation, il apprit que ce détenu avait de temps en temps une période de malaise, d'inappétence, de constipation ; que, dans ces circonstances, il devenait inquiet, mobile, triste, souffrant, irritable, qu'il perdait le goût du travail, et qu'il s'attirait par son inconduite quelques punitions. Ces détails noyés au milieu d'une foule de récits et d'un grand nombre de renseignements, donnèrent à penser au médecin en chef que, tout en simulant une espèce de folie, M... pourrait être réellement atteint d'une forme d'aliénation mentale autre que celle qu'il inventait si bien. Soumis à une longue observation, ce détenu ne présenta pas la période névropathique dont il vient d'être parlé. Aussi fut-il renvoyé à la maison centrale, le 25 décembre 1857, après plus de cinq mois de séjour dans l'asile.

A la date du 3 septembre 1865, M. Campagne m'écrit en me communiquant les détails précédents que je n'ai fait que reproduire : Depuis l'époque de sa sortie nous n'avons pas entendu parler de cet industrieux et habile imitateur de la plus cruelle des misères humaines.

Mon ancien chef de service fait suivre l'observation que nous venons de transcrire des réflexions suivantes :

« Le certificat rédigé par le médecin de la maison centrale de Nîmes, à l'occasion de la première admission de M... dans l'établissement, ne nous est parvenu que longtemps après la sortie définitive du sus-nommé. Cette pièce aurait pu nous suggérer quelques comparaisons entre l'état passé et l'état que nous observions, et nous faciliter ainsi le diagnostic. Par exemple, nous aurions probablement remarqué qu'à l'époque de la première invasion de la folie, ce condamné mêlait à sa soupe ses urines et ses excréments, ce qui semblait indiquer l'existence d'une perversion du goût que nous ne retrouvions plus. L'absence de ce phénomène était trop importante pour ne pas attirer notre attention. En effet, quoiqu'ils n'aient pas insisté sur ce point, les aliénistes savent parfaitement que, dans les folies intermittentes, les premiers accès présentent un appareil symptomatique qui s'aggrave progressivement à mesure que les paroxysmes se renouvellent. Il est rare de constater tout d'abord ces obscurcissements intellectuels, et surtout ces dépravations du goût, ces perversions instinctives, ces actes de fureur aveugle, irrésistible, qui ne manquent pas de se manifester plus tard avec le progrès de la maladie. L'intensité de l'agitation peut diminuer par suite de la perte successive de l'activité psychique, mais, en compensation, l'accès devient moins tranché, les intermissions moins distinctes, tandis que

les symptômes acquièrent une intensité, une persistance
et une gravité croissantes. Cet ordre de succession est
tellement constant, que nous ne voyons jamais un aliéné
gâteux ou dominé par des perversions de la sensibilité
physique ou morale, être ensuite épargné au point de
ne plus offrir ces phénomènes qui accusent incontesta-
blement une gravité exceptionnelle de la maladie, et
qui, en s'effaçant, annonceraient positivement une amélioration incompatible avec la nature de l'affection dont
ils proviennent. Ainsi, règle générale, dans une phrénopathie intermittente, les manifestations morbides,
tout en restant, quant au fond, parfaitement identiques
depuis le commencement jusqu'à la fin, s'aggravent
de plus en plus par suite de l'évolution naturelle de la
maladie.

« Il y a donc lieu de croire que le défaut de dépravation du goût, lors du second accès de M..., étant un
phénomène trop saillant pour nous échapper entièrement, n'aurait pas manqué d'attirer notre attention et
de nous mettre immédiatement sur la voie de la vérité.

« D'ailleurs, les propos décousus remplacés en second
lieu par un mutisme complet avaient été une transformation assez singulière pour faire naître en nous
des soupçons capables de diriger nos investigations. »

Dans les autres situations où l'aliénation mentale
peut être simulée, elle apparaît, soit après l'acte quand
il s'agit d'un contrat, d'un achat, soit au moment même
de la contrainte à un travail obligatoire, etc.

V. *Quel intérêt l'accusé peut-il avoir à simuler la folie?*
— De l'intérêt que l'on peut retirer de la simulation

dans les divers cas que nous avons énumérés brièvement au début de ce travail, se déduit encore la probabilité de la simulation. En effet, le criminel a tout avantage à simuler, puisque par ce moyen le défaut d'imputabilité implique l'absence de châtiment. L'irresponsabilité résultant de la preuve de la folie peut tout au plus conduire à la séquestration dans un asile d'aliénés, d'où il a l'espoir de s'évader plus facilement que de la prison ou du bagne. La ténacité s'explique très-bien avec la gravité plus ou moins grande du méfait. Après la condamnation, les chances de succès ne sont plus que très-exceptionnellement relatives aux résultats du jugement. Ce n'est pas pourtant qu'on ne puisse admettre des faits de folie périodique ne devenant évidents que par la suite du temps, puisque la science en possède des exemples. Les recherches cliniques de M. le docteur Morel sur l'épilepsie larvée, les pseudo-monomanies, selon l'expression heureuse du docteur Delasiauve, témoignent combien on doit donner d'attention aux actes qu'on peut attribuer à la folie transitoire, instantanée. Quant aux autres espèces de folie, telles que la démence, la stupidité, la manie, qui surviendraient soudainement à la suite du jugement, à la suite d'une violente émotion, comme la condamnation, de pareilles manifestations n'ont lieu que chez des individus très-émotifs, non endurcis par leur manière de vivre antérieure. Ces impressions désespérantes qui frappent comme d'un coup de foudre, on ne saurait certainement les attendre du mauvais sujet, ennemi du travail, adonné à tous les vices qu'enfante l'oisiveté, blasé, ayant subi déjà le plus souvent d'autres condamnations, raffermi dans le crime par le contact et la fréquentation d'autres scélérats et d'autres criminels, enfin indifférent au froissement de son honneur. Pour celui qui subit sa peine, il y a perspective d'une amélioration dans son existence, plus de liberté, une nourriture meilleure, des occupations moins pénibles, cet espoir de la fuite qui fait vivre les misérables condamnés.

Pour le malheureux prisonnier de guerre on comprend non moins tout l'avantage que la simulation de la folie lui procurerait si cette feinte n'était pas découverte. Pour le conscrit qui a recours à la nostalgie qu'il complique de phénomènes délirants, bien des raisons le rattachent au foyer, l'amour et l'amitié d'une part, la crainte du danger et de la mort de l'autre. L'intérêt pécuniaire peut aussi stimuler le désir de rester au pays. La jeune personne ou le jeune homme qui, soit par amour, soit par haine, soit pour satisfaire un caprice, une fantaisie, chercheront à attendrir un père ou une mère, un tuteur ou un oncle, fournissent des arguments qui ne manquent pas d'une certaine puissance en faveur de la probabilité de la simulation; la recherche du bien-être, dans un asile, par d'anciens aliénés produit un intérêt d'une certaine valeur. Mais assurément l'affection d'une sœur pour une autre sœur est un fait excessivement rare comme mobile de la simulation. Nous n'insistons pas davantage sur cette question et sur son importance.

VI. *Antécédents fournis par les documents judiciaires.* — Les propositions que nous avons placées au sixième

rang, et qui sont relatives aux antécédents ou à l'historique, comprennent les grands problèmes de l'hérédité
et de la prédisposition.

Disons d'abord qu'il y a quelquefois lieu de se méfier des témoignages des parents, des amis, de certaines
personnes plus ou moins intéressées à un titre ou à un
autre. Ainsi, dans le cas de cette veuve qui simulait la
démence pour faire annuler un contrat, les enfants ont
donné de faux renseignements et ont été condamnés
pour faux témoignage. Les parents de cet instituteur
qui avait soustrait frauduleusement une somme de
16,000 fr. cherchaient tellement à induire en erreur
le tribunal, qu'ils avaient provoqué l'interdiction de
M... pour tâcher d'annihiler la responsabilité que l'intégrité de ses facultés entraînait, etc... Cette condition
fâcheuse pour le diagnostic se retrouve encore assez
fréquemment. Ou bien les dépositions sont mal faites,
incomplètes, douteuses, incertaines. On comprend de
quel embarras sont de semblables documents, et combien la sagacité du médecin expert doit être à l'épreuve
pour en extraire ce qui est conforme à la vérité, ce qui
appartient réellement à l'état pathologique ou non.

HÉRÉDITÉ.

« La disposition héréditaire mérite d'être placée en
tête des causes de la folie. Car elle joue un rôle si marqué dans la production de cette maladie, que, toutes les
fois qu'il y a possibilité dans une enquête médico-judiciaire de démontrer son existence, elle suffit presque

seule pour établir la réalité d'une lésion de l'entendement, ou du moins pour affaiblir considérablement la
vraisemblance d'une simulation. »

La connaissance de cette opinion formulée par
Marc (1), opinion que nous partageons presque entièrement, offre au simulateur un appui qu'il peut très-souvent invoquer suivant le sens que l'on donne à l'expression, *disposition héréditaire*. Il convient donc de
développer notre manière de voir à ce sujet. Par hérédité doit-on comprendre toutes les maladies nerveuses
ou l'aliénation mentale seulement ?

Si les parents atteints d'une maladie nerveuse quelconque, nervosisme, hystérie, épilepsie, hypochondrie, etc…, transmettent infailliblement un état moral
particulier qui doit devenir un degré plus ou moins
avancé de folie, puis donner naissance à une folie
plus confirmée ou à des névropathies de toute espèce
quand il ne dégénère pas en folie, il y a là évidemment
une conclusion nécessairement fatale. Il suffira même
d'une maladie nerveuse chez le ou les parents d'un criminel pour faire admettre une disposition héréditaire.

On ne saurait en étudiant l'individu tout entier passer sous silence cette influence occulte qui agit sur le
développement de l'être organisé, et qui nous montre
la transmission héréditaire comme partant d'un individu sain. Il y a des lois qui président à la santé. Il est
des hommes qui, par une rigoureuse observance de ces
lois, ont joui toute leur vie d'une bonne santé et qui meu-

(1) *De la Folie*, etc… t. I, p. 285.

rent de vieillesse, sains de corps et d'esprit. Les maladies proviennent donc d'une infraction à la juste mesure
des actions physiques et psychiques. Une disposition
morbide ou un état morbide se développe. Cette disposition a chez ce sujet une certaine force en rapport avec
la puissance vitale de ce même individu. La disposition
morbide se transmet chez les descendants suivant la
force qu'elle possède, ou elle s'use en se transmettant ;
elle s'atténue peu à peu par la rencontre de dispositions
neutralisantes, ou bien elle va croissant par l'addition
d'éléments favorables à cet accroissement pour aboutir
à la dégénérescence, et finalement à l'extinction de l'espèce. La disposition morbide peut donc être considérée
comme une force dont le développement parcourt une
ou plusieurs générations, et finit par s'éteindre pour
être remplacée quelquefois par une autre. Elle se
localise en un point quelconque de l'économie.

C'est cette manière d'envisager la transmission
héréditaire qui nous paraît devoir servir de base
à nos jugements médicaux, et nous acceptons, en
grande partie, les idées réagissantes que M. le docteur
Prosper Lucas a développées à la fin de son remarquable ouvrage, *Traité philosophique et physiologique
de l'hérédité naturelle*.

Si, partant de ces notions générales, nous transpor-
tons leurs applications au sujet qui nous occupe et les
comparons avec les résultats que les observateurs nous
fournissent, nous ne devons voir dans ce qui a été érigé
en loi générale des névroses que le pire côté de la genèse de ces affections. On ne doit pas ignorer les beaux

travaux de Baillarger (1), Gintrac (2), Morel (3), Moreau (4, de Tours), etc...., sur la transformation des névroses. Mais il importe de ne pas annihiler la force de réaction qui appartient à tout organisme, comme je l'ai dit ailleurs (5). La disposition morbide a pu s'user dans une seule génération. Par suite d'une marche que la physiologie pathologique ne peut expliquer, cette même disposition morbide peut arrêter soudain son développement et laisser indemne une génération. Ainsi, comme des faits nombreux le prouvent, l'enfant d'un père ou d'une mère atteint d'affection nerveuse peut ne pas hériter de cette affection ou de sa transformation; le fils ou le parent d'aliénés n'est ou ne devient pas nécessairement aliéné.

Nous comprendrons, sous le nom de disposition héréditaire à l'aliénation mentale, le cas où les parents auront été atteints de cette maladie. Quand les parents auront eu quelque autre névrose, nous dirons qu'il y a disposition aux maladies nerveuses, disposition qui pourra amener la folie suivant les conditions dans lesquelles aura lieu le développement de cette même disposition.

PRÉDISPOSITION.

L'aliénation mentale ne saurait apparaître sans une

(1) *Recherches statistiques sur l'hérédité de la folie.*

(2) *De l'influence de l'hérédité sur la production de la surexcitation nerveuse, etc...*

(3) *Traité des dégénérescences* et *Traité des maladies mentales.*

(4) *La psychologie morbide dans ses rapports avec la philosophie de l'histoire.*

(5) *De la physionomie chez les aliénés.*

prédisposition, sans que l'économie ait été préparée d'une certaine manière, soit par la disposition héréditaire, soit par l'action d'une ou plusieurs conditions plus ou moins actives. Ainsi modifiée, la constitution ne peut plus réagir suffisamment, et la perte de la raison devient la conséquence de ces influences pernicieuses.

Les caractères par lesquels se montre la prédisposition à la folie sont rarement assez tranchés et assez précis pour que le médecin puisse pronostiquer longtemps à l'avance l'égarement de la raison. Ces caractères se tirent surtout des singularités morales, du manque d'équilibre du sentiment par la raison. La partie affective joue le premier rôle dans la production de l'aliénation mentale. Pour ce qui regarde les manifestations intellectuelles, c'est moins le degré de l'intelligence au-dessus ou au-dessous de la moyenne que le défaut d'harmonie entre les facultés psychiques, les singularités, les contrastes qui ont de l'importance. Du reste, ces singularités, ces contrastes présentent, tant dans la partie affective que dans la partie intellectuelle, de très-grandes analogies (1).

Voici comment Griesinger, après avoir dit qu'il faut renoncer à chercher dans les différences de constitution une prédisposition aux maladies mentales, s'exprime relativement à une constitution particulière conduisant à la folie (2).

« Mais il y a une autre constitution tantôt congéni-

(1) Falret, *Des maladies mentales et des asiles d'aliénés*, p. 35.
(2) *Traité des maladies mentales*, traduit pa Doumic, p. 189.

tale, tantôt acquise, que nous ne pouvons pas reconnaître anatomiquement, mais que la physiologie nous
permet de bien apprécier, et qui prédispose essentiellement aux maladies mentales. C'est la constitution nerveuse. C'est cet état du système nerveux central que l'on
pourrait définir une disproportion entre la réaction et
l'irritation. Cet état peut être localisé dans certaines parties du système central du côté de la moelle, par exemple, ou du côté du cerveau, mais il se fait très-souvent
sentir aussi sur tout l'ensemble des actes nerveux. Du
côté du système nerveux de la sensibilité, on remarque
des hyperesthésies de diverses espèces, une grande sensibilité aux impressions de la température, une sensation alternative spontanée de froid et de chaleur, mais
surtout une foule de sensations sympathiques et une
grande disposition à la douleur. Pour ce qui est des
actes nerveux de la motilité, l'individu n'a pas de forces; il se fatigue facilement; il a une tendance à faire
des mouvements brusques étendus, mais peu énergiques; il est sujet aux convulsions. Les facultés mentales
présentent un état analogue à celui de la sensibilité et de
la motilité. Chez ces individus, la sensibilité morale est
très-vive. Ils ont une grande tendance à la douleur morale; tout les émeut, les afflige, les chagrine; le sentiment
de soi-même, les déterminations sont extrêmement mobiles. D'un autre côté, leur volonté est faible, inconsé-
quente; les efforts manquent d'énergie; les désirs sont
précipités, changeants. L'intelligence aussi présente souvent le même état. Les uns sont impressionnables comme
des enfants; le développement intellectuel chez eux ne se

fait pas d'une manière régulière et uniforme ; l'esprit est inconstant, changeant. D'autres ont un esprit vif, chatoyant, mais superficiel, sans persistance. Ils ne s'appliquent à rien d'une façon un peu soutenue. Ils effleurent tout en amateurs. A cette classe appartiennent ces poëtes ou ces musiciens médiocres ou baroques, ces génies universels manqués, qui, avec une certaine vivacité et une certaine variété d'esprit, ne peuvent jamais se recueillir avec assez de calme pour produire quelque chose de bon. »

On conçoit facilement quelle influence peuvent exercer sur cette constitution l'éducation et la position sociale. Mais si, par suite du moindre dérangement physique ou par l'effet d'une cause suffisante, une semblable constitution peut conduire à la folie, on ne saurait l'admettre comme capable de fournir les individus criminels et pervers.

La perversité est bien certainement une résultante de l'éducation, de l'exemple et de la position sociale ; mais elle n'est pas établie sur un terrain aussi mobile, aussi changeant que celui dont nous avons emprunté la la description au professeur allemand. Suivant les expressions du docteur Dagonet, « la perversité est un état mental compatible avec la raison et capable d'être maîtrisé par elle. L'homme y arrive par degrés sous l'empire d'influences qu'il lui était toujours possible d'écarter. La perversion maladive, au contraire, se déclare et se développe malgré les moyens qu'on cherche à lui opposer, et quelquefois malgré les efforts de l'individu qui en est atteint. »

Que la prédisposition se dessine à l'œil de l'observateur ou qu'elle ne se manifeste pas avant les symptômes prodromiques de l'aliénation mentale et les conséquences immédiates des causes occasionnelles, nous ne saurions accepter la similitude qu'on a voulu établir entre l'aliéné et le criminel. Notre opinion est précisément fondée sur la différence de leur substratum intellectuel et physique. M. le docteur Michéa (1) pense que, chez l'inculpé qui ne jouit pas de l'intégrité de son libre arbitre, le désordre mental coïncide toujours avec des phénomènes de physiologie pathologique. C'est même pour lui ce qui distingue la perversion maladive de la perversité morale. S'il n'existe aucun de ces phénomènes chez le prévenu, il y a responsabilité. Dans le cas contraire, il y a imputabilité. Nous acceptons cette manière de voir sans poser toutefois ce criterium d'une manière aussi catégorique.

M. le docteur Campagne, qui s'est appliqué (2) à développer ce principe que, *sans prédisposition il n'y avait pas de folie*, a étudié avec soin les causes qui peuvent donner lieu à la prédisposition acquise, et fait remarquer que « souvent, dans cette sorte de prédisposition, la dernière cause prédisposante est à la fois prédisposante et occasionnelle. Elle est prédisposante, en ce sens qu'elle agit comme toutes les causes qui l'ont précédée dans le but de préparer l'individu et de le rendre apte à devenir aliéné. Elle est occa-

(1) *Union médicale*, 1852.
(2) *Quelques considérations sur la prédisposition à l'aliénation mentale* (thèses de Montpellier, 1854).

sionnelle, en ce sens qu'elle met en jeu une prédisposition qui jusqu'alors n'avait pas été assez puissante pour faire éclore la folie. »

Enfin, pour me servir encore des expressions du même auteur, «après une atteinte d'aliénation mentale, la prédisposition qui l'avait précédée ne s'épuise pas. Elle semble au contraire avoir acquis une intensité plus grande. L'invasion d'un second accès de folie est toujours plus facile que celle du premier. »

Ces préliminaires nous conduisent à l'étude des causes de la maladie mentale en face de laquelle se trouve le médecin expert.

Dans la très-grande majorité des cas, la maladie est produite, non pas par une cause unique et spécifique, mais bien par une série de circonstances et de conditions fâcheuses. Il importe donc d'étudier avec soin tous les détails de la vie antérieure des individus, les diverses impressions morales et les maladies physiques variées qui ont pu agir sur leur économie.

Nous avons dit que bien souvent les documents judiciaires ne contenaient que fort peu de données relatives aux antécédents. Mais c'est surtout au point de vue de l'état physique, que cette insuffisance se manifeste. Or, il n'est vraiment possible d'étudier la pathogénie qu'avec la parfaite connaissance de l'individu. Aussi devons-nous renvoyer le complément de la question des antécédents à la seconde partie de l'expertise médico-légale.

Les différents chefs que nous venons d'étudier et qui

concernent l'examen des pièces, ne sauraient suffire
pour exposer le véritable état mental d'un prévenu. Nous
l'avons dit en commençant et nous avons développé
cette manière de penser au fur et à mesure que les questions se sont présentées.

En outre, il y a avantage à procéder d'abord par la
connaissance de toutes les pièces du procès. On a déjà
ainsi des renseignements nombreux et précis qui permettent de soupçonner le genre de maladie du prévenu.
On a la facilité de connaître d'avance quelle est la voie
dans laquelle on devra entrer quand on sera vis-à-vis du
sujet. On évitera des tâtonnements; on s'épargnera
d'inutiles longueurs et on sera plus à même d'apprécier les réponses et les détails fournis par l'interrogatoire.

CHAPITRE IV

Examen direct.

Considérons d'abord dans quelles conditions doit avoir lieu cet examen. Il nous paraît de toute nécessité que le sujet à examiner soit placé dans un asile pour que le médecin expert ait plus de latitude pour l'observer. Là surtout où se trouvent des hommes expérimentés et livrés depuis longtemps au traitement de ces sortes d'affections, se trouvent aussi les moyens les mieux appropriés à l'observation la plus exacte de l'état mental simulé ou non. Dans un asile, la surveillance est de tous les instants et continue. Le médecin peut voir l'individu sous des aspects bien différents, isolé et dans ses rapports avec les autres aliénés, le soumettre à telle ou telle occupation suivant qu'il le jugera convenable, le comparer aux autres malades. Il a tout le temps d'étudier et de peser chacun des symptômes, de

se rendre compte des fonctions physiologiques de jour
et de nuit, de suivre pas à pas les diverses manifestations pathologiques. Le médecin a même, pour le sup-
pléer, soit un médecin adjoint, soit des élèves internes.
Ces aides intelligents, dont le simulateur peut quelquefois ne pas se méfier, demeurent dans l'asile et sont par
conséquent en rapports fréquents avec les malades.
Les infirmiers de leur côté sont rompus à la garde des
aliénés. Dans une prison, les visites du médecin sont
forcément plus rares. L'individu, s'il simule, se tient
en éveil contre une surprise. Au moindre bruit, un
pas, une ouverture de porte, etc., il déguise avec le
plus grand soin ses mouvements, son attitude et ses
paroles. S'il lui arrive d'en imposer à un médecin qui
n'est pas habitué à soigner des aliénés, cela peut n'a-
voir pas lieu pour un spécialiste, mais le diagnostic
est plus difficile. Les épreuves que l'on peut tenter
dans un asile, à cause de la disposition des locaux et
du matériel qui y est nécessaire, sont pour la plupart
inapplicables dans une prison. Il est vrai que l'on peut
reprocher aux établissements spéciaux la facilité plus
grande qu'ils offrent aux évasions à cause du mode de
construction ; et on peut voir, dans quelques-unes des
observations citées par nous, que ces tentatives ont été
mises à exécution. Mais il est réellement possible d'y
remédier par une surveillance plus immédiate. Cette
condition par conséquent offre pour l'observation des
avantages qu'on ne saurait révoquer en doute. Un certain nombre de tribunaux sont entrés dans cette manière de voir et envoient dans les asiles tout criminel

présentant quelques symptômes d'aliénation mentale. Nous avons plusieurs faits qui ont été étudiés ainsi dans les asiles de Fains, de Maréville, de Sainte-Gemmes, etc.

Le transfèrement dans les asiles donne souvent lieu à un phénomène symptomatologique très-digne d'être signalé. On remarque un changement dans les manifestations morbides du sujet à examiner. Ce changement est dû à l'étude que peut faire le simulateur du type qu'il veut imiter et aux inspirations qu'il puise en voyant différentes formes d'aliénation mentale. C'est ainsi que le nommé Rambaud ne quittait presque pas une salle où il y avait des épileptiques couchés ainsi que des paralysés et restait surtout auprès du lit d'un épileptique mort depuis dans ses convulsions. Quelques jours après qu'on eut observé cette prédilection, Rambaud fut en proie à un état convulsif. Sa respiration était précipitée, ses yeux fermés, sa poitrine se soulevait avec force sous le mouvement d'inspiration et d'expiration. Il y avait de l'écume à la bouche; et sa figure était rouge et injectée. M. le docteur Morel reconnut bientôt, en l'examinant, que cet individu simulait l'épilepsie. Plus tard ce même criminel simula des tentatives de suicide. Nous avons bien d'autres exemples de ce changement de symptômes dû à l'imitation. Cela ne saurait constituer une objection contre le transfèrement dans un établissement spécial, attendu que le médecin attentif et suffisamment instruit des formes d'aliénation mentale ne laissera pas échapper un revirement si subit et une irrégularité si singulière dans la marche des symptômes. On ne peut que

conseiller au médecin expert qùi poursuit ses recherches dans l'asile d'étudier de la manière la plus complète et le plus tôt possible l'individu qui lui est soumis
afin de pouvoir mieux constater les modifications que
diverses fonctions subiront après la séquestration prolongée dans les établissements spéciaux. Il est donc à
désirer, suivant nous, que les accusés présentant des
symptômes d'aliénation mentale soient confiés dans
les asiles à l'expertise du médecin légiste.

Dans le cas où le tribunal n accéderait pas à cette demande du médecin expert, celui-ci se trouverait borné, à
un certain nombre de visites, à interroger les gardiens.
Il devrait faire à ces derniers des recommandations
suffisantes pour que la surveillance soit le plus continue et le plus immédiate possible.

Nous arrivons dès lors à la manière dont nous devons procéder et aux ressources que l'art médical nous
fournit.

Nous ne saurions mieux faire que de suivre les jalons que l'illustre Guislain de Gand a si bien posés
pour l'étude clinique de l'aliénation mentale. Nous
étudierons successivement,

    I. La physionomie,

    II. Les attitudes, les gestes,

    III. La parole, les écrits,

    IV. La sensibilité, les fonctions organiques,

    V. Les commémoratifs ou état anamnestique.

En présence de l'aliéné, le médecin expert doit ban-
nir tout appareil, toute solennité autant que possible
et tâcher de garder l'incognito afin d'exciter moins les

défiances du simulateur. Mais dans tous les cas il se rappellera qu'il est médecin avant tout, et que l'attitude de juge d'instruction ne lui convient pas. Son rôle tout scientifique n'exclut ni la bienveillance ni la douceur dans ses paroles et dans ses manières.

I. DE LA PHYSIONOMIE.

Dans un travail ex-professo, j'ai insisté sur l'importance de la physionomie, sur le caractère spécial que le facies offre au médecin aliéniste, et j'ai développé avec soin ce que j'avais reconnu comme expression propre à l'aliéné en dehors des types particuliers : Une désharmonie entre les manifestations fournies par le centre d'action oculaire et par le centre d'action buccal.

J'ai étudié séparément chaque partie de la face et les modifications qu'elle présente dans la folie. La physionomie est le miroir de l'âme. On doit y trouver des éléments nombreux de diagnostic. Je ne répéterai pas tous les détails que j'ai exposés dans ce mémoire que j'ai présenté à la Société médico-psychologique et qui a été inséré dans ses *Annales* (1863). Je me bornerai à dire que le masque de l'aliéné fournit à examiner la conformation de la tête, la couleur et l'état du système pileux, la coloration et l'état de la peau, les rides et les différents traits, la forme, les mouvements et l'expression de l'organe de la vision, les sourcils, la coloration, l'état de gonflement ou de maigreur de la partie charnue du nez, la dilatation plus ou moins facile des na-

rines, l'état des lèvres, leur situation respective pendant le repos, leur volume, leur couleur, leur sécheresse ou leur humidité, leurs mouvements, de même
pour les joues et tout le système locomoteur de la face;
on doit apporter la même attention pour les régions
parotidienne et auriculaire. Enfin, il n'est pas sans
importance de faire entrer dans cet examen de la
physionomie le port de la tête que l'on remarque si
variable suivant que l'individu a de sa personnalité
une opinion plus ou moins favorable, qu'il est plus
ou moins déprimé et suivant d'autres causes nombreuses.

A propos de la physionomie chez le simulateur, j'ap-
puierai sur les particularités qui paraissent lui appartenir spécialement.

Le vice n'a pas moins que la vertu une expression
extérieure qui en est inséparable et qui sert quelquefois à le faire reconnaître presque immédiatement quand
on a tant soi peu l'habitude d'observer les physionomies.
Ce n'est pas qu'on puisse dire qu'il existe chez les simulateurs un type particulier pouvant être représenté
et décrit assez nettement pour servir de point de comparaison. Mais il y a évidemment chez eux des tendances morales et des dispositions intellectuelles qui
leur sont communes. A la ruse et au mensonge viennent
s'ajouter des manifestations vicieuses telles que la paresse, le vagabondage, la prodigalité, la gourmandise,
l'ivrognerie, la luxure, etc., et l'on doit retrouver sur
la figure les expressions qui correspondent à une perversité plus ou moins avancée et aux impulsions crimi-

nelles plus ou moins dépendantes de l'état de l'organisation, de l'arrêt de développement des facultés mentales, des vices de l'éducation, des excès de toutes
sortes, etc.

La ruse est un instinct constituant un des éléments
principaux du caractère des simulateurs. On reconnaît précisément dans les antécédents de ces individus d'autres faits de simulation pour des actes moins
importants, ce qui explique jusqu'à un certain point
que la ruse fasse partie intégrante de la constitution
morale de l'individu. A la ruse appartient un caractère
physionomique assez tranché, je ne pourrais mieux le
comparer qu'à celui du tigre ou du renard. Le regard
a surtout quelque chose de particulier qui ne saurait
échapper au premier abord. Il est furtif, mobile, sour-
nois ; il présente des reflets sinistres et chatoyants ; son
expression est miroitante et fascinatrice. Lorsque le simulateur veut exprimer un sentiment de bienveillance
ou de franche bonté, sentiment qui ne concorde nullement avec son naturel, les lèvres trahissent un im-
perceptible frémissement, le sourire est repoussant ou
moqueur. La figure signale un état forcé qui apparaît
par un désaccord choquant et significatif. Le criminel
simulateur ne saurait donner à son regard l'expression
égarée et excitée qui appartient au maniaque. On n'y
reconnaît que de l'effronterie et non de l'aberration d'esprit. Il ne produira pas davantage l'expression véritablement indifférente, affaissée du dément, du paralytique ;
fixe du stupide ; fière et orgueilleuse du monomaniaque ; scintillante ou souffreteuse de l'épileptique, etc.

Il ne saurait dissimuler l'attention qu'il porte à toutes les paroles et à tous les mouvements de celui qu'il sait chargé de scruter ses discours et ses gestes. Bien souvent il baisse les yeux, les dirige en bas vers la terre (sur ses souliers ou autres objets), se méfiant de l'expression que peut trahir son regard.

II. ATTITUDES ET GESTES.

Il est essentiel de séparer les attitudes des gestes et des mouvements. L'attitude représente un ensemble plus ou moins harmonique de tout le système locomoteur, tandis que les gestes et les mouvements sont plus ou moins limités. On peut dire avec juste raison que, si chaque forme d'aliénation mentale a un masque qui lui est particulier, chaque forme n'a pas moins une ou plusieurs attitudes qui lui appartiennent en propre et des gestes qui lui sont spéciaux. Comme le dit M. le docteur Dagonet (1), dans la plupart des formes aiguës de l'aliénation, il suffit presque d'examiner l'attitude d'un malade pour avoir déjà apprécié la forme même et la nature du délire dont il est atteint.

L'attitude offre à considérer son harmonie, sa durée, ses transformations. Les attitudes se transforment avec les besoins fonctionnels, les impulsions, les passions, les idées, etc... Elles rendent compte de l'état des forces, de l'excitation cérébrale, de l'épuisement des forces morales, et peuvent exprimer la lassitude générale,

(1) *Traité élémentaire et pratique des maladies mentales*, p. 64.

la tension, la torpeur, le désordre général, le besoin de mouvement continuel, l'apathie, etc....

Il paraît facile au premier abord à celui qui n'a pas étudié les aliénés de se livrer à des mouvements désordonnés, mais dans l'agitation maniaque non moins que dans l'accroupissement ou l'immobilité de la stupidité, il y a un ensemble manifeste. Cette vivacité d'action, qui est presque générale et presque continuelle, quel que soit le degré de l'affection maniaque, se différencie parfaitement des élans et des mouvements de toutes sortes et en tous genres que fait le simulateur. Les mouvements de ce dernier sont presque coupés pour ainsi dire, quoique multipliés, tellement on remarque peu de liaison dans leur production. Dans la stupidité, l'inertie doit être également répartie dans le système locomoteur et dans les actes. L'apathie et la nonchalance ne sont pas les mêmes chez tous les mélancoliques. Chez les uns, elles sont dues à la lenteur même de la conception, chez d'autres à des terreurs imaginaires et à des idées fixes.

Le simulateur oublie qu'il faut compter avec le point de départ et la cause intime de ces mêmes attitudes. Au moment même où il s'accroupit, où il s'assoit, où il se livre à des mouvements très-divers, il y a quelque chose d'insolite, de forcé, qui ne peut échapper au véritable observateur. En outre, il est bien difficile que le simulateur soutienne longtemps telle ou telle attitude, s'il connaît son rôle suffisamment. C'est pour cela que la surveillance, pour être bien faite, doit être continue auprès du sujet soumis à l'observation et qu'elle doit avoir lieu à son insu. Nous verrons plus tard quelles peuvent être les conséquences de ces efforts combinés des simulateurs, et de leur aveu même combien une longue simulation est pénible. Si l'incriminé invente la forme dont il veut se servir, l'invraisemblance des attitudes ne saurait longtemps rester dissimulée au médecin expert. Toutefois on ne saurait passer sous silence que l'indécision deviendrait possible, si l'individu choisissait quelqu'un de ces types peu tranchés et mal caractérisés, que l'on a classés dans les délires partiels, dans les pseudo-monomanies. Mais, dans ces conditions, comme presque toujours dans les autres cas, l'exagération serait, sans aucun doute, la faute dans laquelle ne manquerait pas de tomber le simulateur, et l'on découvrirait encore le peu de rapport des symptômes.

Quant aux gestes et aux mouvements, nous pouvons d'abord leur appliquer ce principe fondamental, que rien n'est séparé dans l'organisation et que le moindre symptôme local se rattache toujours, de loin ou de près, à une situation plus ou moins déterminée de tout le système. L'état des mouvements nous fournit l'expression des lésions cérébrales. Elle ne nous donne pas moins la mesure de la volonté de l'individu. On doit examiner attentivement quelle est la cause qui provoque les mouvements, s'ils sont automatiques, réflexes, instinctifs, volontaires, morbides.

Il ne suffit pas d'étudier les gestes, suivant qu'ils appartiennent à tel ou tel mobile volontaire ou passionnel, car les gestes sont les manifestations de la vie de relation et des divers états de l'âme. Ils sont bien souvent exagérés, tant le simulateur a peur qu'on ne le reconnaisse pas pour aliéné.

Il faut encore constater avec soin comment s'exécutent les mouvements. Les symptômes fournis par le système locomoteur prouvent que l'aliénation n'est pas simplement une maladie de l'esprit. Les contractions permanentes, plus ou moins limitées, se rattachent à des états extatiques ou cataleptiques. Certains mouvements spasmodiques mettent sur la voie d'une affection choréique ou épileptique.

Mais, en même temps, il faut se rappeler que les convulsions de toutes sortes peuvent être simulées. Nous avons parlé de Rambaud qui a simulé l'épilepsie. Dans le chapitre que nous avons réservé à plusieurs observations, nous reproduisons un rapport important de M. l'Inspecteur général, Lunier, relativement au nommé Bimbenet, qui a aussi feint les crises épileptiques. La simulation de cette maladie, qui se trouve très-souvent en dehors de la folie, se rencontre assez fréquemment chez des individus qui cherchent à se faire absoudre par tous les moyens possibles. Les attaques de nerfs et les convulsions hystériformes ne sont pas moins sujettes à l'imitation que les phénomènes morbides précédents.

On ne doit pas oublier les tics, les mouvements qui appartiennent à la démence. Enfin, il est certains gestes qui dévoilent immédiatement des hallucinations. La facilité, la souplesse, la coordination avec lesquelles s'accomplissent les gestes, demandent une attention particulière. Les hystériques exécutent certains actes

étranges ou bizarres avec une promptitude et une facilité étonnantes. Il n'est pas jusqu'aux affaiblissements
musculaires, jusqu'aux paralysies, que n'aient essayé
de feindre des accusés. Nous avons déjà cité au commencement de cette étude un cas de simulation où la
paralysie avait été feinte. Voici un autre fait inséré dans
les *Annales médico-psychologiques* (1850).

Septième observation. — Le 28 juillet 1849, un
jeune pâtre, nommé Conrad Specht, âgé de 17 ans, du
village de Megelensheim, fut arrêté sous la prévention
d'avoir commis un affreux attentat sur une petite fille
de 7 ans et de l'avoir ensuite assassinée en lui tirant un
coup de fusil dans la tête.

Au moment de l'arrestation, il avoua franchement
qu'il avait commis les deux crimes, disant qu'il avait
été poussé par le diable, que c'était le diable qui avait
chargé son fusil, lui avait mis cette arme dans la
main, l'avait dirigée vers la tête de la victime, et que lui
n'avait fait autre chose que lâcher la détente.

Le lendemain, devant le juge d'instruction, un profond changement s'est opéré en lui. Specht, qui s'était
toujours distingué par sa vivacité et sa rare intelligence,
semblait avoir perdu toutes ses facultés physiques et
intellectuelles. Il pouvait à peine se tenir debout, ses
genoux tremblaient sous lui, sa tête était continuellement penchée. Il ne proférait que des paroles isolées,
incohérentes et toujours en bégayant. On n'obtenait
de lui aucune réponse précise. Enfin il avait perdu la
mémoire. Il ne reconnaissait plus personne, pas même
sa mère chez laquelle il avait toujours demeuré.

MM. Windler et Zinck émirent unanimement l'avis que cette maladie était simulée et firent subir différentes épreuves au prévenu.

On fit observer Specht secrètement, on ne remarqua aucun changement. Dans la nuit, tout près du côté extérieur du mur contre lequel le lit était posé, on déchargea des armes à feu. Specht poussa des cris inarticulés, mais sans bouger dans son lit. On lui donna à l'improviste de fortes douches par des trous pratiqués dans le plafond de sa cellule. On le logea dans une baraque dont, pendant la nuit, on incendia la partie supérieure. On le soumit encore à d'autres épreuves. Rien n'altéra l'impassibilité de cet individu.

On fut obligé de le porter à l'audience. Il promena d'abord des regards stupéfaits sur toutes les parties de la salle, puis tomba dans son état ordinaire et s'endormit. Le jury le condamna, mais en admettant de fortes circonstances atténuantes, à trois ans de détention.

Specht fut reporté à la prison dans le même état de léthargie; mais à peine rentré, cet individu se mit à sauter de joie d'avoir échappé à la peine capitale, disant qu'il avait toujours été bien portant. Pendant quatorze mois consécutifs, il avait fait preuve d'une force de volonté extraordinaire.

Le docteur Snell cite dans son article (1) un individu chez lequel il n'avait pu découvrir aucun signe qui pût le convaincre ou non. Cet homme, qui était sous le poids d'une accusation grave, était constamment à la même place, dans l'immobilité stupide d'un dément. La dou-

(1) *Allgemeine Zeitschrift für Psychiatrie* (1857).

che ne produisait chez lui aucune réaction. Cet état dura plusieurs mois ; puis le mouvement et la vie parurent revenir peu à peu. Il finit par ne plus offrir aucun signe de maladie. Cet homme, qui continua sa vie criminelle, fut rencontré, neuf ans plus tard, dans une prison par le docteur Snell. Il gisait paralysé sur un lit et ne parlait pas, mais il écrivait. C'est alors que le docteur eut l'idée que la première fois il y avait eu simulation. Mais il ne put avoir qu'une simple présomption.

Dans la paralysie générale, on remarque une diminution progressive de toute l'activité musculaire. C'est surtout la gêne des mouvements destinés à accomplir les actes de précision qui frappe les yeux de l'observateur. Il faut distinguer avec soin la tension, l'immobilité du relâchement provenant de la faiblesse et de la paralysie. En prenant la main, le bras, en provoquant quelques mouvements partiels, on éprouve une certaine résistance, une certaine difficulté de locomotion. Ce phénomène, que n'est pas à même d'apprécier le simulateur, fait découvrir bien souvent que les symptômes qu'on examine n'étaient que simulés. Certaines contractures permanentes sont le résultat de l'habitude de positions vicieuses.

L'examen de la physionomie, de l'attitude et des gestes ne saurait guère se séparer pour fournir les signes de l'aliénation mentale. Bien souvent on retrouve une contradiction entre l'expression de la figure et celle de l'attitude. C'est un caractère essentiel qu'il ne faut pas perdre de vue.

Nous croyons devoir insister sur la valeur des signes fournis par cet ensemble de la physionomie, des attitudes et des gestes pour le diagnostic et la découverte des illusions et surtout des hallucinations. Ces phénomènes morbides ont des expressions extérieures caractéristiques, et l'on ne saurait s'en rapporter à l'interrogatoire des prévenus pour découvrir la réalité.

Les malades cherchent à se débarrasser de sensations incommodes, ou caressent des impressions plus ou moins agréables. C'est ainsi qu'un halluciné de la sensibilité générale se frappera à chaque instant les membres et tout le corps, afin de chercher à tuer les rats qu'il sent courir entre ses vêtements et la peau. Un autre aura des attitudes différentes, suivant qu'il se sentira pincé, piqué, torturé de mille manières, ou encore qu'il se croira plus léger qu'une plume, un grain de mil, ou en verre, etc..... Dans les hallucinations de l'ouïe, le malade se tient de préférence dans un coin, contre un arbre, près d'un mur, etc...., tend l'oreille, parle seul, répond à plusieurs interlocuteurs, leur fait un certain nombre de gestes, etc... Dans les hallucinations de la vue, les malades ne vous fixent pas quand vous leur parlez ; ils suivent des yeux tel ou tel objet, dirigent leurs regards dans telle ou telle direction, croyant voir, soit des personnes, soit des animaux, soit différents objets, etc. Les hallucinations de l'odorat et du goût ont des gestes non moins caractéristiques.

Pour compléter ce que nous venons de dire relativement aux attitudes et aux gestes, nous allons reproduire la description que Monteggia a faite de différents actes

invraisemblables, et qui lui a été offerte par un criminel
soumis à son examen dans les prisons de Milan. — Nous
l'empruntons à Marc, qui l'a traduite de l'italien.

Le prisonnier, âgé de 45 ans environ, était d'une petite taille ; ses cheveux noirs grisonnaient. Il paraissait
insensé et imbécile. Il y avait dans ses manières une
sorte de bizarrerie et d'affectation, qui fit même au
début partager aux médecins experts l'opinion des
médecins de Saint-Ange. Si on le regardait fixé-
ment, il avait pour habitude de porter les yeux ailleurs.
Il paraissait, en remuant les doigts et le cou d'une certaine manière, s'éloigner volontiers de celui qui l'observait, semblable à une personne troublée qui cherche
à se soustraire à l'embarras d'être examinée de trop près.
Il paraissait aussi faire attention à ce que ses camarades faisaient autour de lui ; et, lorsque quelqu'un le
regardait, il affectait tout à coup de ne pas s'en apercevoir. Si quelqu'un l'appelait dans l'endroit où il se
trouvait, ce prisonnier entendait certainement ; et,
changeant de place pour aller où on l'appelait, il finissait ensuite par ne pas aller directement vers la personne ; mais il errait incertain en regardant un des
autres assistants. En général son regard était fixe et
lent.

Au surplus, ce fou singulier ne parlait jamais, et on
n'entendait jamais le son de sa voix ; il produisait seulement un sifflement semblable au vent quand il s'en-
gouffre dans une ouverture étroite, surtout lorsqu'il
était ému par la vue de quelque objet qui lui plaisait ou
lui causait du déplaisir.

Il aimait singulièrement les corps brillants ou élégants, quels qu'ils fussent, il les regardait et touchait avec curiosité, il ramassait dans la chambre diverses bagatelles et en faisait ses délices. Il ne restait jamais absolument tranquille, mais il exécutait continuellement quelque geste très-souvent varié. Ceux qui vivaient avec lui, et même les gardiens des prisons, assuraient ne l'avoir jamais vu dormir.

Il restait sur son lit, remuant presque continuellement les jambes ou quelque autre partie du corps, ou jouant avec un chiffon qu'il avait l'habitude de garder entre ses mains pendant le jour. Il se l'appliquait, tantôt sur les yeux, tantôt sur la bouche, ou il l'entortillait autour de ses mains. Il aimait aussi à bander les yeux des autres avec ce chiffon, et à le leur mettre sur la bouche ou sur le cou. Il se retirait ensuite à quelque distance pour les regarder, et se réjouir d'un air riant accompagné d'un petit bruit. Il caressait et serrait souvent d'une manière amicale les joues de ceux qui étaient présents ; il ne s'habillait ni ne se déshabillait jamais seul, et il fallait, à cet égard, le traiter comme un enfant.

Étant habitué à manger dans des plats de terre, il refusait absolument les aliments qu'on lui donnait dans des vases d'une autre matière. Quelquefois il cachait son pain dans son lit et n'y pensait plus ; il fallait qu'on le cherchât pour le lui donner à manger. Il ne paraissait jamais ni désirer ni chercher des aliments, quoiqu'il les mangeât avec avidité, même devant le monde, lorsqu'il avait faim. Quelquefois, au lieu de manger sa soupe dans le plat, il la renversait par terre, la prenait ensuite avec la cuillère et la mangeait. En général il avait bon appétit.

On s'apercevait que cet insensé, qui n'était jamais en repos, sans cependant être incommodé, s'ennuyait si quelqu'un l'obligeait de rester longtemps en place. Si on lui présentait un miroir, il crachait dessus, il refusait de le regarder, il fuyait en se mettant en colère contre ceux qui s'obstinaient à le lui mettre sous les yeux, et dans cet état de contrariété, comme dans toute autre occasion semblable, il était d'une force si extraordinaire, que des hommes robustes ne pouvaient le contenir ; son pouls cependant était petit. Si on le pinçait même assez fortement, il ne ressentait rien ; et on l'a vu prendre et retourner dans ses mains des charbons allumés qu'il déposait ensuite avec un air d'aisance sans donner aucun signe de douleur. Quelques personnes essayèrent de lui faire voir sur la muraille, à l'aide d'une chandelle, différentes ombres. Il courait pour les saisir avec ses mains et, voyant qu'il ne serrait rien, il se mettait en colère contre lui-même et se donnait de grands coups de poing sur la tête. Enfin il ne buvait jamais de vin, et quand on parvenait à lui en faire prendre une gorgée, il la crachait aussitôt avec dégoût.

Ces simagrées et plusieurs autres étaient constantes et uniformes, mais à un tel point que personne ne pensa jamais que ce fût une feinte. Tous le croyaient réellement fou, son caractère ne s'étant jamais démenti. Monteggia et le médecin examinèrent attentivement ses actions, souvent pendant plusieurs heures de suite, sans y rien découvrir de simulé. Plusieurs fois, il se laissa tranquillement toucher le pouls par eux et ne parut pas faire attention à ce qu'on disait autour de lui. Quant à sa manière de prendre du tabac, il la changeait suivant la personne qui lui en offrait. Après avoir tendu la main, il soufflait ensuite dessus et frottait la place avec l'autre main.

III. DE LA PAROLE ET DES ÉCRITS.

L'examen de la parole est bien certainement le moyen le plus important pour reconnaître la folie, puisque la parole a été donnée à l'homme pour exprimer ses pensées et ses sentiments. Mais les deux paragraphes précédents nous ont prouvé que la parole, les mots dont se compose une langue, n'étaient pas les seuls signes dont l'homme pût faire usage pour remplir ce but. Les signes fournis par la physionomie, par les attitudes et par les gestes, ont même cet avantage sur la parole qu'étant plus exclusivement l'ouvrage de la nature, ils sont sensiblement les mêmes partout, malgré la variété des races, et sont généralement compris, malgré la diversité des langues; tandis que les signes de la parole se modifient suivant les différents peuples à tel point, que les plus voisins ne se comprennent pas les uns les autres. Quoi qu'il en soit, la parole, plus que les autres signes que nous venons de nommer, permet de se rendre compte de l'état de l'intelligence.

Les simulateurs sentent tellement combien l'usage de la parole peut leur être pernicieux et faire soupçonner leur véritable état, en raison des questions nom-

breuses qui peuvent leur être faites, qu'un grand nombre préfèrent choisir pour type une forme où le silence
puisse être gardé. Aussi la stupidité est-elle le plus souvent adoptée par le simulateur. Dans cette forme on rencontre l'absence plus ou moins entière des manifestations extérieures de l'intelligence, des mouvements, de
la sensibilité et de la parole. L'observation de Specht que
nous venons de rapporter, le cas suivant et bien d'autres
témoignent de sa fréquence. Il est bien plus facile en
effet de s'abstenir de tout acte que d'imiter exactement
ceux qui sont caractéristiques de telle ou telle forme.

Certaines variétés d'aliénation mentale présentent la
perte volontaire de la parole. Certains aliénés sous
l'empire de frayeurs imaginaires, ou pour obéir à tel
ou tel ordre qui leur vient d'une voix (hallucination)
ou par suite d'idées systématiques, refusent de parler, ou encore, par suite d'une torpeur, d'un engourdis-
sement, ne peuvent nullement répondre aux questions
qu'on leur adresse. Dans ces diverses conditions, l'état
de la physionomie fournit un signe important au diagnostic. Les faits de simulation de surdi-mutité sont
nombreux et l'examen du facies ne suffit pas toujours
pour découvrir la feinte, ou encore pour prouver la
réalité de cette surdi-mutité, on a essayé pour arriver
à ce but, plusieurs procédés que nous décrirons plus
loin dans un chapitre particulier (intimidation, épreuves douloureuses, surprise, etc.).

La voix, en tant que son, offre dans le timbre des
modifications en rapport avec l'état de santé ou de maladie chez la même personne. Elle est plus ou moins

rauque, plus ou moins voilée, etc. Il est précisément des états névropathiques et des affections nerveuses où le timbre de la voix présente un caractère particulier. C'est surtout chez les hystériques que ces manifestations sont curieuses à étudier. Depuis l'aphonie jusqu'à l'aboiement, il y a des degrés divers. On remarque généralement une raucité caractéristique lors de l'approche ou de l'apparition des accès d'hystérie. On a signalé aussi des différences dans l'épilepsie, dans l'hypochondrie. A la suite de la prolongation de l'agitation maniaque, de la mélancolie aiguë, de la consomption produite par la privation d'aliments, etc., la voix subit des altérations notables. Ces phénomènes sont l'effet de la maladie. Mais il est d'autres modifications qui sont plus ou moins dépendantes de la volonté. C'est alors que certains aliénés affectent de parler à voix basse, de se mettre la main devant la bouche, d'y introduire un caillou ou un objet quelconque, etc.

La manière dont les mots sont prononcés et l'expression des paroles émises fournissent au diagnostic des éléments divers et de nature bien différente.

En effet, à l'élément matériel qui, comme pour tout mouvement volontaire du corps humain, suppose un organe central dirigeant le mouvement, un nerf conducteur, enfin, un organe chargé des fonctions motrices, nous devons ajouter l'élément psychique qui comprend des opérations nombreuses sous la dépendance de l'intelligence. L'émission normale de la parole ne saurait avoir lieu sans l'intégrité de ces deux éléments. La mémoire des mots ne pourrait constituer

le langage sans un pouvoir absolu sur l'instrument qui
sert à exprimer ces mêmes mots.

La discussion si savante qui a eu lieu en 1864, à l'A-
cadémie de médecine, sur l'aphasie, et les faits importants qui lui ont servi de base, n'ont pu encore élucider
suffisamment la question de la localisation de la parole.
Toutefois il en est sorti des jalons de plus pour le diagnostic des altérations du langage, jalons que nous
chercherons à utiliser en médecine légale. On savait
déjà que la surdi-mutité n'entraînait pas l'absence
de l'intelligence. Les observations qui ont surgi ont mis
en relief que certaines personnes qui ont perdu la faculté de parler ont pu conserver celle d'écrire, et réciproquement; que d'autres ne pouvant ni parler ni
écrire, pouvaient néanmoins se faire comprendre jusqu'à un certain point, par un ou plusieurs signes. En
résumé, des perversions spéciales du langage peuvent
exister isolément sans aucune altération des fonctions
cérébrales; tandis que, lorsque des troubles intellectuels
coïncident avec la perversion du langage, on trouve
d'autres phénomènes morbides, tels que l'anesthésie,
l'hyperesthésie, des contractures, des convulsions épileptiformes, certaines paralysies partielles, des hémi-
plégies.

D'après ces quelques considérations, la parole devient
une source importante de notions diagnostiques de l'é-
tat des facultés mentales; et les réponses de l'accusé
donnent un vaste champ d'étude au médecin expert.

La rapidité, la lenteur, l'hésitation des réponses, la
prononciation correcte des mots, la répétition d'une ou

plusieurs syllabes, d'un ou plusieurs mots, l'oubli de certaines lettres, le bredouillement, soit qu'il provienne d'une imagination trop vive ou d'une paresse intellectuelle, le balbutiement que produisent le plus souvent les émotions morales, le bégayement etc... Voilà tout autant de phénomènes dont il convient de se rendre compte le plus possible.

C'est en interrogeant le sujet soumis à l'observation que tous ces symptômes se décèlent au fur et à mesure, en même temps que les divers faits de l'entendement.

En général, le médecin doit procéder ainsi qu'il suit :

« Il doit savoir pénétrer jusque dans le domaine des « idées et y découvrir les conceptions morbides. Pour « cela il faut prendre pour guides les grands motifs « qui déterminent les actions humaines.

« Il doit sonder dans le sens des idées érotiques,

«	—	—	religieuses,
«	—	—	de propriété,
«	—	—	de progrès,
«	—	—	d'ambition.

« Il consultera les différentes fonctions de l'intelli- « gence.

« Il demandera des renseignements aux idées, au « raisonnement, au jugement, au calcul.

« Il sondera la mémoire jusque dans ses profon- « deurs.

« Il laissera parler l'imagination.

« Il s'adressera à la volonté et à l'attention (1). »

(1) Guislain, *Leçons orales sur les phrénopathies*, t. I, p. 35.

Nous avons reproduit presque textuellement ces excellents préceptes, sans les développements que le célèbre clinicien de Gand leur a donnés ultérieurement.

Les questions offrent quelques modifications suivant l'intelligence, l'éducation, les habitudes, la position sociale, etc., de l'individu. Elles doivent avoir trait surtout aux choses ordinaires de la vie et familières aux malades, de façon à l'amener adroitement vers l'objet de son délire. Les questions doivent être posées avec clarté et précision et en même temps avec un certain tact et une certaine finesse.

M. Falret (1) a blâmé avec raison le système qui consiste à étudier les lésions isolées des facultés dans la folie sans remonter aux lois de coordination de l'ensemble des phénomènes appréciés, sans rechercher les rapports de la lésion isolée avec toutes les conditions au sein desquelles elle se produit. Il faut en effet, pour se rendre compte d'une manière exacte de cette lésion, tâcher de trouver la filière qu'elle a pu suivre, en recherchant les motifs qui peuvent faire agir les individus. Il faut produire les symptômes que l'observateur passif se borne à enregistrer, et provoquer des manifestations qui ne surgiraient pas spontanément à cause de la situation d'esprit de l'aliéné. On n'a pas souvent besoin de se donner ce rôle actif en face du simulateur. Il a construit un système fondé sur tel ou tel faux jugement ou sentiment insolite. Il s'empresse lui-même de vous mettre sur la voie malgré vos questions en intercalant

(1) *Des maladies mentales et des asiles d'aliénés,* p. 116.

dans ses réponses les causes qui peuvent expliquer ce délire. Voyez donc le nommé Teck, simulateur dont Casper donne l'observation (t. I, p. 290). Il prétend qu'il *souffre d'une manie de persécution*. Ses prétendues persécutions consistent en ce qu'il *se sent électrisé* par des forces invisibles. Jamais un véritable malade n'avouera qu'il souffre de manie de persécutions, et même il ne croira pas le médecin qui le lui dira. Les malheureux qui souffrent d'hallucinations croient qu'elles représentent des choses réelles et ne se doutent pas que ce ne sont que des aberrations de leurs sens. D'autres prétextent des maladies antérieures à la suite desquelles ils ont éprouvé des sensations diverses, des pertes de mémoire. Depuis ces maladies ils ne sont plus les mêmes. D'autres vous répètent sans cesse qu'ils ont eu telle ou telle vision ou qu'ils sont riches. Mais il n'en est pas toujours ainsi ; il en est qui attendent qu'on les interroge et qui, scrutant l'intention de l'observateur, étudient leurs réponses.

Pourtant il ne faut pas oublier qu'il ne suffit pas de faire des questions promptes, nombreuses, afin de ne pas laisser au prévenu un temps suffisant pour préparer ce qu'il veut répondre. Il faut encore le laisser aller à lui-même, pour voir l'enchaînement des idées.

Quand même le médecin expert, d'après la connaissance des documents et l'examen des signes fournis par la physionomie, les attitudes et les gestes, aurait déjà une présomption de la simulation, nous l'engageons à procéder dans son interrogatoire comme s'il avait affaire à un individu qui lui fût complétement

inconnu et à ne pas lui laisser soupçonner qu'on se
méfie de lui. Le simulateur se laissera aller de lui-
même au type qu'il a adopté, poursuivra le plan qu'il
aura dans la tête et ne changera pas soudainement sa
manière de faire. Il sera plus facile au médecin expert
de reproduire le tableau de la folie simulée qu'aura
présenté l'accusé. Ce sera même un moyen plus pro-
bant de découvrir les changements de forme qui pourraient se présenter plus tard suivant certaines circonstances.

Voici un nouveau fait à l'appui de cette manière
de faire, qui offre, à mon avis, des avantages incontes-
tables. Je l'emprunte à Renaudin, qui a usé plusieurs
fois de ce procédé très-prudent.

Huitième observation. — Un homme connu depuis
longtemps par ses mauvais penchants et son caractère irritable, fit un jour une tentative d'assassinat
sur son beau-frère avec lequel il avait eu quelques dis-
cussions d'intérêt. Arrêté pour ce fait et conduit
dans les prisons de Saint-Mihiel, il ne tarda pas à
s'y faire remarquer par quelques excentricités bizarres et par une turbulence qui donnèrent à penser
qu'il pouvait être atteint d'aliénation mentale. Deux
médecins, consultés sur sa situation, conçurent quelques soupçons de simulation ; mais, n'ayant pas à leur
disposition tous les moyens d'investigation désirables,
ils conclurent à ce qu'il fût conduit à l'asile de Fains
pour y être l'objet d'une observation plus attentive.
Le juge d'instruction adopta cette conclusion. Au moment de son entrée à l'asile de Fains, le prévenu se fit

remarquer par une loquacité incohérente et une turbulence difficile à maintenir. Il prétendait s'être rendu
maître d'Abd-el-Kader qu'il amenait attaché par la patte.
C'est par cette assertion qu'il répondait à toutes les
questions qu'on lui adressait. Le premier soin de Renaudin fut de paraître indifférent à ces manifestations
désordonnées, que les jours suivants, le prisonnier
ne renouvelait qu'en présence du médecin, et auxquelles il finit enfin par renoncer quand une indifférence apparente put lui faire croire que son séjour dans
l'asile le mettait à l'abri de toute poursuite ultérieure.
Un infirmier auquel il s'adressa à ce sujet le confirma
dans cette idée, et dès lors, rassuré sur son sort, il alla
au travail avec les autres aliénés; et si des présomptions
ordinaires lui avaient fait croire, dans l'origine, que,
pour simuler, il fallait se livrer avec affectation à certaines excentricités, l'esprit d'autres malades présentant toutes les apparences de la raison, lui donna à penser qu'il était inutile de s'imposer autant de fatigue, et
que ses premières manifestations suffiraient pour assurer sa position. Il se montra dès lors régulier, laborieux. Deux mois s'écoulèrent ainsi sans que cet
homme eût donné lieu à la moindre remarque quand,
déterminé à faire son rapport, Renaudin le soumit
à un interrogatoire qui parut troubler sa quiétude habituelle. Sa physionomie prit alors un air d'hébétude
et de stupidité, ses réponses devinrent incohérentes, il
ne pouvait plus dire exactement son âge ni le nom de
son village. Sa mémoire l'avait complétement abandonné, etc. Le changement était trop brusque pour

ne pas être simulé. Le prévenu parut devant les assises où il voulut continuer ce rôle. Il déclara même ne pas connaître le directeur de l'asile; mais ses efforts furent vains, et il fut condamné. On apprit, pendant les débats, que cette idée de simuler la folie lui avait été suggérée par un prisonnier qui lui avait donné, à ce sujet, des conseils qu'il avait suivis à la lettre.

Je vais citer un certain nombre d'exemples de réponses tirées des observations que nous avons réunies. Nous voyons que les simulateurs qui ont adopté la forme du désordre général des mouvements et des paroles, ont peu tardé à laisser apercevoir leur fraude, et leurs réponses ont fourni promptement une preuve que la folie était simulée.

Le nommé Rambaud, dont nous donnons plus loin l'observation résumée, entre à l'asile de Maréville, le 21 octobre 1852, envoyé par le tribunal de Nancy, pour que M. le docteur Morel fasse un rapport sur son état intellectuel. Le jour de son arrivée, cet individu paraît en proie à une exaltation furieuse, il se précipite sur les gardiens, et l'incohérence de ses paroles est en rapport avec le désordre de ses actes.

On demande à Rambaud, son âge.

Il répond : *Il y a bien 5 kilomètres d'ici à Nancy.*

D. De quel pays êtes-vous?

R. Est-ce que vous voulez m'assassiner aussi, vous....
Oh ! ne vous cachez pas, vous êtes des gens déguisés....

D. Quel état avez-vous?

R. Oh ça! vous connaissez ma bonne amie.... Oui, je suis marié..... Eh bien, non, je ne suis pas marié.....

Le nommé Derozier, que M. le docteur Morel a été chargé d'examiner à Rouen, en 1856, et dont la relation médico-légale se trouve dans les *Annales médico-psychologiques* (1857), répond ainsi au médecin expert.

A la demande qui lui est faite sur son âge, le prévenu hésite un moment (ce qu'il fait, au reste, pour toutes les questions qu'on lui adresse), et répond : *245 francs 35 centimes, 124 voitures pour faire aller ça. 35 millions..... Je n'étais pas riche, je n'avais que cela.*

D. Y a-t-il longtemps que vous avez la tête dérangée ?

R. Des chats, toujours des chats !..... Ou je ne suis pas fou, les fous ne tournent pas (le prévenu se lève vivement et fait trois ou quatre tours sur lui-même).

D. Avez-vous une famille, des frères, des sœurs, des enfants?

R. J'en ai fourni beaucoup de coupons, des bas de soie, j'avais une fabrique, 35 millions....... Chapoteau m'a volé tout cela.

L'insistance sur la même question amène toujours des réponses non moins absurdes et nullement en rapport avec la demande.

D. Où êtes-vous ici?

Tantôt il répond qu'il est à *Saint-Joseph*, mais la réponse la plus habituelle, c'est qu'il est *dans la maison du diable*.

D. Quel jour de la semaine sommes-nous ?

Il répond au hasard : *lundi, jeudi, vendredi*.

D. Dans quelle saison sommes-nous ?

R. Au mois de janvier. Puis il regarde instinctivement du côté de la fenêtre, comme frappé de l'absurdité de sa réponse, et dit : *Tiens ! on dirait qu'il fait chaud.*

D. Où avez-vous connu Chapoteau ?

R. C'est un juif, un brigand, un assassin; il a voulu m'empoisonner ; j'ai mis mes pieds dans la rivière.

D. Dormez-vous?

R. Je ne puis pas me plaindre..... Il y a trop de chats.

Voulant ensuite s'assurer si le prévenu n'était pas tourmenté par quelque hallucination de la vue ou de l'ouïe, M. Morel lui demanda brusquement et de manière qu'il ne pût s'égarer dans la recherche de réponses incohérentes, absurdes et n'ayant aucun trait à la demande :

D. Mais Chapoteau, le juif, l'assassin, le voyez-vous? L'entendez-vous ?

R. Il a un habit en drap vert; on fait bien la faction, la nuit.

Le nommé Marchandé, dont M. Auzouy a donné l'observation, *Annales médico-psychologiques* (1857), présentant une agitation considérable, est mis au bain aussitôt après son entrée à l'asile de Fains, et interrogé.

D. Depuis quand êtes-vous entré ici?

R. Depuis avant-hier au soir. (Or, il y avait dix minutes à peine que la gendarmerie venait de le conduire à l'asile.)

D. Où vous trouvez-vous ici?

R. A Saint-Dizier.

D. Combien avez-vous d'enfants?

R. Je ne sais pas..... Ils sont grands et petits ; j'en ai six. (Marchandé n'a jamais eu que quatre enfants.)

D. Quelle maladie a motivé votre translation dans une maison de santé?

R. J'ai un château où je gouverne, et j'ai un million.

Ces réponses sont faites avec une évidente hésitation, quoique cet homme parle d'ailleurs avec volubilité. L'agitation affectée contrastait avec le calme des aliénés qui occupaient, au même moment, les baignoires voisines. M. Auzouy, lui ayant fait part de ses doutes sur la réalité de sa folie, en appelant son attention sur ceux qui l'entouraient, aperçut un mouvement de dépit qui se peignit sur la physionomie de Marchandé; peu à peu l'agitation fit place à des airs de niaiserie et de bêtise.

M. Billod (1860), dans un rapport sur l'état mental d'un prévenu soumis à son examen et présentant de l'exaltation et du désordre dans les actes, nous fait connaître quelques-unes de ses réponses.

D. Quel âge avez-vous?

R. Oui...i..... Non...on...on..... J'ai cinquante-trois ans.

D. Quelle est l'année de votre naissance ?

R. Je ne sais pâââs…..

D. Quelle est l'effigie de cette pièce de monnaie ?

R. Je ne sais pas bien….. C'est Louis XVI. (La pièce était à l'effigie de Charles X.)

L'accusé assigne à une pièce de cinq centimes la valeur de deux liards ; à une pièce d'un franc celle de douze sous, et à propos d'une pièce de cinq francs, il dit qu'il ne la donnerait pas pour six francs.

Il épelle ensuite, tout de travers, sur un livre qu'on lui présente, prétendant, du reste, qu'il n'y voit pas. Il dit après que sa femme est morte, puis qu'elle va venir.

D. Savez-vous lire ?

R. Oh oui, je crois bien que je sais lire, j'ai été à l'école.

D. Savez-vous écrire ?

R. Ah dame ! oui, j'ai écrit toute ma vie, etc., etc. Le détenu prononce, du reste, toutes ces paroles du même ton larmoyant, en traînant sur les mots et comme en psalmodiant.

Le cas suivant est rapporté par Snell, il l'a extrait du *Berlin médical Zeitung.*

Neuvième observation. — La veuve Catherine R… avait acheté une maison dont elle regretta bientôt l'acquisition. Afin de faire annuler le marché, ses enfants déclarèrent qu'elle était folle, et la Cour nomma trois experts pour examiner la vérité de cette allégation.

Ils trouvèrent une femme déjà âgée, presque aveugle

par suite de cataracte. Ses traits exprimaient une in-
souciance stupide, elle ne regardait personne en face,
mais fixait toujours les yeux par terre ; on pouvait pourtant observer une certaine mobilité du regard. L'un
des trois experts exprima le désir qu'on la fît lire
ou écrire, mais il fut répondu qu'elle n'en était pas
capable. On la fit alors compter, et c'est ainsi qu'elle
s'y prit : 1, 2, 4, 6, 7, 8, 10, 11, 13, 18, 19, 21. L'in-
terrogateur lui demanda combien elle avait de doigts à
chaque main ; après quelque hésitation, elle répondit
qu'elle en avait *quatre*. Il les lui fit compter sur sa main,
ce qu'elle fit en omettant le doigt annulaire, 1, 2, 4, 6.
Il lui demanda combien 2 et 2 faisaient, elle répondit
après quelque réflexion : 6.

Les questions et les réponses eurent lieu de la manière suivante :

D. Combien avez-vous d'enfants ?

R. J'en ai, je crois, neuf. (Elle en avait sept.)

D. Combien y a-t-il de temps que votre mari est
mort ?

R. Environ dix ans. (Il n'y avait en réalité que cinq
ans.)

D. Comment est-il mort ?

R. Il a été malade plus de huit jours. (Il s'était tué
instantanément en tombant de wagon.)

D. Reconnaissez-vous cette fille pour être la vôtre ?
(Sa fille Catherine.)

R. Oui.

D. Comment la nommez-vous ?

R. Babetta.

D. Avez-vous d'autres parents ?

R. Oui, j'ai une sœur appelée Barbara ; elle a épousé un nommé Prince; envoyez-la chercher, elle ne vient plus me voir. (Sa sœur était morte depuis longtemps.)

D. En quelle année sommes-nous ?

R. Je ne sais pas.

D. Combien y a-t-il de temps que Noël est passé ?

R. Je ne sais pas.

D. Avez-vous acheté une maison ?

R. Je n'en sais rien ; j'ai une maison, pourquoi en achèterais-je une? Il y a des gens qui voulaient acheter ma maison.

D. Où demeurez-vous ?

R. Je ne sais pas.

D. A quoi sert maintenant le Kloster Eberback?

R. Il y a des moines qui l'habitent. (Il n'y en avait pas depuis cinquante ans.)

D. Avez-vous mangé, aujourd'hui ?

R. Non. (Elle sortait de manger.)

D. Qu'avez-vous mangé, hier au soir ?

R. Des pommes de terre. (Elle avait mangé de la soupe.)

D. En quel mois fauche-t-on le foin?

R. Je ne m'en souviens pas.

D. Dans quel mois vendange-t-on ?

R. Je crois que c'est en septembre.

D. Qu'est devenu le vin de l'année dernière?

R. Il est devenu très-bon. (Il était très-mauvais.)

D. Comment se nomme votre pasteur ?

R. Il s'appelle Ohler. (En réalité, il s'appelait Muschka.)

D. Savez-vous vos dix commandements ? Quel est le premier commandement ?

R. Je suis le Seigneur ton Dieu.

D. Quel est le deuxième commandement ?

R. Je suis le Seigneur ton Dieu.

D. Quel est le troisième commandement ?

R. Je ne sais pas.

D. Et le quatrième ?

R. Je ne sais pas.

D. Et le cinquième ?

R. Tu n'honoreras pas ton père et ta mère.

Décidés par cet examen, les médecins-experts déclarèrent que la veuve R... simulait. Les témoins qui avaient parlé en sa faveur furent condamnés comme parjures. Elle-même fut condamnée à la maison de correction, pour avoir voulu tromper et avoir excité au parjure.

Elle a renoncé entièrement à la simulation.

Ces citations nombreuses prouvent que les individus qui simulent appartenant le plus souvent aux classes les plus inférieures et les plus ignorantes de la société, ne connaissent pas les aliénés et croient faire les fous en faisant les imbéciles. Les principes que nous avons émis brièvement sur la folie en général (chap. II) font voir déjà combien des réponses telles que celles que nous venons de rapporter sont susceptibles de dévoiler la simulation. Passons à l'appréciation de certains

troubles psychiques que tâchent de reproduire les simulateurs.

L'incohérence maniaque résulte d'une succession
tumultueuse d'idées qui se pressent et s'enchevêtrent
sans pouvoir fixer l'attention pendant un temps suffisant.
Mais le désordre si général qui caractérise la manie
est loin d'être perpétuel, et alors que l'affaiblissement
de l'exacerbation permet d'obtenir quelques réponses,
on reconnaît qu'il n'y a pas un chaos tel qu'on se l'ima-
ginerait au premier abord. Il n'y a pas chez le maniaque le plus exalté le renversement complet de toutes
les notions fondamentales qui président aux actes intellectuels. Les états si violents où l'on observe des rap-
prochements incroyables de certains mots dont on ne
ne peut saisir ni le sens ni la portée sont très-rares, et
les réponses que l'on peut obtenir ne sont pas le contre-
pied ou une absurdité incompatible avec la question
qu'on fait au malade.

Dans son rapport sur Derozier, M. le docteur Morel
apprécie ainsi les réponses de ce prévenu :

« Dans leurs divagations les plus extrêmes, dans leurs
délires les plus furieux, les aliénés ne confondent pas
ce qu'il est impossible à la logique la plus extravagante
de confondre, par la raison qu'il est des principes sans
lesquels il n'est pas d'acte concevable de l'intelligence.
Il n'est aucun aliéné qui soit privé de l'idée de cause,
de l'idée de substance, de l'idée d'être. Je vais m'expliquer par des exemples.

« Que l'on demande à l'aliéné le plus délirant quel
est son âge, il pourra répondre qu'il a six mille ans ou

six mois, selon l'idée qu'il se fait, qu'il est éternel ou tellement infirme, qu'il en est réduit à l'état d'enfance. Il en est qui répondront qu'ils n'ont pas d'âge, parce qu'ils se croiront morts ; mais jamais le dément le plus incohérent ne répondra à la question de son âge : 245 francs 35 centimes, ou 5 mètres 75 centimètres.

« A la demande qui sera faite sur leur filiation généalogique, ils répondront qu'ils sont fils du roi, fils de l'empereur, de Dieu, ou Dieu eux-mêmes. Ils seront fils du prince des ténèbres ou de n'importe quel être surnaturel ou divin, selon qu'ils seront dominés par les idées de grandeur ou obsédés par quelque idée délirante de possession démoniaque ; mais jamais ils ne feront de réponses qui n'auraient pas pour résultat de rattacher un effet à une cause, par la raison qu'ils ne peuvent pas être privés de l'idée de cause, de substance, d'être. La raison en est simple ; l'aliéné, par cela même qu'il reste membre de la famille humaine, n'est pas soustrait aux lois qui régissent les intelligences humaines, et la preuve, c'est qu'il pense. Il viole sans doute, et il viole fatalement bien des règles de la logique ; il se repaît de l'erreur, il se bâtit des systèmes absurdes en rapport avec son délire ; mais il ne faut pas s'y méprendre, la pensée même qui l'égare ne peut *penser* que sous certaines formes déterminées. Encore une fois, l'aliéné ne confondra pas les idées de temps avec les idées de distance ; il n'abjurera pas les idées de forme, d'étendue ou de mouvement, et ne les appliquera pas surtout à des choses diamétralement opposées. »

Mais outre que l'aliéné conserve ces idées primitives,

il conserve aussi celles du bien et du mal, celles du juste et de l'injuste, et il les applique dans des mesures très-diverses à l'appréciation de la conduite des autres à son égard. C'est ce qui a fait dire avec raison au docteur Belloc, que toute l'influence du médecin dans les asiles était basée sur la capacité de l'aliéné à comprendre les conseils qu'on lui donne, les réprimandes qu'on lui adresse et à se diriger en conséquence. « Chaque jour, ajoute notre honorable confrère d'Alençon, dans l'asile que je dirige, je loue, je récompense, je blâme, j'impose, je contrains, je menace, je punis..... Et ce que je fais, tous mes collègues le font aussi, tous, sans exception ; car cela découle de la nature même des choses (1). »

Dans certaines situations incohérentes, mais moins aiguës, les réponses paraissent être en rapport avec une pensée intérieure que l'habitude de l'observation met à même de découvrir. Parmi les formes incohérentes en dehors de la manie aiguë, on trouve la manie chronique qui, en échange des questions les plus ordinaires, fournit des réponses indiquant un état délirant particulier avec des assemblages bizarres de mots que le malade a créés ou aime à répéter. Les facultés intellectuelles ont perdu ce degré d'activité qui donnait à l'entendement du maniaque aigu une étonnante vivacité. Mais, dans cette variété même, l'aliéné est loin de ne reconnaître plus personne, ni les objets qui l'entourent, de cesser de lire et d'écrire. Les illusions, les

---

(1) *Annales médico-psychologiques*, 1861, p. 422.

hallucinations qui l'assaillent se traduisent dans les paroles, dans les gestes, et n'ont pas détruit tous les phénomènes de l'intelligence.

L'imbécillité et la démence ne sont pas caractérisées par des paroles désordonnées et nombreuses comme dans l'agitation maniaque, quoique l'on rencontre dans bien de ces états chroniques psychiques des accès de manie. Les symptômes que l'on y rencontre n'ont pas le caractère des vrais fous furieux. Quant aux réponses que font les imbéciles, on ne peut s'attendre à des raisonnements élevés, à des connaissances élaborées, dépendant d'une intelligence active et capable d'un travail assidu. L'imbécile a quelques idées innées, des idées acquises par l'habitude en rapport avec le milieu dans lequel il s'est trouvé, dans lequel il a vécu ; son langage est pauvre, il est vrai, mais encore n'observera-t-on pas ces contre-sens que les observations précédentes ont mis en évidence.

Dans la démence incohérente, les discours sont décousus ; mais la presque totalité des individus de cette catégorie n'offrent rien d'anormal dans leurs actes. Ils semblent très-bien comprendre la valeur des expressions, mais la pensée est obscure, la mémoire des faits récents très-affaiblie, la mémoire des mots est même bien diminuée, et le malade prend au hasard ; toutefois, à travers ses discours sans suite, on entrevoit des motifs erronés, des conceptions délirantes. A une forte impression, son attention paraît sollicitée, et il peut répondre sur son nom, sur des choses qui l'ont jadis préoccupé. Pendant que le malade commence à exprimer une idée qu'il veut développer, l'un des mots qu'il emploie lui suggère une idée accessoire qui lui fait oublier la première. L'incohérence n'est pas autre chose alors qu'une succession de digressions qui font complétement oublier le fait principal. C'est à un plus haut degré ce qu'on observe chez certains orateurs qui se perdent à chaque instant dans des idées étrangères au sujet qu'ils traitent.

Il existe d'ailleurs d'autres conditions symptomatologiques qui caractérisent l'imbécillité et la démence. Tandis que les simulateurs en arrivent en quelques heures, en quelques jours à l'incohérence, incohérence qu'ils font intervenir à différents degrés, suivant les moments et suivant les besoins de la cause, l'imbécillité et la démence ne se développent pas instantanément et suivent une marche presque continue et sans intermittence.

On ne trouve guère que chez le paralysé général ces écarts de jugement et ces réponses absurdes que les simulateurs croient devoir faire, et qu'ils considèrent comme appartenant au désordre général des facultés mentales. C'est ainsi qu'un malade de cette sorte à qui vous demanderez l'état de sa santé vous regardera, puis vous dira : *que tu es bête.* A une autre question, une autre sottise, ou bien *qu'il naîtra demain, — qu'il est ressuscité, — qu'il peut transporter une maison, — qu'il peut marcher en l'air, — qu'il est riche à millions, — qu'il veut se marier, — qu'il va partir demain pour l'Amérique, — qu'il attend sa majorité.* Il ne sait pas où il est et méconnaît les personnes qui

sont devant ses yeux ; mais, avec toutes ces réponses, il
y a un jeu de physionomie tout particulier. Les paralysés généraux à cette période présentent d'autres
phénomènes morbides qu'il est impossible de reproduire. Ce n'est donc que dans la paralysie générale que
l'on rencontre ces désordres de l'intelligence qui
sont des preuves irrécusables de débilité, d'abolition
de l'activité psychique, désordres qui se manifestent
néanmoins avec une certaine excitation. Mais, quelle
que soit l'incohérence, quelle que soit la forme d'aliénation mentale du véritable aliéné, on n'obtient pas
pour réponse que des inconséquences et des contradictions systématiques.

Si un simulateur adoptait une forme quelconque de
délire partiel et prétendait entendre une voix qui le
pousse à des méfaits ou à des actes de violence, il y
aurait certainement de grandes difficultés pour le diagnostic. Mais encore le praticien qui a vu et étudié de
nombreux aliénés ne manquerait pas d'arriver sur les
traces de la simulation par l'interrogatoire. Il ne suffit pas
de dire qu'on entend une voix ou qu'on ressent une impulsion, il y a manière d'accuser ces symptômes. Puis,
chaque genre d'hallucinations a des gestes caractéristiques que l'halluciné fait plutôt quand il est seul que
quand il est en présence de quelqu'un. Cela tient précisément à la peur qu'il a de se trahir et à la confiance
qu'il a dans la réalité des fausses sensations qu'il
éprouve. Comme nous l'avons dit tout à l'heure, le simulateur cherche à faire connaître sa prétendue hallucination et sa prétendue idée délirante. Il lance avec

précipitation au milieu des questions ou de ses réponses les phrases qui peuvent mettre sur la voie de ces symptômes simulés et y revient sans aucune raison dans ses discours. On doit s'appliquer à bien reconnaître de quelle manière est faite l'annonce de ces phénomènes pathologiques. Le plus souvent, l'halluciné véritable, confiant et sympathique à celui qui l'interroge, ne dit pas qu'il a une hallucination ou qu'il éprouve tel ou tel symptôme. Depuis plus ou moins longtemps sous l'empire de cette manifestation maladive, il est tellement convaincu que l'on devine ou que l'on sait ce qui le tourmente qu'il manque rarement, quand il veut expliquer certains faits, de dire à l'égard de cette hallucination, *vous savez,* ou un mot équivalent ou encore un terme vague sans désignation de personnes, *ils, on*, etc... Il semble que l'on doive savoir ce qu'il éprouve. Ou bien, après avoir laissé échapper quelques paroles confiantes, si l'on veut l'interroger plus longtemps, il se retranche dans un silence absolu. Les idées fixes entraînent avec elles des séries d'idées auxquelles se rattachent des actes différents. On retrouvera dans les paroles tous ces points essentiels. La discussion excite les monomaniaques, leur fait chercher de nouveaux arguments pour consolider leurs idées délirantes.

La manière de défendre une cause que l'on croit très-bonne et très-juste nous donne la mesure de l'activité de l'intelligence, et nous permet de distinguer les vrais monomanes des monomanes plus ou moins déments. C'est une situation mentale, difficile à simuler;

car cette excitation entraîne une volubilité et une loquacité assez grande, un flux naturel de pensées. Le simulateur doit évidemment les chercher, les étudier, et ses discours se ressentiront de ce travail intellectuel ; ou la promptitude de l'émission des paroles lui fera dire des choses absurdes ou contradictoires qui finiront par le dévoiler.

On tiendra compte encore des paroxysmes qui surviennent chez certains monomaniaques.

En raison de l'augmentation de l'activité intellectuelle dans certaines formes de folie, on a constaté certaines productions de l'intelligence qui ont fait croire dans le monde à l'augmentation surnaturelle des facultés mentales. L'amour du merveilleux a exagéré les faits. Les auteurs anciens ont cité une foule d'exemples. Le vulgaire a répandu que certains aliénés avaient le don des langues, que d'autres discouraient sur les sujets les plus sérieux et les plus savants, que d'autres ne parlaient qu'en vers et les composaient avec une admirable facilité. Ces phénomènes extraordinaires se rencontrent chez des hypochondriaques, chez des hystériques et des épileptiques. Mais, comme le dit M. Parchappe (1), cette augmentation d'activité intellectuelle n'est pas reculée au delà de ce que peut habituellement l'esprit humain, et l'augmentation morbide de la vie psychique n'engendre au contraire que des manifestations sans valeur au point de vue intellectuel. Le simulateur qui voudrait se hasarder dans de pareilles

_____

(1) *Symptomatologie de la folie. (Annales medico-psych.*, 1850.)

manifestations mentales serait bientôt découvert par le médecin expert.

En opposition à cette manifestation morbide, il convient de signaler un phénomène que l'on cherche fréquemment à simuler, c'est l'amnésie ou altération de la mémoire. M. J. Falret, dans un récent article sur l'amnésie, vient d'insister sur son importance au point de vue médico-légal (1).

Il arrive souvent que des individus traduits devant les tribunaux pour un acte criminel soutiennent avoir perdu, plus ou moins complétement, le souvenir de l'action qui leur est reprochée et des circonstances qui l'ont précédée, accompagnée ou suivie. Comme nous l'avons mentionné au chapitre III, cette perte de mémoire est très-réelle dans certains cas. L'acte a été une crise qui a laissé l'individu dans la stupeur ou dans une sorte d'hébétude à laquelle succède une mémoire confuse ; ou encore le même individu reste dans l'ignorance la plus complète de ce qu'il a commis. C'est ainsi que cette perte de mémoire est habituelle dans les faits de folie transitoire, et surtout à la suite des accès de folie épileptique. Dans les maladies profondes de l'encéphale, dans la paralysie générale, dans les folies compliquées, etc., ces malades, loin d'avoir conscience de l'affaiblissement de leur mémoire, la nient complétement et se vantent même de l'activité ou de la force de leurs facultés mentales. Mais, lorsque l'amnésie est temporaire ou bien due à l'action d'une cause rapide ou

_____

(1) *Dictionnaire encyclopédique des sciences médicales*, t. III, p. 740.

instantanée, le malade en a ordinairement conscience, s'en afflige et s'en alarme, et vient lui-même en signaler l'existence au médecin dont il réclame les conseils.

On comprend combien est essentiel le diagnostic de l'amnésie. Casper soutient que l'on doit suspecter de simulation tout individu qui prétend n'avoir aucun souvenir de l'acte incriminé, alors que cependant sa mémoire lui rappelle avec une grande précision d'autres faits et, par exemple, les noms propres ou les dates. Ce que nous avons déjà dit nous permet d'exprimer avec M. J. Falret, que cette opinion est loin d'être exacte dans tous les cas.

Le médecin légiste doit examiner avec soin l'état antérieur de la mémoire chez le même individu avant la perpétration de l'acte incriminé. Le docteur Pelman (1) a rapporté trois exemples intéressants de simulation d'amnésie qu'il a observés à l'asile d'aliénés de Siegburg, près Bonn.

Il est un autre phénomène très-important qui ressort de l'interrogatoire des simulateurs et sur lequel le médecin expert ne manquera pas de fixer son attention, c'est l'émotivité du prévenu.

Les médecins allemands Heinroth, Ennemoser, Griesinger ont dirigé l'attention sur l'attribut moral dont il s'agit. Guislain (2) et M. Morel (3), dans leurs ouvrages, ont insisté sur les caractères du sens émotif dans l'aliénation mentale.

(1) *Journal de psychiatrie*, 1864.
(2) Guislain. — t. II, p. 121.
(3) Morel. — *Études cliniques et traité des maladies mentales.*

Dans les réponses que l'on obtiendra du sujet à examiner et dans l'historique des antécédents qu'il fournira, d'après les événements ou les circonstances plus ou moins vraisemblables qu'il racontera, il sera possible de se rendre compte comment le moral a réagi ou réagit actuellement contre les agents qui tendent à en troubler l'action. La loquacité du malade, ses mouvements d'impatience, ses accusations, ses vociférations, les voies de fait auxquelles il se livre sont autant de phénomènes qui donneront la mesure de l'élément sensible. En étudiant les observations que nous avons recueillies, il est facile de se convaincre combien l'émotivité est une pierre d'achoppement puissante à opposer à la simulation.

L'écriture est un autre mode d'expression de la pensée qu'il importe de consulter. On ne saurait s'entourer de trop de preuves, quand il s'agit d'une question aussi sérieuse que la situation mentale d'un individu. C'est pourquoi l'on doit recommander de faire remettre aux médecins experts tous les papiers, quelque minimes et futiles qu'ils soient, où le prévenu a laissé quelques vestiges provenant de sa main. Si un grand nombre de simulateurs partent de cette idée fausse, que tous les actes des aliénés sont extravagants et déraisonnables, et que le fou est incapable de lire et d'écrire, il en est d'autres qui ont des notions plus exactes sur la folie et qui ne craignent pas de ne pas refuser d'écrire. Le nommé Charles S... dont je vais donner l'observation résumée que l'on pourra lire avec détail dans le *Traité pratique de médecine légale* de Casper (t. I, p. 280), se servit de l'écriture pour simuler un délire des grandeurs.

Dixième observation. — Le nommé Charles S... était accusé de nombreux faux et de tentatives d'empoisonnement.

Jusqu'au dernier interrogatoire, il fit les mêmes aveux et déclara, en outre, qu'il était fils d'un marchand de draps et qu'il avait un frère aliéné, ce qui a été confirmé. La femme qui, dans ses dépositions et ses pétitions, n'avait jamais parlé de maladie mentale, ne déclara que trois mois après l'arrestation, quelques jours avant le jugement, que son mari avait eu souvent des moments de folie, car ce qu'il disait et faisait montrait une absence de raisonnement. L'accusé fut condamné à six ans de travaux forcés et à 6,200 écus d'amende. Il déclara faire un appel et supplia qu'on le laissât se mettre en rapport avec sa femme, afin de trouver la somme nécessaire pour payer son amende. Il demanda, en outre, à être recommandé au directeur de la prison pour pouvoir faire des travaux par écrit.

Cinq jours plus tard on lui accorda les objets nécessaires pour écrire. Ses écrits consistent d'abord en deux lettres, dont la première est adressée au roi de Prusse. Il se présente comme *prince du sang*, le prie de le faire transporter au château royal pour que, *sous les auspices de son cousin le roi, les affaires qu'entraînent pour lui sa naissance royale et d'autres fatalités de cette sorte, aient une fin.* Dans la seconde adressée au grand duc de Mecklembourg-Strelitz, il déclare qu'il est le *fils légitime du feu duc N..., de Mecklembourg-Strelitz.* Il dit qu'il serait d'autant plus facile de faire des recherches au

moyen de son *ambassadeur* (qui n'était autre que l'avocat H... son défenseur), que *le personnel de feu son père*
était encore à la cour. Mais, *afin que l'apanage de sa
maison ne coûte pas trop au pays, il offre ses services au
roi de Prusse et laisse au prince L... son héritage.* Il y
avait en outre un soi-disant écrit de défense.

Dans des écrits de toutes sortes couvrant onze pages
in-folio, il se plaint de sa double hernie et de sa faiblesse corporelle et dit que *la fatalité est en grande partie la cause de la faute dont on l'accuse en méconnaissance
des circonstances qui l'ont forcé de quitter pour un instant la voie du juste dans laquelle a marché notre sau-
veur Jésus-Christ.*

Il demande les enquêtes les plus approfondies, il
parle de sa *majesté innée,* il espère que le roi voudra
bien oublier sa faute, qu'il lui offre ses services et peut
lui être utile dans sa maison, dans son état, dans son
armée...

Il a appris de son *pseudopère* le marchandage à Hano-
vre et parle de son frère aliéné avec des détails très-jus-
tes. Puis il change de ton, dit qu'il *s'est battu en duel* à
Gœttingue, que demain il fera beau temps, qu'il y aura
parade.., *un aveuglement et une paresse inconcevables
l'avaient empêché de faire valoir plus tôt ses droits de
prince.*

Une enquête fut ordonnée.

A l'examen du docteur Casper, Charles a la parole
facile et volubile. Il tâche sans cesse d'amener la conversation sur son auguste épouse, sur le roi, sur le
grand duc. Quinze jours après la première visite, il bat

un prisonnier dans la cour et il fait tant de bruit dans
la nuit que le garde est obligé d'intervenir. A une autre reprise, il frappe un autre camarade et est très-
grossier, dit des obscénités.

Après un certain temps d'observation, Casper, édifié
sur la simulation de ce prévenu, en fit part à l'aliéné
lui-même qui répondit à voix basse et timidement :
*Mais j'en suis bien convaincu, et je suis fâché que vous ne
vouliez pas y croire.*

Marcé, dans un mémoire très-bien fait : *de la valeur
des écrits au point de vue de la séméiologie et de la médecine légale* (1), après avoir fait connaître dans chaque espèce de maladie mentale les particularités que
pouvaient présenter les autographes envisagés sous le
double aspect de la forme comme représentation gra-
phique, et du fond comme mode d'expression des idées
délirantes, arrive à cette conclusion que, « dans l'im-
mense majorité des cas, les documents écrits provenant d'aliénés confirment ou même révèlent à eux seuls
l'existence du délire, mais un écrit parfaitement raisonnable ne prouve pas toujours la non-existence de la
folie. »

Nous n'avons pas besoin d'insister sur l'importance
de ce mode d'investigation qui ne peut être utilisé convenablement qu'autant que l'on connaît suffisamment
les habitudes normales du sujet, son degré d'instruction, son écriture physiologique. Comme dans l'exemple précédent, le simulateur tombera dans l'invraisemblance des véritables symptômes.

(1) *Congrès médico-chirurgical de Rouen,* p. 189.

IV. DE LA SENSIBILITÉ ET DES FONCTIONS VISCÉRALES.

Sous ce titre, nous envisagerons plus particulièrement les fonctions diverses appartenant à l'état somati-
que et nous ferons connaître quels éléments elles peuvent fournir pour le diagnostic de la simulation de la
folie. Nous avons dit que la folie était une maladie procédant de l'association de l'âme et du corps et se manifestant par des symptômes psychiques et par des symptômes physiques. Nous avons étudié rapidement les
différents phénomènes que pouvait fournir l'intelligence. Nous allons parcourir ceux que le physique présente au médecin expert, et l'on verra par là combien il
est difficile qu'après un examen direct, minutieux et
approfondi, on ne découvre pas la simulation.

On ne saurait se méprendre sur la profession de foi
que nous avons faite en quelques lignes, sur les idées
que nous avons émises et qui ne se rattachent absolument ni à l'exclusivisme matériel ni à l'exclusivisme
spiritualiste. Nous nous sommes efforcés plus loin de
démontrer que l'aliénation mentale se meut pour ainsi
dire dans le cercle d'un état physiologique déterminé.
La prédominance de tel ou tel système de fonction ne
peut amener la folie qu'en raison de ce même état physiologique déterminé, qui mesure le retentissement pathologique. Il en résulte aussi que la folie produit des
altérations de fonctions qui lui sont propres.

Nous étudierons successivement le sommeil et la
veille, la sensibilité, la chaleur animale, la respiration,

la digestion, les secrétions, les fonctions de la peau.
On ne rencontre pas au même degré les symptômes
qu'ils fournissent dans chaque catégorie de maladies
mentales et dans chacune des formes que nous essaie-
rons tout à l'heure de résumer.

Du sommeil et de la veille. — Il importe d'examiner
d'abord les alternatives de repos et d'activité que l'organisme tout entier et certaines fonctions subissent
dans l'aliénation mentale. Dans l'état normal, le retour
périodique de ces deux états est absolument nécessaire. L'économie, après avoir lutté contre les forces
extérieures, vient se retremper dans la bienfaisante
inertie du sommeil. Toutefois, il n'est guère que les
fonctions dites animales qui soient soumises à cette intermittence; les fonctions de la respiration, de la digestion, des sécrétions n'y prennent part que par un léger
ralentissement. L'homme bien portant qui ne tient aucun compte de cette obligation primordiale ne tarde
pas à ressentir tous les effets d'un exercice immodéré,
d'une surexcitation soutenue de toutes les fonctions.
L'activité continue qu'il veut produire finit par rompre
l'équilibre entre la dépense et la réparation. La fatigue
et la lassitude s'emparent bientôt de celui qui fait une
semblable tentative.

Chez l'aliéné la même influence morbide qui modifie
toutes les manifestations de la vie de relation s'étend
également sur cette condition de la santé. L'insomnie
est même un des caractères les plus importants de la
folie. On voit des aliénés rester pendant plusieurs semaines et des mois entiers sans pouvoir goûter un seul

instant de repos. Mais c'est surtout dans les états aigus que ce symptôme se manifeste. Dans la période d'incubation de l'aliénation mentale, bien plus que dans la période confirmée, le sommeil est rare, les hallucinations et les rêves effrayants poursuivent les aliénés dans ces périodes. Cette insomnie prolongée affaiblit le système nerveux et détermine une sorte d'épuisement. Dans la démence l'insomnie a surtout lieu le matin. Ce symptôme n'avait pas échappé à ceux qui ont étudié la folie; et les auteurs anciens qui se sont occupés de la simulation de cette maladie n'ont pas manqué de le signaler et d'attirer sur lui l'attention des médecins experts. A leur exemple, nous ne saurions trop le recommander. Pour s'en assurer, il faut que la surveillance soit continuelle et que la chambre où couche le prévenu soit suffisamment éclairée afin qu'on puisse le voir, l'examiner dans toutes ses positions et ses mouvements, soit pendant la nuit, soit pendant le jour, car il profiterait du jour pour se reposer des mouvements et du bruit qu'il a faits au lieu de dormir.

Sensibilité physique (1). — Les altérations de la sensibilité physique peuvent offrir à l'observateur trois modes différents, l'exaltation, la diminution ou la perversion.

L'exaltation ou hyperesthésie se rencontre surtout dans certaines formes de mélancolie et dans les formes que nous avons appelées formes mixtes, et parmi elles principalement dans la folie nervosique ou hypochon-

---

(1) *Des altérations de la sensibilité*, par L.-V. Marcé, 1860.

driaque et dans la folie hystérique. Quelques simulateurs, inspirés par de fausses idées sur l'aliénation, croient donner une preuve de cette maladie en exagérant les impressions perçues par suite du contact, de pincement, de piqûres, épreuves tentées pour connaître la mesure de leur sensibilité, et réagissent par des gestes bizarres disproportionnés avec le peu de douleur éprouvée. L'excitation maniaque n'offre que bien rarement l'accroissement de la sensibilité.

L'anesthésie et l'analgésie sont des symptômes bien plus difficiles à simuler, et il faut une force de volonté considérable, et même on peut dire impossible, pour supporter ce que les véritables aliénés peuvent subir par l'effet de la maladie. L'anesthésie et l'analgésie s'observent chez les stupides, les mélancoliques, les hystériques, les épileptiques maniaques et les monomaniaques dans leurs moments de paroxysmes. On les rencontre encore dans le cours de la paralysie générale et dès son début. Comme le fait remarquer Marcé, l'anesthésie par son étendue et sa profondeur contraste dans ce cas d'une manière saisissante avec le peu de gravité des autres symptômes.

L'existence de cette diminution de la sensibilité rend compte d'une foule de particularités symptomatiques constatées depuis longtemps chez les aliénés. On comprend de quelle ressource peut être cet état morbide. Nous verrons plus loin quel parti on a tiré dans quelques cas de ce caractère essentiel de certaines formes d'aliénation par l'emploi des moyens douloureux.

Les malheureuses manifestations du fanatisme associées aux erreurs de l'imagination y ont trouvé aux quinzième et seizième siècles les bases d'un système de tortures et de supplices. On ne saurait trop rappeler ces terribles conséquences des fausses interprétations des faits.

Les perversions de la sensibilité générale sont très-communes; des malades pendant l'état de veille ou de sommeil se sentent piqués, mordus, brûlés, etc...

On remarque pour les sens spéciaux les mêmes symptômes d'exaltation, de diminution et de perversion. Mais les perversions sont surtout curieuses à étudier; elles donnent lieu aux symptômes désignés sous le nom d'illusions et d'hallucinations. L'illusion a son point de départ dans une impression réelle modifiée ensuite par l'état pathologique du système central, tandis que les hallucinations sont des sensations perçues en l'absence des excitants spéciaux destinés à agir sur nos sens.

Tous les sens peuvent être atteints d'illusions et d'hallucinations. Celles de l'ouïe sont les plus communes. C'est encore par le fait d'une anomalie de la sensibilité du système musculaire que les aliénés n'ont pas le sentiment de la fatigue.

Nous avons signalé combien la physionomie, l'attitude et les gestes permettaient de reconnaître la vraisemblance de ces phénomènes morbides. L'interrogatoire complétera les éléments du diagnostic.

De la digestion. — On ne saurait révoquer en doute l'importance de cette fonction. C'est par la digestion qu'on répare ses forces, c'est par la digestion qu'on entretient l'énergie vitale. Les relations des fonctions digestives avec les manifestations psychiques sont tellement immédiates, qu'elles ont toujours fixé l'attention des médécins qui ont observé la folie.

La digestion est la fonction qui présente le plus d'anomalie chez les aliénés. Ses troubles se présentent particulièrement à la période prodromique et à la période de développement. D'après Flemming, ils sont alors tellement fréquents, que les cas dans lesquels on ne les rencontrerait pas devraient être regardés comme de véritables exceptions. Lorsque la folie a le type intermittent périodique, presque toujours on observe comme signe prodromique un embarras gastrique qui vient annoncer à l'avance le retour du trouble mental.

Dans certaines formes on remarque en même temps qu'une maigreur extrême une voracité excessive ; c'est ainsi que les maniaques ont un appétit très-développé. Ils se jettent souvent sur des choses qu'on ne peut ni manger ni digérer. Les forces assimilatrices sont stimulées chez eux par une dépense considérable des forces musculaires, et par la suractivité de toutes les fonctions, mais cette voracité paraît tenir en même temps à l'absence du sentiment de satiété. Dans la démence simple, dans la paralysie générale, l'homme, au milieu de l'anéantissement de toutes les pensées, de tous les sentiments, se trouve pour ainsi dire réduit à un tube digestif, de là encore un appétit excessif. Puis, le goût peut être profondément perverti, ils n'ont pas la moindre sensation de dégoût. Il est des aliénés qui vont jusqu'à manger leurs excréments, boire leur urine... etc...

Un travail morbide ou exagéré de l'intelligence, une concentration des facultés mentales, l'influence des idées fixes, les craintes d'empoisonnement amènent au contraire une diminution considérable de l'appétit. Le mélancolique mange peu, avec peine, il digère lentement. Dans les formes dépressives, il en est qui, sous l'empire de conceptions plus ou moins erronées et d'hallucinations, se refusent avec une obstination des plus tenaces à prendre de la nourriture et apportent une abstinence dont la prolongation est vraiment surprenante. On est obligé de lutter de toutes les façons contre cette persistance maladive et de recourir à des moyens artificiels pour remédier à la résistance que la force de volonté peut imprimer à l'ouverture des premières voies et au rejet des aliments. Chez les simulateurs le refus des aliments n'est qu'illusoire. Ils tâchent en cachette et le plus secrètement possible de se procurer des aliments, ainsi qu'il a été constaté dans plusieurs des observations que nous avons recueillies.

Louyer-Villermay, dans l'affaire Cornier (1), fait remarquer qu'il fallait distinguer entre les détenus pour délits ordinaires et ceux qui sont sous le poids d'une accusation capitale. Il ne pense pas que ces derniers puissent acquérir de l'embonpoint.

Cette opinion corrobore d'ailleurs un fait acquis par la clinique des maladies mentales et sur lequel a insisté Esquirol, c'est que, quand l'affection tend à la guérison,

(1) *Discussion médico-légale sur la folie*, par Georges, 1826, p. 176.

on voit la maigreur faire place peu à peu à un embonpoint plus ou moins prononcé. Lorsque l'obésité vient
à se manifester sans amélioration de l'état mental, c'est
presque toujours un signe certain d'incurabilité.

La constipation, l'excrétion des déjections, de même
que le caractère de ces dernières sont des symptômes
rendant compte de certains états morbides organiques
appartenant à telle forme plutôt qu'à telle autre et
dépendant du degré de contractilité de l'intestin et du
degré d'activité des secrétions intestinales.

De la circulation. — Les recherches que l'on a faites
jusqu'à présent sur l'état de cette fonction chez les
aliénés, n'ont encore donné que des résultats d'une
valeur insuffisante quant au diagnostic des maladies
mentales. D'après Earle, le pouls des personnes atteintes d'aliénation aiguë est plus rapide que celui des
malades dans l'état chronique. M. le docteur Lisle a
observé dans la paralysie générale des variations assez
grandes et en rapport avec les périodes de cette maladie. Règle générale, la circulation est plus active chez
les aliénés que chez les individus jouissant d'une raison
parfaite. La folie est un état chronique ne s'accompagnant pas de fièvre, mais dans certains cas d'une certaine accélération du pouls ressemblant à de la fièvre.
Sous le rapport de la fréquence du pouls, les hallucinés
occupent le premier rang, puis les maniaques dont le
pouls est remarquable par sa variabilité, mais n'est pas
en rapport avec le degré d'agitation. Les monomaniaques et les déments viennent ensuite. Chez le mélancolique, le pouls petit, filiforme et à peine sensible, est

quelquefois ralenti, mais bien souvent il conserve son
accélération normale. Dans la période de dépression
mélancolique, surtout dans le collapsus, M. le docteur
Guillaud a constaté qu'il ne savait pas s'il existait aucune maladie où il fût possible de noter un pouls
aussi lent, aussi petit, aussi faible. Il a vu des cas où
il ne présentait pas plus de 25 à 30 pulsations par minute. MM. Barrow et Albert signalent que, dans certains cas, il y avait défaut d'isochronisme dans les pulsations des artères, et que l'intensité des pulsations
pouvait différer suivant tel ou tel vaisseau artériel, ra-
dial ou carotidien, aorte ascendante ou descendante.
M. Cl. Bernard explique ces symptômes par l'inégalité
d'énergie des contractions du ventricule ; cette inégalité se communique dans des proportions inégales ;
de là résulte un mélange de contractions alternativement fortes et faibles.

Malgré les nombreuses variations qu'offre la circulation, Jacobi pense que, pour chaque cas isolé, l'étude
du pouls a une grande signification. Le docteur Rush
va même jusqu'à dire qu'il a su distinguer par la rapidité relative du pouls une folie simulée d'une folie
réelle. Notre expérience personnelle ne nous a pas encore conduit aussi loin que le docteur anglais.

Quant à la composition du sang, il ne nous paraît
pas que les observateurs soient arrivés à des résultats
concluants.

De la respiration et de la calorification. — Jacobi a
trouvé quelquefois des différences très-grandes dans
les rapports de la respiration avec le nombre des pul-

sations artérielles. Chez les malades atteints de stupeur, les inspirations et les expirations sont à peine perceptibles.

La température de la peau participe au trouble nerveux général, et il est curieux qu'au milieu de cette activité des maniaques, le thermomètre indique une température du corps normale ou même au-dessous de la normale. Ce n'est que dans l'agitation maniaque qui accompagne la paralysie générale progressive, que la température du corps semble s'élever.

Chez les mélancoliques les extrémités sont froides et se réchauffent difficilement. Les monomaniaques accusent des sensations normales de froid, de chaleur, de frisson. M. Morel a observé chez une malade atteinte de mélancolie avec stupeur, que la moitié du corps était brûlante, tandis que l'autre était froide.

La calorification peut quelquefois être indépendante du mouvement circulatoire et se rapporter à des lésions internes.

Des sécrétions. — Les sécrétions éprouvent des modifications importantes dans l'aliénation mentale ; l'influence du moral sur ces actes de l'organisme a été notée depuis longtemps. Mais, en dehors de cette influence, en raison de l'état morbide du système nerveux, les altérations des fonctions de sécrétion se rencontrent nombreuses et variées. Elles peuvent se présenter soit comme cause, soit comme effet et agir d'une manière puissante sur la nutrition.

La production de la salive peut être abondante sous l'influence de l'imagination et des idées maladives, la sputation être le résultat d'un sentiment de haine ou de mépris ; mais, d'un autre côté, elle peut être l'effet d'une excitation locale, d'une affection de la bouche ou d'un état général plus ou moins grave. La sécrétion salivaire, chez quelques déments et aliénés stupides, ressemble à un véritable ptyalisme.

Il est des simulateurs qui ont essayé de produire ce symptôme ; mais, outre qu'il ne coïncide pas avec les autres phénomènes morbides, on reconnaît bientôt qu'il n'est nullement semblable à celui qu'on observe chez les vrais aliénés.

La sécrétion lacrymale a lieu chez les déments, chez les paralysés généraux, plus souvent encore que chez les maniaques et les mélancoliques. Les signes fournis par l'émission des larmes sont bien plus relatifs au pronostic qu'au diagnostic, ils indiquent quelquefois une crise favorable.

MM. Sutherland et Rigby en Angleterre, M. Michéa en France, se sont particulièrement occupés de l'analyse des urines chez les aliénés. Les urines nerveuses sont en général abondantes, claires, aqueuses. La couleur rouge foncé, ou d'un jaune orangé ou ambré se rencontre dans plus de la moitié des cas de manie ou de mélancolie et chez le quart des déments. Chez ces derniers, l'urine est le plus souvent jaune verdâtre, jaune pâle ou opaline. Dans un récent travail (1), M. le docteur Dumesnil considère la présence de l'albumine dans les urines comme pouvant servir à distinguer la

_____

(1) *Annales médico-psychologiques*, t. XXVIII, année 1863.

fièvre typhoïde de certains états phrénopathiques qui lui ressemblent. Quoiqu'il soit difficile, dit M. le docteur Lunier, analysant les travaux des médecins anglais, de tirer une conclusion générale d'après le nombre peu considérable des faits observés, il est important de constater que les conditions pathologiques différentes que fait aux malades le genre particulier d'aliénation dont ils sont atteints, se révèlent par des symptômes qui sont loin d'être sans valeur. Il n'est que l'étude seule et suivie des aliénés qui puisse amener à les reconnaître.

La transpiration cutanée et la sécrétion sudorifique ne laissent pas d'être modifiées. La peau est généralement sèche, aride, l'absence de sécrétion produit la coloration jaunâtre de l'épiderme. Les signes fournis par la peau sont même d'une certaine valeur et méritent de fixer l'attention des médecins experts, car il est impossible au simulateur de les produire par l'imitation, et les observations qu'on a faites à ce sujet permettent de les considérer comme donnant des résultats constants.

Il est des médecins qui ne se sont pas bornés aux caractères énoncés précédemment, fournis par le sens de la vue ou du toucher, ils ont fait intervenir le sens de l'odorat et ont cru reconnaître aux sécrétions des aliénés une odeur caractéristique. M. le docteur Knight attribue à ce symptôme la même valeur pour la découverte de la simulation, que précédemment le docteur Rush au caractère du pouls.

Des commémoratifs ou état anamnestique. — Dans

le chap. IV, nous avons déjà parlé des antécédents.
Nous nous sommes bornés à exposer notre manière
de penser relative à l'hérédité et à la prédisposition.
Nous avons passé sous silence bien des détails que nous
supposions ne pouvoir être complétés que par l'examen
direct à la suite de l'interrogatoire et de la vue du prévenu soumis à l'observation du médecin expert. Mais,
même après l'examen direct, vu l'insuffisance des
renseignements, il est souvent bien difficile de constituer l'état anamnestique. Alors qu'un individu persiste
à répondre d'une manière incohérente, à garder le silence et se tait sur tout ce qui se rattache à son histoire, il n'est guère possible de se livrer à un examen
pathogénique complet de la maladie. Il faut s'en rapporter aux symptômes seuls pour établir l'ensemble morbide et diagnostiquer la maladie. Toutefois, les simulateurs n'adoptent pas toujours les formes aphasiques et
donnent quelques détails. Ils prétendent avoir eu des
maladies antérieures, coups, fièvre typhoïde, etc....,
avoir subi des traitements ; ils ont eu des chagrins, des
peines morales ; des luttes intérieures pénibles ont eu
lieu, etc... Il est quelquefois possible de vérifier ces
diverses allégations du sujet par de nouvelles informa-
tions auprès des parents, des voisins, etc.... Enfin, ces
renseignements des parents fournissent quelques éclair-
cissements essentiels.

Nous ne pouvons parcourir toute la longue suite des
causes qui ont été invoquées pour la production des
affections mentales et discuter leur valeur. Nous nous
en tiendrons à les mentionner, laissant au médecin

expert le soin de les apprécier suivant le cas individuel qu'il a sous les yeux.

Nous reproduisons le tableau que Marcé a tracé dans son excellent traité pratique des maladies mentales, p. 96.

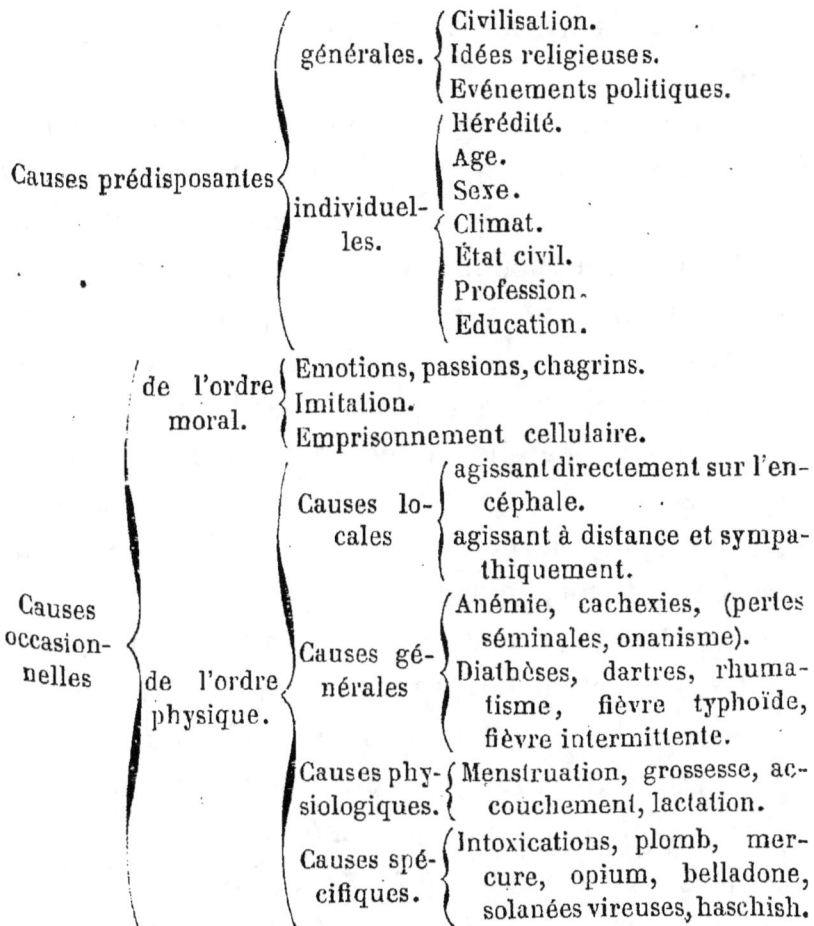

		Civilisation.
	générales.	Idées religieuses.
		Evénements politiques.
Causes prédisposantes		Hérédité.
		Age.
	individuel-	Sexe.
	les.	Climat.
		État civil.
		Profession.
		Education.

	de l'ordre moral.	Emotions, passions, chagrins.
		Imitation.
		Emprisonnement cellulaire.
Causes occasion- nelles	de l'ordre physique.	Causes locales : agissant directement sur l'encéphale. agissant à distance et sympathiquement.
		Causes générales : Anémie, cachexies, (pertes séminales, onanisme). Diathèses, dartres, rhumatisme, fièvre typhoïde, fièvre intermittente.
		Causes physiologiques. : Menstruation, grossesse, accouchement, lactation.
		Causes spécifiques. : Intoxications, plomb, mercure, opium, belladone, solanées vireuses, haschish.

Feu le docteur Ferrus a écrit, dans son livre sur les aliénés, que les malfaiteurs sont presque tous exempts de ces luttes morales sourdes et dévorantes auxquelles trop souvent la raison des honnêtes gens succombe.

Rappelons aussi qu'il n'existe aucune cause nécessaire de l'aliénation mentale, qu'il est rare qu'une seule et unique cause produise le trouble 'intellectuel et que le plus généralement on observe un enchaînement de divers facteurs.

Ajoutons encore que Guislain considère comme très-peu fondée la division des causes en morales et en physiques.

L'invasion prompte et subite d'une affection mentale n'a guère lieu qu'à la suite d'une cause qui agit énergiquement et porte dans l'économie entière une perturbation inattendue. Les causes qu'on a désignées sous le nom de physiques, et qui peuvent partir aussi d'une émotion morale très-puissante, sont celles qui peuvent amener cette explosion soudaine. Ainsi, l'apoplexie, la congestion et certains accidents traumatiques, etc..... Mais plus on entre avant dans la vie antérieure, plus on reconnaît que cet accident imprévu se préparait de longue main.

C'est à cette période qui organise l'invasion que l'on a donné le nom de prodromes ou incubation. Il est peu de maladies qui aient une incubation plus insidieuse et plus lente que l'aliénation mentale, et elle est d'autant plus insidieuse et méconnue par les parents et par ceux qui vivent avec les individus, que les manifestations qui appartiennent à l'évolution de cette période sont loin de se présenter d'une manière continue et franchement progressive. Ces manifestations empruntent soit à l'idiosyncrasie individuelle, soit à la forme typique que la maladie doit affecter. Elles se signalent par des intermittences et des rémittences. Que la prédisposition ait été apparente ou occulte, l'aliéné commence à ne plus ressembler à lui-même ; il se fait remarquer par des singularités personnelles, par des manifestations insolites, des sentiments et de l'intelligence. Quand le génie de la folie est ancien, les changements que l'on remarque dans le caractère de l'individu sont plutôt de l'exagération. Celui-ci n'est pas précisément tout le contraire de ce qu'il était, mais tout ce qu'il y avait depuis longtemps de singulier acquiert tout à coup une intensité plus grande. D'autres fois, au lieu d'une exagération, c'est une véritable transformation qu'éprouve le caractère. De là dérivent la négligence des devoirs de famille et de société, le désordre de conduite, le dérangement des affaires, des irritations, des violences qui momentanément et quelquefois pour toujours, brisent les rapports avec les parents et les amis. A ces exagérations, à ces contrastes, à ces oppositions de caractère correspondent des expressions de physionomie qui sont comme les saillies de l'homme intérieur. L'insomnie devient de plus en plus prolongée, plus opiniâtre, les rêves nombreux. L'appareil locomoteur est plus souvent influencé ; on remarque ou un besoin de mouvement continuel ou une apathie, une immobilité, une torpeur, qui résistent à toutes les sollicitations. Tous les sens présentent une activité augmentée, affaiblie ou pervertie ; toutes les fonctions organiques n'offrent pas moins de modifications nombreuses.

Mais, comme le dit M. Falret, à qui nous avons emprunté en grande partie le tableau rapide que nous venons de faire de la période prodromique : « Bien souvent le malade apprécie l'origine des désordres progressifs de son intelligence, il sait à quoi les rapporter et sent le besoin de réaction, mais il ne peut en faire la confidence aux personnes qui l'entourent, il cherche même à cacher à tous les yeux l'état dont il a conscience et à se dérober ainsi à toute observation et à tout moyen de traitement. » Ces efforts intimes pour cacher cette perte prochaine de la raison sont bien caractéristiques de l'aliénation mentale. On retrouve ce symptôme du début dans la période d'état de certaines formes. Il mérite toute l'attention de ceux qui méditent sur la folie et sur son diagnostic.

A ce moment la folie ne s'est encore trahie par aucun acte frappant de délire.

M. Falret, dont les travaux contiennent tant de vues pratiques et cliniques importantes, met dans le même chapitre en regard avec cette situation de la période prodromique et les caractères qu'elle présente la situation semblable que peut produire la passion. Il la différencie ainsi : « Sous l'influence de celle-ci, il n'y a dans les facultés mentales qu'une exaltation, qu'une concentration, qui n'excluent pas leur exercice logique sur la généralité des autres objets, et déjà, dans l'incubation de la folie, il se manifeste des désordres qu'on ne peut logiquement rattacher à la fixité d'une préoccupation. Quoique esclave en réalité, l'homme seulement passionné conserve au moins les apparences du libre arbitre et puis ses actes sont con-

séquents avec sa passion ; tandis que, dans l'incubation de la folie, l'idée ou plutôt le dérangement céré-
bral subjugue ostensiblement l'individu ; celui-ci obéit
presque en automate. Le redoublement d'une passion
se lie ordinairement à quelque cause extérieure ou apparente, l'exacerbation des prodromes de la folie n'en
a pas besoin ; il survient des accès de joie, de colère,
des accès de tristesse, de consternation que rien n'a
provoqués, et qui dépendent directement de quelque
modification de l'économie cérébrale. »

Ces considérations sur la période prodromique nous
ont paru d'autant plus nécessaires qu'il est essentiel que
le médecin expert puisse mettre en relation les symptômes que le prévenu manifeste à l'examen direct, et ceux
qu'il accuse avoir éprouvés, et de plus ceux que l'entourage de cet individu soumet au tribunal et à l'expertise
médico-légale. Quoique nous ayons fait ressortir que
le plus souvent ces renseignements sont incomplets ou
incertains, l'observateur ne s'en efforcera pas moins à
établir une partie indispensable de l'histoire médicale.

CHAPITRE V

Résumé des principales formes de folie.

La découverte de la simulation de la folie exige du médecin expert des connaissances complètes sur cette maladie. — L'auteur de cette étude médico-légale n'a pas eu l'intention d'écrire dans ce travail un traité complet sur la pathologie mentale.— Il se bornera à une courte description caractéristique des principales formes de folies. — Tableau de ces formes. — Folies simples. — Formes maniaques : excitation maniaque, manie aiguë, manie suraiguë ou délire aigu, manie chronique. — Formes mélancoliques : dépression mélancolique, mélancolie proprement dite, mélancolie avec stupeur. — Forme obscurative ou oppressive : stupidité. — Formes alternes : folie à double forme ou circulaire. — Formes systématisatrices : monomanies. — Affaiblissement et annihilation intellectuelle : démence primitive simple, démence consécutive aux folies simples. — Formes mixtes. — Folie nervosique ou hypochondriaque. — Folie hystérique. — Folie épileptique. — Folies compliquées ou organiques proprement dites. — Paralysie générale.— Paralysie générale consécutive aux diverses formes d'aliénation mentale. — Folies par intoxication ou spécifiques. — Folies cachectiques. — Folies symptomatiques de lésions locales plus ou moins graves.

La découverte de la simulation de la folie ne peut être faite avec certitude par le médecin expert qu'à la condition que celui-ci possédera sur l'aliénation mentale les connaissances les plus complètes. Ce n'est qu'à ce titre qu'il sera à même d'apprécier chacun des symptômes et l'ensemble pathologique qui est soumis à son examen et qu'il donnera à chaque phénomène, tant psychique, que physique, sa véritable interprétation. Avec le raisonnement, il conviendrait à celui qui traite de la simulation de la folie, et qui cherche à en poser les règles, à décrire les moyens les plus capables d'arriver à

reconnaître la réalité ou non de cette affection, il conviendrait, dis-je, d'écrire un traité complet sur la
pathologie mentale. Telle n'a pas été notre intention
en entreprenant cette étude médico-légale. Bon nombre
d'ouvrages (1) ont été publiés dans le but d'initier à la
science des maladies mentales les médecins et même les
personnes étrangères à la médecine. Nous en conseillons
la lecture et la méditation. Toutefois nous croirions
manquer aux principes mêmes que nous avons posés dans
le courant de ce travail, si nous ne mettions pas sous les

(1) J. Daquin. — *Philosophie de la folie*, 1791.

Ph. Pinel. — *Traité médico-philosophique sur l'aliénation mentale*,
1801.

Esquirol. — *Des maladies mentales*, 1839.

Ellis. — *Traité de l'aliénation mentale*, etc., traduit et annoté par
Archambault, 1840.

Fœdéré. — *Traité du délire*, 1816.

Brierre de Boismont. — *Maladies mentales, bibliothèque des médecins praticiens*, t. IX, 1849.

Guislain. — *Leçons orales sur les phrénopathies*, 1852.

Morel. — *Études cliniques sur les maladies mentales*, 1851. *Traité
des maladies mentales*, 1860.

Albert Lemoine. — *L'aliéné devant la philosophie, la morale et la
société*, 1862.

H. Dagonet. — *Traité élémentaire et pratique des maladies mentales*,
1862.

L.-V. Marcé. — *Traité pratique des maladies mentales*, 1862.

Griesinger. — *Traité des maladies mentales*, traduit par le docteur
Doumic, *précédé d'une classification des maladies mentales*, etc., par
le docteur Baillarger, 1865.

Nous n'avons cité que les traités généraux français ou traduits. Il
est beaucoup d'autres ouvrages importants qui s'occupent de la folie et dont l'énumération serait trop longue. Les *Annales médico-
psychologiques*, fondées par M. Baillarger, le *Journal de médecine mentale*, fondé par M. Delasiauve, contiennent des documents d'une
très-grande utilité.

yeux de nos lecteurs un résumé diagnostique des différentes formes d'aliénation. Ces courtes descriptions caractéristiques nous paraissent plus avantageuses qu'un ou plusieurs chapitres détaillés sur la symptomatologie. Si en général l'aliéné présente des symptômes qui lui soient propres, chaque forme d'aliénation est constituée aussi par des phénomènes morbides qui lui sont spéciaux et par une coordination particulière de certains symptômes. Nous avons déjà exposé ces principes généraux relatifs à la folie, nous n'y reviendrons pas.

Quant au développement du chapitre actuel, il ne nous sied nullement d'interpréter les différentes classifications proposées ou adoptées (1). Mais, fidèle à l'épigraphe que nous avons placée en tête de cet opuscule, et qui, d'ailleurs, a toujours été la base de notre plan de conduite dans nos études, nous résumerons, d'après les leçons de nos maîtres, d'après la connaissance des auteurs qui ont écrit sur la folie, et d'après notre observation personnelle, les types qui jusqu'à présent nous paraissent constituer le mieux le bagage de la pathologie mentale.

(1) Citons entre autres classifications : celles de Pinel et Esquirol, de Georget, de J. Franck, de Guislain, d'Adelon, de Parchappe, de Baillarger, de Morel, de Delasiauve, etc... :

TABLEAU :

Folies simples.	Formes maniaques.	Excitation maniaque. Manie aiguë. Manie sur-aiguë ou délire aigu. Manie chronique.
	Formes mélancoliques.	Dépression mélancolique. Mélancolie proprement dite. Mélancolie avec stupeur.
	Forme obscurative.	Stupidité.
	Forme alternante.	Folie à double forme ou circlaire.
	Forme systématisatrice.	Monomanies.
	Affaiblissement ou annihilation intellectuelle.	Démence primitive simple. Démence consécutive aux folies simples.
Folies mixtes.	Folie uervosique ou hypochondriaque. Folie hystérique. Folie épileptique.	
Folies compliquées ou organiques proprement dites.	Paralysie générale. Folies par intoxication ou spécifiques. Folies cachectiqnes. Folies symptomatiques de lésions locales plus ou moins graves.	

FORMES MANIAQUES

Pour le vulgaire le type de la folie est la manie, qui est caractérisée surtout par une excitation très-grande, une loquacité intarissable, des discours incohérents, un besoin incessant d'agitation, des mouvements nombreux désordonnés, des impulsions violentes, des erreurs sensorielles, des illusions et des hallucinations.

Pour le médecin aliéniste sous le nom de manie sont

compris plusieurs formes ou plusieurs degrés d'un état
que caractérise essentiellement la suractivité des fonctions cérébrales. Depuis la simple excitation maniaque
jusqu'au délire aigu, cette maladie peut offrir une foule
de nuances que nous subdiviserons en excitation
maniaque, manie proprement dite ou aiguë et manie
suraiguë ou délire aigu.

EXCITATION MANIAQUE

M. le docteur Delasiauve (1) a comparé avec beaucoup
de raison l'excitation maniaque aux premiers phénomènes de l'ivresse. L'enchaînement des idées est possible.
Les souvenirs sont vivaces et variés ; l'imagination offre
quelques saillies. L'esprit se laisse aller au gré des
pensées qui accourent à la suite des paroles nombreuses
que l'individu éprouve le besoin d'épancher. C'est une
simple suractivité de toutes les facultés mentales sans
incohérence, sans idées délirantes. Des individus,
habituellement réservés, doux et bienveillants, deviennent hardis, causeurs, entreprenants. Ils ne reculent
devant aucune difficulté. Toutes leurs actions sont
marquées au cachet de l'exagération. Ils changent à
chaque instant de résolution. Le médecin que nous
venons de nommer définirait volontiers *oubli des con-
venances* la disposition turbulente, impertinente et
querelleuse que l'on rencontre souvent dans cette
forme. On rencontre en outre des tendances aux dépla-
cements, aux voyages, au vagabondage, à l'ingestion

(1) *Journal de médecine mentale*, t. 1, p. 46.

des boissons alcooliques et même une notable surexcitation génitale. Il est fréquent de voir ces malades,
par suite de leur irritabilité, souffler la discorde dans
les familles et mettre le désordre dans les asiles.

Cet état a une certaine durée et ne doit pas être
confondu avec l'excitation passagère et motivée que
l'on rencontre dans la monomanie.

C'est dans cette catégorie que doit se classer l'état
mental que Pinel a désigné sous le nom de *manie
raisonnante*, tandis qu'Esquirol l'a désigné sous le nom
de *monomanie affective*. Cette variété d'excitation
maniaque montre une tendance continuelle à engager
des luttes d'esprit. Les controverses de ces malades sont
on ne peut plus spirituelles, on ne peut plus logiques. On
l'a appelée encore *manie sans délire* et Guislain la distingue ainsi de ce qu'il nomme manie raisonnante.

« Dans la manie sans délire, il y a bien une certaine
acuïté dans les expressions, une netteté dans les idées,
une tendance à la critique ; mais il y a plus de passion,
plus d'irascibilité, plus de propension à la lutte que
dans la manie raisonnante. Il n'y a pas cette controverse,
cette logique, cette exaltation spéciale des idées qu'on
remarque dans cette dernière. Dans la manie sans délire,
l'exaltation des idées est un reflet de la maladie. Dans
la manie raisonnante, l'exaltation intellectuelle est plus
directe ; c'est la passion du raisonnement, passion
absolument maladive. »

Mais la maladie consiste aussi plus ou moins dans
les désordres qui caractérisent les actes. C'est même

l'absence du délire des paroles qui l'a fait nommer manie sans délire.

MANIE AIGUE

La manie aiguë est une des formes les plus fréquentes de la folie. Elle se traduit, comme nous venons de le dire en quelques mots, par la suractivité du corps et de l'esprit. Chaque faculté intellectuelle contribue au désordre de l'intelligence. Pourtant, comme le dit M. Falret, l'incohérence est plutôt apparente que réelle, ce qui tient uniquement à ce que le travail de la pensée est plus rapide que sa manifestation et à ce que beaucoup de chaînons intermédiaires échappent à l'observateur. Il y a toujours dans ce pêle-mêle apparent un ordre caché qu'il faut rechercher et qu'une observation approfondie fait souvent découvrir. Cette incohérence n'accuse pas comme dans la démence un affaiblissement intellectuel, mais une prodigieuse activité que le malade ne peut dominer, en un mot, une surexcitation désordonnée. La mémoire, l'association des idées et l'imagination sont démesurément actives aux dépens du jugement et de la réflexion.

La mémoire rappelle une foule de paroles et d'événements qui semblaient oubliés depuis longtemps. L'imagination acquiert une telle activité qu'on voit des sujets d'une intelligence médiocre s'élever pendant les paroxysmes d'un accès de manie à une éloquence, à une hauteur de pensées, à une richesse d'images que jamais on n'aurait soupçonnées. Elle donne lieu aux créations les plus fantastiques et aux combinaisons les plus singulières. C'est surtout quand surviennent les illusions et les hallucinations que les conceptions deviennent presque exclusivement délirantes, et, au milieu de ce désordre, on voit prédominer telle ou telle série de manifestations intellectuelles qui finit par donner au délire une couleur particulière.

Qu'on vienne à agir puissamment sur l'esprit d'un maniaque, qu'un événement imprévu arrête son attention, le voilà tout à coup raisonnable ; et la raison se soutient aussi longtemps que l'impression conserve assez de puissance pour soutenir son attention.

L'aspect et les allures du maniaque sont en rapport avec l'excitation intellectuelle. La loquacité est intarissable. Le ton emphatique et déclamatoire, les mots grossiers, les injures, les paroles obscènes se trouvent, mêlés à tous les discours, même dans la bouche des femmes les plus réservées et les plus scrupuleuses. Les réponses sont écourtées ; les idées se suivent sans ordre, sans liaisons, elles sont violemment chassées les unes à la suite des autres et quelquefois elles se déroulent avec une telle véhémence, que les expressions manquent au malade pour les rendre et que bientôt l'observateur le plus attentif ne peut plus en suivre le cours. Ce phénomène est fort bien appelé par les aliénistes allemands *Ideenflucht*, la fuite des idées.

La voix acquiert une raucité qui tient aux vociférations. Le regard est fixe et brillant. Le facies est animé, vultueux et comme transformé. Il présente une expression qui diffère tellement de l'état normal, qu'au moment de la convalescence, alors que les traits reprennent leur aspect naturel, on est involontairement frappé de ce contraste.

Les mouvements sont brusques, tumultueux, incessants. Les malades crient, courent, dansent, sautent, rient, chantent, brisent, déchirent, se déshabillent, et tout cela sans but, sans discernement, par suite d'un besoin automatique d'activité et seulement pour satisfaire cette ardeur insatiable de mobilité et d'agitation qui les domine. Se trouvent-ils en présence d'un obstacle, loin de chercher à l'éviter, ils le renversent ou le brisent. Les forces musculaires participent à la suractivité générale; elles sont doublées et triplées. On voit des femmes frêles et délicates soulever des poids considérables, briser les objets les plus résistants et pendant des mois et des années entières crier et s'agiter nuit et jour sans éprouver la moindre fatigue.

Les sens offrent au début une grande exaltation, l'hyperesthésie fait bientôt place à des illusions et à des hallucinations. Si la sensibilité générale est diminuée ou abolie complétement chez quelques-uns, il n'est pas moins vrai que le froid et l'humidité exercent sur tous en général une fâcheuse influence au point de vue du développement des affections phlegmasiques et catharrales.

Les fonctions digestives s'exercent chez les maniaques avec énergie. Quelques-uns mangent beaucoup et ne semblent jamais rassasiés. D'autres prennent leur repas avec beaucoup d'irrégularité et, après un ou deux jours de diète, dévorent leurs aliments avec une précipitation effrayante. Chez tous la digestion se fait avec rapidité, et les symptômes d'embarras gastrique que l'on constate au début de la maladie se dissipent bien vite sous l'influence de moyens appropriés. Toutes les fois que l'agitation est très-vive, l'excrétion des urines et des matières fécales est involontaire, non par suite d'un affaiblissement de la contractilité des sphincters, mais par oubli, quelquefois par calcul, plus souvent encore par suite de l'anesthésie des muqueuses vésicale et intestinale qui ne sentent plus le contact des matières à excréter.

L'excitation des fonctions génitales est assez commune chez la femme.

La température de la peau et le nombre des respirations sont toujours proportionnels à l'état des pulsations cardiaques.

La transpiration cutanée chez les maniaques est abondante et souvent fétide.

Quant à la fureur que l'on a signalée dans la manie, ce n'est qu'un épisode de la maladie ; c'est la colère du maniaque. Aujourd'hui, avec les moyens de douceur auxquels on a recours, la fureur est assez rare.

Tous les caractères que nous venons d'énumérer peuvent persister pendant des semaines, des mois entiers, selon la durée totale de l'accès avec des moments de rémission et d'exacerbation. Alors il y a de l'amaigrissement. La figure devient terne et livide. Chez les femmes, l'époque menstruelle est presque toujours marquée par le retour de l'agitation.

Après un temps variable, l'accès maniaque entre

dans la période de déclin. Cette période s'annonce par le retour du sommeil, par une diminution progressive dans l'intensité du délire et de l'agitation. Ordinairement, on remarque des intervalles lucides pendant lesquels les malades deviennent tout à coup calmes, raisonnables , apprécient parfaitement leur position et semblent sortir d'un long rêve. Les intervalles lucides se prolongeant quelquefois pendant plusieurs heures et même pendant une journée, pourraient donner à un médecin inexpérimenté l'idée d'une guérison subite. Il n'en est rien. L'agitation reparaît bientôt avec tous ses caractères, tantôt progressivement, tantôt subitement au réveil, par exemple, alors même que le malade s'était endormi dans une lucidité parfaite. Toutefois, lorsqu'ils se multiplient et se prolongent, les intervalles annoncent un déclin notable dans l'intensité de la maladie et permettent de porter un pronostic favorable.

Nous ne prolongerons pas davantage cette description que nous avons empruntée presque entièrement à Marcé.

L'amélioration de la manie peut s'opérer de diverses façons.

MANIE SUR-AIGUE. — DÉLIRE AIGU

Le délire aigu ne saurait, à proprement parler, être considéré comme une forme particulière. C'est la manie à son plus haut degré d'acuité. Toutefois, on ne doit pas la confondre avec une simple manie aiguë ; car on y remarque des symptômes qui annoncent une encéphalite particulière. C'est, comme le dit M. le docteur Brierre de Boismont, qui a fait un travail très-important (1) sur cette variété de maladie mentale, le trait d'union entre les maladies cérébrales inflammatoires et les névroses.

L'excitation maniaque est portée à ses limites extrêmes. Il y a de la fièvre, de la chaleur et de la sécheresse de la peau. Les malades ne peuvent rester en place. Leurs membres sont continuellement en mouvement. Ces infortunés se livrent à une loquacité intarissable, à des cris, à des vociférations. Leurs paroles sont incohérentes, entrecoupées, ne correspondent à aucune pensée et consistent souvent dans le même mot et la même phrase incessamment répétées. Leur attention est incapable de se fixer une seconde ; ils ne répondent à aucune des questions qu'on leur adresse.

Quand cette situation morbide est continue, l'agitation augmente de jour en jour et les malades se consument. La figure s'altère considérablement ; les yeux sont rouges, extrêmement vifs ou tout à fait ternes, remplis de mucosités purulentes. Le pouls est fréquent, la peau brûlante, la soif vive. Il existe une véritable hydrophobie. Ils rejettent les boissons, grincent des dents, se livrent à un crachotement perpétuel. La langue et les lèvres deviennent arides ou fuligineuses. L'haleine est fétide.

Si, au bout de quelques jours, il ne survient aucune

_____

(1) *Du délire aigu observé dans les établissements d'aliénés* (*Mémoire de l'Académie de médecine*, t. XI, 1845).

décroissance dans la fièvre et dans l'intensité du délire, le malade ne laisse que peu d'espoir de guérison. Il tombe dans un profond abattement, une adynamie aussi rapide que profonde. Alors ce que nous appelons marasme nerveux ou bien l'état typhoïde finissent par emporter le malade.

Quand les malades parviennent à la convalescence, ils ne conservent pas le moindre souvenir de ce qui s'est passé autour d'eux. En cela, ils diffèrent bien des maniaques ordinaires qui ne perdent pas le sentiment de leur personnalité, et plus tard ont parfaitement conscience de tous les incidents de leur maladie.

MANIE CHRONIQUE

La manie simple ou aiguë, que nous avons décrite précédemment, peut passer à l'état chronique et constituer alors une forme assez bien caractérisée qui n'est plus le type primitif, mais qui lui ressemble beaucoup.

L'économie semble s'habituer au désordre que nous avons signalé, et l'élément matériel reprend peu à peu un état plus ou moins normal, tandis que l'élément psychique continue à offrir des preuves d'un trouble manifeste. Ce trouble mental n'est d'ailleurs que le résultat d'altérations organiques, pour ainsi dire constituées.

Le passage à l'état chronique se fait par la disparition des troubles digestifs. Le sommeil seul reste imparfait. La constitution s'améliore. La physionomie présente pourtant certaines particularités. Les malades passent leur vie au milieu d'alternations incessantes de calme et d'excitation survenant spontanément ou à propos de la moindre cause occasionnelle. Dans l'intervalle des accès, les malades restent plus ou moins calmes. Chez quelques-uns pourtant, l'insomnie, les cris incessants, la violence des mouvements, amènent alors un état de cachexie et d'amaigrissement auquel les sujets même les plus frêles résistent avec une énergie qu'on n'aurait jamais supposée. La menstruation reparaît chez la plupart des femmes, et, lorsqu'elle a lieu, elle ne produit plus une surexcitation aussi grande.

Les facultés intellectuelles perdent le degré d'activité si considérable que nous avons noté et qui donnait à l'entendement du maniaque une étonnante vivacité. La mémoire ne possède plus le pouvoir reproducteur si puissant et si remarquable de l'état maniaque aigu. Un caractère essentiel de la manie chronique, c'est qu'il est excessivement difficile d'arriver à fixer l'attention du malade pendant quelques instants et de le ramener momentanément au sentiment de lui-même.

FORMES MÉLANCOLIQUES

La mélancolie est caractérisée par une dépression qui imprime à toutes les fonctions de l'économie un certain cachet d'inertie et par des idées délirantes de nature triste.

La tristesse est réellement subjective et elle fait tellement partie de l'individu, que les mélancoliques s'emparent de tous les prétextes qui leur semblent

propres à justifier cette disposition de leur esprit, et
que les plus imaginaires leur sont bons. Dans l'état
ordinaire la tristesse est un accident normal que tous
les hommes sont exposés à subir sous l'empire de
causes déterminées qui manquent rarement leur effet.
Elle peut être prolongée par des circonstances ayant,
comme on dit, force majeure. Le caractère individuel
et l'intelligence restent inaltérés après l'action de ces
causes. En outre, l'individu triste et qui a des motifs
suffisants pour l'être, repousse rarement les consola-
tions qu'on veut lui apporter, et ne s'obstine pas à
immobiliser pour ainsi dire la douleur morale et cette
subjectivité maladive qui ruine son activité. Dans il'état
vésanique, quand un motif existe ou qu'il est allégué, il
n'est en aucune proportion, soit quant à la durée,
soit quant à l'intensité, avec les phénomènes qui apparaissent au jour.

La mélancolie se rencontre difficilement chez les
idiots et les imbéciles, tandis que chez ces déshérités
de la nature l'excitation maniaque est fréquente.

Ces éléments : dépression, tristesse et idées délirantes, s'associent dans des proportions diverses; ce qui
nous fait admettre trois formes principales : la dépression mélancolique ou mélancolie sans délire, la mélancolie simple ou proprement dite, la mélancolie avec
stupeur.

DÉPRESSION MÉLANCOLIQUE

La dépression mélancolique est rangée par les Anglais au nombre des formes qu'ils désignent sous le

nom de *moral insanity*. Elle est caractérisée bien plus par la prostration des forces morales et intellectuelles que par des conceptions délirantes. Un vague ennui, des craintes sans motif, une tristesse indéfinissable, un anéantissement de la puissance volontaire : telles sont les principales manifestations de cet état mental. Les malades conservent une appréciation assez nette de leur position ; ils la déplorent, ils accusent l'incapacité où ils sont de réagir : *« Je voudrais suivre votre avis*, disait un mélancolique à Esquirol, *mais faites que je puisse vouloir, de ce vouloir qui détermine et exécute*. Néanmoins ils opposent une force d'inertie invincible à tous ceux qui essayent de les faire sortir de leur immobilité. Il faut des excitations incessantes pour obtenir d'eux la moindre chose. Ils négligent leur toilette, les soins de leur ménage, leurs affaires les plus importantes. Ils recherchent le silence, l'isolement. Dans cette situation, ils ont conscience de tout ce qui se passe autour d'eux, reconnaissent leurs parents, leurs amis, et font en vain des efforts pour secouer le poids qui pèse sur leur intelligence. La dépression mélancolique peut durer plusieurs mois.

L'appétit est diminué, les fonctions digestives opèrent plus lentement, la constipation est fréquente, le sommeil est plutôt de l'assoupissement qu'un sommeil profond et réparateur.

La physionomie présente une certaine langueur, une certaine tristesse. Le regard est lent, peu mobile.

MÉLANCOLIE PROPREMENT DITE

Dans la mélancolie proprement dite, outre la dépression et la tristesse que nous avons signalées dans la forme précédente, nous trouvons des illusions et des hallucinations, des conceptions délirantes nombreuses et des actes insolites qui se lient plus ou moins à la pathogénie des idées. La dépression est véritablement le fond de cet état pathologique, car elle réapparaît dans l'intervalle des exacerbations.

On trouve dans les facultés morales affectives des modifications importantes. Tantôt les mélancoliques s'imaginent qu'ils sont coupables envers leurs parents et leurs amis, que ceux-ci sont malheureux par leur faute. Ils gémissent alors sur le sort qu'ils leur ont fait et craignent sans cesse pour l'avenir de ceux qu'ils chérissent. Tantôt, au contraire, ils paraissent insensibles à toutes les émotions du foyer. Ni les témoignages du plus affectueux dévouement, ni la vue de leurs enfants, ne les émeuvent. Leur âme n'a d'expansion pour rien ni pour personne, toutes les passions tristes les agitent et les remuent tour à tour, et ils ne sortent guère de cet état d'accablement et d'angoisse que sous l'influence d'hallucination. Ainsi le moindre bruit qui frappe leurs oreilles devient la voix d'un juge qui prononce leur arrêt de mort, ou celle du démon qui se rie de leur malheur et les pousse à des actes criminels. Le geste le plus insignifiant est à leurs yeux une menace, un ordre de persécution, tout se transforme en phénomène de nature également oppressive.

Les facultés intellectuelles participent à ce trouble général. L'imagination, sous l'influence de la réceptivité morbide de la sensibilité, crée mille chimères. La mémoire ramène les différents actes de la vie passée sous forme de crimes ou de faits plus ou moins blâmables. L'intelligence les métamorphose de façon à les mettre en rapport avec l'inquiétude qui les tourmente. Cette tension maladive presse sur les idées qui acquièrent une certaine lenteur. Le mélancolique est parfaitement convaincu de la réalité de la douleur qu'il éprouve, et la répétition de certaines excitations de la sensibilité entretient précisément cette conviction dans l'erreur. Loin de discuter leurs fausses conceptions, loin de chercher à les justifier par des raisons ingénieuses et variées, comme le font les monomaniaques, ils se bornent à répéter les mêmes mots et les mêmes phrases. A toute tentative que l'on fait pour les détromper, à tous les efforts de logique tentés par le médecin et par les personnes qui les entourent, ils répondent par des négations monotones. Les mélancoliques restent bien souvent dans un morne silence dépendant de la tristesse et de l'abattement, mais, d'autres fois ce silence est le résultat d'une volonté, arrêtée ou d'une hallucination. Ils ne parlent pas parce qu'ils ne veulent pas parler, ou parce qu'une voix qu'ils entendent le leur défend. La même raison fait qu'ils refusent de s'alimenter. C'est pour des motifs semblables que l'on rencontre des actes violents et dangereux, tels que le suicide, l'homicide, etc. Ces actes, que dans certains cas on est porté à attribuer à des impulsions

soudaines, paraissent être comme une sorte de détente de leur situation, on les voit parfois alors s'emparer du premier instrument qui leur tombe sous la
main pour s'en servir contre eux-mêmes ou contre les
personnes ou les objets qui se trouvent à leur proxi-
mité. Ce moment passé, ils retombent bientôt dans leur
état habituel d'apathie et d'accablement, et l'acte auquel
ils se sont livrés devient pour eux une nouvelle source
d'intarissables regrets. — Chez quelques-uns l'action
oppressive atteignant un degré très-avancé, les idées
deviennent confuses et plus ou moins incohérentes.

L'attitude et la physionomie des mélancoliques présente quelque chose de caractéristique. Leur conte-
nance est particulière, qu'ils soient au lit, couchés ou
assis, debout ou immobiles sur une chaise, la tête dans
les mains ou inclinée sur la poitrine, les bras tombant
inertes le long du corps ou les coudes appuyés sur les
genoux à moitié fléchis. Ils marchent lentement et avec
peine ou restent à la même place sans remuer. Les
mouvements sont roides ; la figure est pâle, immobile,
quelquefois bleuâtre, légèrement cyanosée. Les yeux
sont chassieux, enfoncés dans leur orbite. Le regard est
terne, sombre, inquiet. La bouche entr'ouverte. Les lèvres sont souvent couvertes de fuliginosités. Les traits
sont altérés, grippés, contractés, et expriment soit l'accablement, soit l'anxiété, et, en un mot, toutes les passions énervantes qui peuvent torturer l'esprit du malade. La peau est d'une couleur terne, jaunâtre ;
ordinairement elle est sèche, aride ; elle a perdu son
élasticité et sa souplesse.

La voix est habituellement monotone et faible. Dans certains cas elle est éteinte et voilée, des soupirs accompagnent les réponses ou sont tout ce qu'on peut obtenir.

Le sommeil est généralement nul ou troublé par des rêves pénibles, des cauchemars, des mouvements automatiques ; bien souvent, ils redoutent l'obscurité ; leurs craintes augmentent à l'approche de la nuit.

La sensibilité générale, exaltée au début, est parfois obtuse dans les autres périodes. Les organes des sens subissent également des perversions plus ou moins grandes.

La digestion présente aussi de notables modifications. L'appétit est toujours peu développé et la quantité de nourriture ingérée est toujours fort peu considérable en raison de l'inertie qui le domine. La plupart des malades conservent en présence de leur repas cette lenteur et cette hésitation qui caractérisent tous leurs mouvements. Il faut à chaque bouchée redoubler d'insistance auprès d'eux, et bien souvent malgré de grands efforts on n'obtient qu'une alimentation insuffisante qui contribue à aggraver l'état général des sujets par la débilité qu'elle entraîne. D'autres, par suite d'idées délirantes spéciales, luttent avec une certaine énergie et crachent les aliments qu'on est parvenu à introduire dans la bouche ; c'est dans ce cas que l'alimentation forcée devient nécessaire. Mais généralement chez les mélancoliques la digestion est lente et l'assimilation se fait mal. La constipation est un phénomène qui ne manque jamais. L'urine est rare et sédimenteuse. La circulation et la respiration offrent des modifications très-sensibles. Le pouls, petit et dépressible, est ordinairement lent. La respiration est embarrassée, ralentie. L'hématose n'a lieu qu'incomplétement. La chaleur animale paraît inégalement répandue, souvent les extrémités sont froides, tandis que la tête est chaude et brûlante.

La lypémanie anxieuse et la mélancolie agitée, que quelques auteurs ont considérées comme des variétés de la mélancolie, nous paraissent devoir se rattacher aux variétés de folie nervosique ou hypochondriaque, que nous avons décrites dans la classe des folies mixtes.

MÉLANCOLIE AVEC STUPEUR

Cette forme est à proprement parler la mélancolie à laquelle vient s'ajouter un épiphénomène d'une durée plus ou moins longue, la stupeur, qui peut n'être que l'extase et qui peut aller presque jusqu'à la stupidité.

Le délire est de nature exclusivement triste. La pensée est très-souvent confuse ; ce qui n'empêche pas la production d'hallucinations nombreuses et de conceptions délirantes. Ces hallucinations vagues, mobiles, sinistres, amènent un trouble considérable de l'intelligence. De là quelquefois une agitation aveugle, irrésistible qui, si elle n'est pas réprimée, peut porter les mélancoliques avec stupeur aux plus graves excès. C'est dans ces circonstances qu'ils accomplissent quelquefois le suicide et non point par suite d'une idée fixe et arrêtée comme dans la forme précédente et dans la monomanie. Les conceptions délirantes n'ont pas non plus la netteté de la mélancolie proprement dite.

La physionomie a comme caractères : l'incertitude du regard, l'affaissement des traits, un certain air d'hébétude plutôt que de tristesse. La démarche est lourde, nonchalante ou apathique, immobile. Les malades ne répondent pas aux questions qu'on leur adresse ou répondent lentement, par suite de l'embarras plus ou moins grand de l'intelligence.

La sensibilité générale est considérablement diminuée. Les fonctions digestives, l'assimilation et la nutrition s'accomplissent ordinairement d'une manière assez régulière, mais lentement et incomplétement. Le sommeil est en général mauvais, ils ont des rêves effrayants.

Après la guérison, les malades rendent compte de quelques-uns des phénomènes qu'ils ressentaient. J'ai parlé (1) d'un jeune homme qui, assez longtemps après sa guérison, m'expliquait lui-même ce qu'il avait éprouvé. Il me disait qu'il raisonnait en lui-même chacun des moyens thérapeutiques qu'on employait à son égard, qu'il formait intérieurement certaines résolutions; mais qu'il lui était impossible de les mettre à exécution.

STUPIDITÉ

Sous ce nom nous désignons une forme assez rare qui est constituée par l'obtusion ou la suspension plus

(1) *Archives cliniques des maladies mentales*, t. I. p. 157.

ou moins complète de l'intelligence, sans complication de délire de nature triste. Il y a le plus souvent un sentiment vague de tristesse ; les malades ne peuvent se rendre compte de leurs impressions.

La mélancolie avec stupeur, qui vient d'être décrite et qui a beaucoup de ressemblance avec la stupidité, est au contraire bien plus fréquente que cette dernière ; aussi les a-t-on réunies bien souvent et confondues ensemble. Nous emprunterons en grande partie au docteur Delasiauve, qui a surtout insisté sur l'existence de la stupidité, la description qu'il en a donnée dans son *Journal de Médecine mentale*, t. I.

Cette forme succède à un état prodromique qui tantôt ressemble à celui de la mélancolie et quelquefois à une excitation maniaque et à un délire expansif assez prononcé.

La tête de ces malades paraît souvent tuméfiée ; la figure exprime une hébétude profonde ; les yeux sont morts ; le visage est pâle et mat ; l'attitude est immobile. Le malade reste insensible aux bruits extérieurs, aux stimulations directes, la sensibilité est obtuse. Il ne parle pas et on ne peut parvenir à lui arracher une parole. Les urines et les matières fécales sont rendues involontairement, la salive découle de la bouche. La volonté est entièrement suspendue. Le malade n'a ni faim ni soif ; il pourrait rester des journées entières sans boire ni manger ; aussi ne demande-t-il pas à manger ; mais il ne refuse pas la nourriture qu'on lui donne ; seulement il faut le faire manger. Il faut le coucher, l'habiller, car il est incapable de pourvoir aux besoins les plus immédiats. Les actes que l'on peut observer sont automatiques, instinctifs ; sauf une constipation habituelle parfois opiniâtre, les fonctions digestives s'accomplissent en général assez régulièrement. Quelques sujets maigrissent, mais la plupart conservent un certain embonpoint. Les chairs manquent de ton, et fréquemment il y a un notable empâtement du ventre et des extrémités inférieures. Chez les femmes la suspension ou l'irrégularité des règles est un cas très-ordinaire. Cet état persiste plus ou moins uniforme pendant un temps indéterminé. De toutes les formes de la folie, la stupidité est celle où s'observent les retours les plus inattendus ; elle guérit au bout de quelques années, comme elle se dissipe en quelques jours, en quelques semaines, en quelques mois.

FOLIE A DOUBLE FORME OU CIRCULAIRE

Sous le nom de folie à double forme ou circulaire, on désigne une forme spéciale de folie caractérisée par deux périodes régulières, l'une d'excitation, de manie, l'autre de dépression, de mélancolie. M. Falret a cru devoir lui donner le nom de folie circulaire, parce que l'existence de ce genre d'aliénés roule dans un même cercle d'états maladifs qui se reproduisent sans cesse comme fatalement, et ne sont séparés que par un intervalle de raison de courte durée. M. Baillarger considère l'association de ces deux formes comme constituant l'accès. L'intermittence ou l'intervalle lucide ne s'observerait qu'après l'évolution complète de cette seconde période, d'où le nom de folie à double forme.

L'une ou l'autre régularité sont loin de s'observer d'une manière aussi exacte que l'ont expliquée ces deux savants cliniciens, si ce n'est dans des cas qui se présentent rarement. Guislain, dans son *Traité sur les Phrénopathies* (1835), s'était appliqué à étudier les alternances et les successions des différentes formes de folie. Malgré ses nombreuses recherches, il n'en était pas arrivé à admettre des lois rigoureuses. Dans les notes qu'il a consignées dans la traduction de Griesinger par Doumie, M. Baillarger fait certaines restrictions qui nous montrent combien peu la périodicité ou la circularité sont susceptibles d'une régularité parfaite. Ainsi la période maniaque offrirait des caractères spéciaux qui la rapprocheraient beaucoup des états monomaniaques. Griesinger a remarqué que la période mélancolique était généralement plus longue que la période maniaque. Marcé fait observer qu'il ne faudrait pas croire qu'il y ait toujours corrélation parfaite entre l'intensité de l'agitation et l'intensité de la dépression. A un accès mélancolique où la stupeur était profonde il a vu correspondre une période d'excitation caractérisée uniquement par de la suractivité intellectuelle. Le cas réciproque peut arriver.

J'ai vu pendant mon internat à l'asile départemental de Vaucluse, chez le nommé O..., malade à type périodique, un accès de manie suivi d'un intervalle lucide qui a permis de faire sortir le malade. Deux années après il rentra dans l'asile et fut atteint d'une stupidité des mieux caractérisées qui dura plusieurs mois. Il y avait obscuration des facultés intellectuelles. Le malade sor-

tit comme d'un état de rêvasserie mal défini. La convalescence arriva peu à peu, l'intelligence se rétablit ;
et O... vaquait naturellement à différentes occupations
avec calme et facilité ; il fut de nouveau rendu à la liberté. Il fut réintégré plusieurs mois après, atteint d'un
nouvel accès maniaque à la suite duquel il s'est évadé.
Je ne l'ai pas revu depuis.

MONOMANIE

L'affection qu'Esquirol a cru devoir désigner du nom
de monomanie, que des aliénistes éminents ont essayé
de rayer du cadre nosologique, et que d'autres ont
préféré désigner du nom de délire partiel, est une forme
dont l'existence ne saurait être niée. Qu'on lui donne
le nom de délire partiel ou de monomanie, il n'y a là
vraiment qu'une discussion de mot. Esquirol lui-même
s'était chargé de justifier son néologisme, quand il disait que le malade ne serait pas fou si, déraisonnant
sur un seul objet, il ne présentait pas en même temps
quelque désordre du sentiment et de la volonté.

Cette limitation du délire, cette unité psychologique malade au milieu d'un ensemble sain et sans
altération a souri à certains esprits plus amateurs de
théories et de vraisemblances que de la réalité. On a
mis de la monomanie partout, sans comprendre même
ce qu'était réellement cette maladie. Aussi ne faut-il
pas s'étonner que les magistrats aient élevé des doutes
contre l'existence d'une pareille forme de folie et
qu'un d'entre eux ait osé dire : *Si la monomanie est une*
maladie, il faut, lorsqu'elle porte à des crimes capitaux,

la guérir en place de grève. On a craint, comme le dit Devergie, que des acquittements pour cause de folie ne devinssent de dangereux exemples d'impunité et ne fissent souvent proposer et accepter une pareille excuse (1). M. le docteur Morel a donné à la monomanie le nom de manie systématisée, comme étant plus conforme à l'aptitude qu'ont les individus de cette catégorie à délirer d'une manière générale. Dans son *Traité des maladies mentales* (1860, p. 259), le médecin en chef de l'asile de Saint-Yon a classé ce délire systématique avec tendance orgueilleuse sans paralysie générale dans la deuxième classe des folies héréditaires. D'autres médecins avant lui, Ferrus en particulier, voulaient qu'on adoptât le nom de délire partiel. Falret l'a subdivisé en monomanie, oligomanie, polymanie, pantomanie. Contrairement aux auteurs que je viens de nommer, d'autres auteurs ont admis un nombre considérable de monomanies, des monomanies intellectuelles, des monomanies instinctives, des monomanies affectives.

Pour nous qui nous sommes engagé bien avant dans la discussion, quoique voulant éviter de longs développements, nous redirons ce que nous avons déjà dit relativement aux tendances plus ou moins soudaines aux actes dangereux, vol, incendie, suicide, homicide, etc. Les études cliniques de notre ancien chef de service ont sur ce point éclairé la pathogénie de certains phénomènes morbides qu'on avait classés à tort dans la mo-

(1) *Médecine légale*, t. I, p. 689.

nomanie. Que l'origine héréditaire doive jouer un certain rôle étiologique, cela ne saurait être contesté dans un grand nombre de cas. Mais pour ce qui concerne les conditions pathogéniques, nous croyons qu'il existe un état latent dû probablement à telle ou telle modification du grand sympathique ou système ganglionnaire, et qu'à cet état latent il faut rattacher ces mouvements subits et ces impulsions irrésistibles. M. le docteur Delasiauve, qui s'est occupé de la question si importante des monomanies, a cru devoir distinguer dans ce que les spécialistes désignaient sous ce nom deux états différents : la monomanie réelle qui avait des caractères parfaitement tranchés, et la pseudo-monomanie ou délire partiel diffus. Ce serait même sous cette dernière forme que la monomanie se présenterait le plus fréquemment et qu'on la confondrait souvent avec les folies générales. Cette distinction symptomatologique et clinique est on ne peut plus importante et répond précisément à celle que M. Morel avait faite sous le rapport étiologique et pathogénique. Les pseudo-monomanies comprennent en grande partie tous ces délires que nous avons classés dans la catégorie des folies mixtes, pseudo-folies simples, folies entées sur des névroses, et plus ou moins mélangées avec elles.

La monomanie n'est pas une forme d'invention récente, elle a existé de tout temps, seulement elle est rare. Paul Zacchias, que nous citerons encore, écrit : *Non omnes dementes circa omnia errare, quosdam enim circa omnia, quosdam circa plura, alios vero circa pauca quædam solummodo errare constat. Imo ex illis nonnulli sunt, qui in nulla re, si unam tantum excipias, errant, sed omnia prudenter, vel, ut ex natura illis mos est, operantur* (1). Dans le même chapitre, un peu plus loin, le médecin romain, pour confirmer les paroles précédentes, raconte le fait suivant :

Un homme désireux de connaître les différentes variétés de ce genre de folie se rendit dans un hôpital où étaient retenus des aliénés. Là il s'adressa à un homme d'un aspect assez convenable, et lui expliqua quel était son désir. Celui-ci s'offrit pour être son guide, l'introduisit dans l'établissement et, tout en le conduisant, lui exposa dans des termes très-convenables et d'une manière judicieuse les idées de chaque insensé et leurs illusions, les unes provoquant le rire et quelques autres inspirant au contraire des sentiments de pitié. Il lui fit connaître les règlements et les usages de cet hôpital et bien plus il discuta, en l'accompagnant, sur un grand nombre de choses et tout cela d'une manière très-correcte. Ils avaient fini de visiter cet hôpital et en étaient arrivés à la dernière partie. Là ils rencontrèrent un homme pensif et triste. L'étranger demanda quel était le genre de folie dont souffrait cet homme. Son guide lui dit alors : *Cet homme déraisonne sur bien des choses, car il pense qu'il est le Saint-Esprit. Mais voyez combien il se trompe puisque c'est moi-même qui suis en sa présence, moi-même qui suis réellement le Saint-Esprit.* L'étranger s'en alla en souriant et en admi-

(1) *Quæstiones medico-legales*, lib. II, tit. I, quæst. 3.

rant le discernement de cet homme vivant au milieu des autres aliénés et cette folie qui n'était constituée que par une seule idée.

Ces citations suffisent, je crois, pour édifier sur l'existence de la monomanie, qui est d'ailleurs une forme assez rare, mais qui le plus souvent coïncide avec un affaiblissement intellectuel, héréditaire ou acquis. M. Baillarger avait déjà émis l'opinion de la faiblesse de l'intelligence chez les monomaniaques (1). Griesinger insiste beaucoup sur l'affaiblissement intellectuel consécutif à une forme active générale.

J'ai vu à l'asile de Montdevergues (Vaucluse), pendant mon internat, un cas fort remarquable. Le nommé C... avait été séquestré dans une maison privée de Saint-Remy (Bouches-du-Rhône); et là, l'état d'extrême agitation dans lequel C... se trouvait l'avait fait placer dans une cellule pendant fort longtemps. Personne n'osait l'approcher. A la fermeture de cette maison de santé, C... fut placé à l'asile de Vaucluse, et M. Noroy lui-même se chargea de l'extraire de sa loge; c'était le vrai mot, car C... fut trouvé enchaîné, n'ayant que de la paille pour toute couchette, une barbe très-longue, inculte, etc... C'était un pensionnaire aisé! Après quelques-unes de ces bonnes paroles, comme les disait si bien ce si regrettable directeur, paroles pleines d'amitié et inspirant la confiance, M. Noroy ordonna qu'on détachât C... et qu'on le mît en liberté. Cet homme, qui causait l'effroi de tous les habitants de cette maison, se

---

(1) *Annales médico-psychologiques*, 1846, p. 157.

calma subitement et suivit son libérateur sans faire la moindre difficulté. C... arrivé dans l'asile départemental de Vaucluse, n'a plus donné aucun signe de fureur. C'est un homme très-intelligent, très-actif, très-adroit et qu'on pourrait comparer parfaitement au malade cité par Paul Zacchias. Il va librement dans l'établissement, s'occupant surtout des réparations qui ont trait à la serrurerie, à la menuiserie; il s'aperçoit avec une lucidité extraordinaire du vice de tel ou tel objet et est un aide très-habile. C... a pourtant une monomanie qui ne s'aperçoit que lorsqu'on veut discuter avec lui dans un certain ordre d'idées. C... amené sur la question du pape, du saint-père qu'il croit être, sur la question des archevêques, des prêtres qui par conséquent doivent lui obéir, car il n'y a que lui de capable de faire des règlements ecclésiastiques, etc..., s'anime peu à peu, s'excite et finit par déraisonner complétement ; comme pape il ne pratique pas la religion et ne va jamais aux offices parce que toutes les cérémonies ne sont pas faites comme il les entend. C... est le malade le plus serviable, le plus prévenant de tout l'asile. Qui que ce soit qui lui adresse la parole est très-bien accueilli à moins qu'on ne cherche à contester ses idées de grandeur.

On retrouve encore chez certains déments à un degré plus ou moins avancé la prédominance d'une idée délirante. Ainsi un vieux cultivateur de soixante-dix ans veut toujours se marier, un autre a un titre, etc. Nous pourrions encore parler, à propos de la monomanie, de l'article intéressant que le docteur Tuke vient de publier sur la folie artificielle, article dont M. Jules Drouet, interne à l'asile de Saint-Yon, a bien voulu me communiquer la traduction. L'auteur y étudie les phénomènes psychologiques produits par l'hypnotisme et certains cas de délire partiel provoqué. Nous allons passer aux caractères de la monomanie.

La monomanie a une incubation souvent fort longue. Dans cette forme de maladie mentale la santé physique ne diffère pas sensiblement de l'état normal. La physionomie présente dans son ensemble quelques caractères qui trahissent à l'observateur les préoccupations orgueilleuses et les sentiments exclusifs qui dominent l'esprit du monomaniaque. La démarche est originale, le regard est généralement fier, dédaigneux. L'aliéné se trouve blessé dans son orgueil qu'on le confonde avec les autres; il est soigneux de sa personne ou affecte d'être négligent. La sensibilité n'est ni surexcitée comme dans la manie, ni dépravée ou irritable comme dans la mélancolie, elle est pour ainsi dire exaltée dans un même sens. Les sentiments affectifs sont nuls; le malade devient non-seulement d'une indifférence complète pour les personnes qu'il aimait, mais il les prend souvent en aversion. L'exagération du sentiment de la personnalité et l'orgueil sont les sentiments dominateurs; le sens moral est presque toujours profondément perverti. Tant qu'on ne froisse pas ses sentiments, qu'on ne contredit pas ses opinions, il est affable avec les personnes qui l'entourent. Le délire du monomaniaque est le résultat d'un travail psychique plus ou moins ancien auquel sont venues s'ajouter peu à peu des conceptions délirantes ayant leur principe dans de fausses interprétations, dans des sensations erronées ; sa conviction profonde a la permanence des passions fortes, des opinions ardentes, des erreurs invétérées. A la moindre provocation tous les phénomènes morbides jaillissent aux yeux du médecin et on reconnaît bientôt combien ils ont été puissants. Quelquefois, comme le fait observer le docteur Delasiauve, le délire devient une sorte de fonction annexe, inoffensive, un monde à part où le malade s'isole sans cesser de figurer dans le milieu social. Il est en effet des monomaniaques qui peuvent vivre dans le monde ; on les regarde comme des êtres excentriques, bizarres. Il n'est pas rare de voir habituellement soit de la dépression, soit de l'excitation ; et même périodiquement il arrive qu'ils sont en proie à un accès de manie ou de simple excitation maniaque.

Il en est qui racontent d'eux-mêmes leurs idées fixes et leurs préoccupations délirantes. Ils ont des phrases spéciales qui ne trompent guère le médecin exercé. Un mot de ce genre saisi dans un interrogatoire met bien vite sur la voie et permet de découvrir une trame dont on ne soupçonnait ni l'étendue ni la complexité.

Les monomaniaques ne voient à leurs projets aucun obstacle ; rien ne les arrête ; l'idée d'être renfermés les révolte. Ils réclament instamment leur liberté et protestent contre ce qu'ils appellent un attentat, une injustice, etc... de là des mémoires détaillés ; ils prétendent qu'ils n'ont jamais été malades, qu'ils ont joui constamment de leur raison. Ils expliquent leur conduite et leurs paroles avec sagacité et prudence. Il y en a même qui sont assez habiles pour donner le change sur leur situation mentale.

Le sommeil, à part quelques moments d'exacerbation, est court en général, mais régulier. L'appétit est excellent; les fonctions digestives se font assez bien. Il y a pourtant tendance à la constipation. Les monomaniaques sont presque toujours en mouvement; quelques-uns s'occupent à différents travaux, soit intellectuels, soit manuels.

Les principales monomanies sont les suivantes :

La monomanie ambitieuse ou délire des grandeurs;

La monomanie religieuse ;

La monomanie érotique ;

La monomanie hypochondriaque ou nosomanie;

Le délire des persécutions

D'après les considérations que nous venons d'émettre sur la monomanie, existe-t-il réellement une monomanie incendiaire, une monomanie du vol, une monomanie homicide ou suicide? Ne doit-on pas plutôt les reléguer dans les pseudomonomanies ou dans les folies mixtes ou encore dans les folies compliquées? Voilà bien des questions importantes qui n'intéressent pas moins le clinicien que le médecin légiste.

DÉMENCE PRIMITIVE SIMPLE

M. le docteur Delasiauve nous paraît jusqu'à présent avoir le mieux étudié la démence dans ses subdivisions naturelles. C'est ainsi qu'il admet une démence *primitive* ou *spontanée*, où l'affaiblissement répond à une dégradation intime et graduelle du cerveau ; une démence *vésanique*, qui vient compliquer les folies ; une démence *symptomatique*, qui est due à de graves lésions locales, tumeurs, ramollissements, caillots hémorragiques, etc., etc. ; une démence *sénile*, que l'on observe chez les vieillards.

Nous allons nous occuper ici seulement de la démence primitive et de la démence consécutive aux formes simples, renvoyant aux folies compliquées ou organiques proprement dites la démence symptomatique.

Nous empruntons presque entièrement à M. le docteur Delasiauve la description de ces formes (1).

Le dément est un riche qui conserve encore des débris de son ancienne opulence. C'est une comparaison très-juste qui exprime que la démence consiste dans l'affaiblissement des facultés mentales.

« Cette affection apparaît dès l'abord avec ses signes propres et sans autres complications. Il n'y a point de folie antécédente. La santé générale persiste. Le malade n'accuse aucune souffrance. L'expression morbide se réduit, en un mot, au seul manque de forces intellectuelles et morales. La démence est lente et graduelle. La diminution de la mémoire est en général un des caractères les plus saillants. Elle peut être portée au point que le malade oublie les dates les plus simples, l'année, le mois, le jour, le nom de son pays, de sa rue, le

---

(1) *Journal de médecine mentale*, t. I, p. 112.

nombre de ses frères, de ses enfants, etc.... Les souvenirs récents sont du reste moins aisément rappelés que les souvenirs passés, ce qui a fait dire du dément avec quelque raison qu'il avait la mémoire du vieillard. Cela tient probablement à ce que les idées nouvelles, mal fixées par le cerveau malade, ne laissent dans ces organes que d'insuffisantes empreintes.

« Il ne serait pas impossible toutefois que cette prépondérance relative de la lésion mnémonique fût un peu exagérée par l'apparence. Les fautes de la mémoire sautent aux yeux, tandis que l'impuissance du jugement, du raisonnement, de l'imagination, etc..., lorsqu'existe encore une certaine aperception vraie des rapports, ne s'apprécie bien que par la réflexion. Tout discernement, en effet, n'est point effacé dans la démence peu avancée.

« Si l'esprit conserve quelque rectitude, il ne saurait s'élever à des combinaisons suivies. Il n'en a plus la force et les matériaux lui manquent. Insensiblement, l'avenir se ferme à ses regards. Le passé pour lui n'est qu'un songe dans lequel il glane au hasard quelques réminiscences. Son horizon se borne au cercle étroit du milieu dans lequel il végète. Les indices de cette déchéance se trouvent, d'ailleurs, dans toutes les manifestations de la vie morale, affective, instinctive, comme de la vie artistique, industrielle, etc.... Les aptitudes se perdent, les sentiments s'émoussent, les propensions languissent, une sensibilité puérile suscite le rire ou des larmes non motivées. On remarque aussi que, peu enclins à parler, les malades prennent rarement l'initiative d'une demande. Ils se contentent de répondre quand on les interroge et le font d'une manière laconique. Comment féconderaient-ils un entretien, leurs désirs étant, comme leurs idées, à peu près nuls? L'habitude extérieure correspond enfin à de telles dispositions. L'attitude est lourde, la physionomie arrêtée, insouciante, béate. Il y a défaut d'harmonie entre les pensées et les gestes. On rencontre communément dans les écrits des déments les lacunes que l'on constate dans leur esprit, des mots omis ou estropiés, des phrases incomplètes, des idées sans correspondance. Cette règle, toutefois, souffre quelques exceptions. »

Une certaine agitation peut momentanément se manifester dans le cours de la démence simple. Quelques individus se lèvent la nuit, rôdent dans leurs escaliers, bouleversent leurs appartements. Ils se livrent à des occupations puériles. On en voit qui se permettent des démonstrations indécentes avec un cynisme capable de soulever l'indignation.

La démence peut rester stationnaire pendant quelque temps; elle est même susceptible d'une légère amélioration. Toutefois elle est incurable et le plus souvent le tableau s'aggrave de plus en plus au bout d'un temps indéterminé. Il survient un affaiblissement profond ou une divagation incohérente.

A un degré avancé cette forme est sujette à des complications, résultat de l'altération de l'organisme et d'une désorganisation du cerveau.

DÉMENCE CONSÉCUTIVE AUX FORMES SIMPLES (1)

« Cette variété ne diffère guère de la précédente quant au fond de la maladie. La diminution des facultés s'y révèle par des symptômes analogues, et, sous ce rapport, la description qui convient à l'une pourrait très-bien s'adapter à l'autre. Il arrive même un moment où, comme des rivières à leur confluent, les diverses espèces se confondent dans une physionomie commune. Seulement la différence des origines donne lieu dans les commencements surtout à des particularités qui méritent d'être signalées.

« La démence, en s'adjoignant aux autres formes mentales, les modifie sans les effacer. Il est souvent difficile de préciser la limite où cette complication commence. Elle s'apprécie en général par la diminution des manifestations actives. L'incertitude est d'ailleurs relative à la gravité de la lésion et à la variété délirante.

« Dans la manie, par exemple, quelquefois la surexcitation amène un prompt épuisement nerveux; la dégradation est patente, incontestable; mais, dans beaucoup de cas, la transition s'effectue d'une manière lente, graduelle, insensible. L'hésitation est alors permise, car rien ne ressemble à la manie chronique comme la démence dans sa période moyenne. C'est le même décousu des propos, la même incohérence, la même agitation. Seulement, comme dans la démence les impressions sont moins vives et les souvenirs moins actifs, le champ

(1) *Journal de médecine mentale,* t. I, p. 141.

du délire se reserre et, au lieu de la mobilité d'idées du maniaque et de la facilité avec laquelle il passe d'un sujet, d'un sentiment à un autre, l'on ne retrouve plus qu'une répétition monotone de mots et de phrases sans signification, sans portée.

« L'invasion de la démence est assez obscure dans les folies déprimantes, dans les mélancolies: Quelquefois cependant, en émoussant le penchant maladif lui-même, la démence a pour résultat indirect d'alléger l'oppression générale et de restituer à la pensée une certaine liberté.

« L'embarras n'est pas moindre pour la stupidité. Consistant dans la suspension de l'exercice intellectuel, cette forme revêt nécessairement une expression très-marquée de démence, qui ne peut que se prononcer davantage encore.

« Quant aux délires partiels, il y a une distinction à faire entre ceux qui concentrent l'essor des facultés et ceux qui en permettent le fonctionnement. Dans ce dernier cas, l'aptitude logique n'étant pas anéantie, il est presque aussi difficile que dans le scas ordinaires de suivre les progrès de la défectuosité mentale. L'affaiblissement du jugement, de la mémoire, de l'imagination se révèle dans les raisonnements et les actes, même en ce qui concerne les aberrations morales. Il y a moins de suite dans les propos, moins de fidélité dans les récits, moins de fermeté dans les résolutions. Les idées fixes, les fausses sensations perdent de leur unité, de leur ténacité, de leur fréquence; elles dominent, en un mot, moins despotiquement le malade. Les progrès de la démence consécutive aux délires partiels sont insensibles. Il y a plusieurs années qu'on en a constaté les premiers signes chez les malades précités. Les lésions cérébrales sont en apparence si légères dans les mono-manies ! On remarque aussi, relativement à la mémoire, que sa diminution, quoique réelle, n'est point d'abord saillante comme dans la démence ordinaire. Elle n'expose point du moins aux mêmes erreurs grossières sur les dates, les raisons, les noms, etc. »

Cette forme est incurable. — Elle progresse peu à peu par suite de l'altération de l'encéphale et de différentes complications.

FORMES MIXTES

A l'exemple de M. le docteur Morel (*Études cliniques*, t. II), je désigne, sous le nom de formes mixtes, des affections mentales caractérisées par l'association de la folie à d'autres névroses, telles que le nervosisme, l'hypochondrie (1), l'hystérie, l'épilepsie. Chacune de ces maladies imprime à l'aliénation un caractère spécial, en modifie la marche et la symptomatologie de telle façon, que la description des types simples que nous avons faite précédemment devient inapplicable. Chacune de ces maladies, ainsi combinée, s'offre à l'observateur de telle manière, que l'on se prend quelquefois à douter que les malades soumis à l'observation soient de véritables aliénés. L'addition de la désinence *pseudo* ou la qualification de *diffuse* conviennent assez bien à cette

---

(1) Le nervosisme et l'hypochondrie ne sont, selon moi, que des degrés différents d'une même affection.

catégorie de folie. Le mot de pseudo-monomanie, appliqué par M. le docteur Delasiauve aux formes comprises dans ces folies mixtes, nous paraît heureusement trouvé. Il serait peut-être mieux approprié à quelques états plus ou moins passagers qui apparaissent comme éléments de la symptomatologie. On pourrait avec tout autant de raison dire des pseudo-manies, des pseudo-mélancolies, pour exprimer les types altérés par les névroses et se présentant d'ailleurs plus ou moins différemment mélangés. La connaissance de ces faits si importants ne peut être due qu'à une investigation sévère et approfondie de tous les élements pathogéniques fournis par l'individu. M. le docteur Delasiauve s'est borné à poser les caractères distinctifs de la monomanie et de la pseudo-monomanie. Voici, d'après ce médecin, les principaux signes qui différencient ces deux maladies (1).

Dans les pseudo-monomanies, les actes se font remarquer par leur soudaineté. Ces affections peuvent, selon les cas, acquérir des proportions immédiates. Chez les monomanes, la croyance, faible et timide dans les commencements, n'arrive à se produire qu'après s'être affermie contre les objections. Le pseudo-monomane se doute ou a conscience des changements qui s'opèrent dans sa santé physique. Il s'en alarme et, loin de les dissimuler, il serait porté à s'en plaindre, s'il n'était retenu par le désir de cacher une infirmité humiliante ou la crainte de faire partager ses inquiétudes

(1) Voir *Journal de médecine mentale*, t. I, II, III, IV, V.

à ceux qui l'entourent. Quand il se plaint, il accuse au
médecin et aux personnes qui l'entourent des souffrances corporelles localisées en un point ou en un
autre, mais généralement vers la tête : chaleur, pesanteur, compression, etc. Le mono-maniaque va aussi
parfois consulter le médecin, mais par des motifs bien
différents ; car, s'il expose des souffrances réelles, c'est
pour les attribuer à des causes chimériques. Les convictions délirantes ont une permanence extraordinaire entretenue par de fausses interprétations. Le
monomane débite avec aplomb les plus graves excentricités. Le pseudo-monomane lutte contre ses entraî-
nements. Chez le monomane, la volonté sert l'action
ou, s'il résiste, c'est par des motifs ordinaires. Le
pseudo-monomane paraît-il devant la justice, il déplore
les conséquences d'une détermination aveugle, fatale,
tandis que le monomane trouve sa conduite légitime,
se glorifie parfois de son courage, et, s'il se défend,
il regrette seulement d'avoir été poussé à bout. Les
convictions du monomane sont tenaces et peu variables.
Les sensations et les idées, chez le pseudo-monomane,
varient comme les mouvements cérébraux qui les occa-
sionnent (molimen congestionnel, violentation spasmodique), mouvements n'apparaissant que par intervalles, à certaines heures, sous certaines influences, et
rarement avec un caractère soutenu et identique. Enfin,
ces états pseudo-monomaniaques peuvent présenter des
fluctuations, se dissiper, se suspendre, s'exaspérer et
guérir, tandis que la marche de la monomanie est en
général constante, stationnaire ou ascensionnelle. Il

n'est pas rare, après des vingt et trente ans, de retrouver les mono-maniaques un peu plus opiniâtres et bizarres, et pourtant absolument les mêmes.

Les pseudo-monomanies produisent des perturbations, plus ou moins profondes, quelquefois illusoires, donnant lieu à des transformations diverses. Quand la perturbation illusoire est active, rapprochée, persévérante, cette répétition laisse des impressions qui, la première excitation passée, servent de base à des convictions plus suivies et plus durables, à une dégénérescence monomaniaque positive, tandis que, par contre, le mouvement nerveux, s'il augmente d'intensité et d'étendue, peut intéresser directement les fonctions syllogistiques et amener une complication générale. Les névroses convulsives produisent presque toutes à la longue un mélange de perversions morales et instinctives, d'obtusion hallucinatoire et d'incohérence maniaque. Dans la plupart des autres cas, il y a communément d'ailleurs des signes névralgiques et congestionnels justifiant l'éventualité de l'aggravation. Divers points du crâne sont le siége d'une fonction incommode, le front est comme enserré dans un cercle de fer, les yeux s'appesantissent sous une masse plombée ; on sent notamment pendant les crises un bouillonnement de sang dans la tête.

M. Delasiauve fait remarquer combien la raison apparente des inculpés atteints de pseudo-monomanie est un écueil au défaut d'imputabilité qu'entraîne cette affection mentale trompeuse, défaut d'imputabilité qu'il laisse d'ailleurs à la libre appréciation du tribunal.

Cette raison apparente fait que le magistrat a peine à croire à l'insanité d'un homme qui donne publiquement des marques de lucidité. La distraction de l'enquête ou des débats et la crainte des conséquences des actes commis font sortir les pseudo-monomanes de leur rêverie morbide souvent fugitive et s'opposent à la manifestation du trouble.

M. le docteur Delasiauve n'a pas cherché plus avant dans la pseudo-monomanie les différences qui pouvaient exister entre certaines classes d'actes ou de symptômes, et nous paraît comprendre dans une même description des affections qui avaient besoin d'être distinguées. C'est le problème qu'étudie, au contraire, depuis longtemps le docteur Morel, et ce que nous allons essayer de faire d'après ses leçons. Ces formes mixtes sont bien plus caractérisées par la coordination des actes entre eux que par les actes eux-mêmes.

FOLIE NERVOSIQUE OU HYPOCHONDRIAQUE

Cette forme, qui peut affecter tel ou tel nom, suivant le degré de la maladie, est caractérisée par des impulsions et des actes névropathiques ou nervosiques. Ces impulsions ont un type particulier : quelque chose de saccadé, de spasmodique, qui se reconnaît bien mieux quand on les a vues que l'on ne saurait le décrire. Elles ont pour point de départ une douleur qui va croissant, qui surexcite, pour ainsi dire, détermine une progression délirante qui se résout, après un état plus ou moins long, en cris, en vociférations, en actes. Ces phénomènes nervosiques peuvent avoir une périodicité très-rapprochée. La folie nervosique est le premier degré de cette maladie mentale mixte qu'il nous a été possible de voir sous toutes ses faces dans les asiles si considérables de Quatremares et de Saint-Yon, et dans un département aussi fertile en maladies nerveuses que celui de la Seine-inférieure. M. le docteur Morel, dans ses leçons orales cliniques sur les maladies mentales (1865), a décrit cette forme sous le nom de folie nerveuse.

Elle se présente chez des personnes d'un tempérament nervosique ou névropathique, atteintes d'un état morbide qu'il ne faut pas confondre avec l'hystérie et qui est constitué par des souffrances nerveuses revenant périodiquement et occupant fréquemment la tête, par des névralgies cervico-occipitales ou trifaciales, par des névralgies générales qui ne sont nullement les hyperesthésies partielles passagères que l'on rencontre très-souvent. Ces névralgies, atrocement douloureuses, produisent une exaspération telle, que les sujets qui en sont affectés ne peuvent rien supporter de la part des personnes qui les entourent, frappent du pied, se mettent dans des colères épouvantables, donnent des soufflets, des coups de toutes sortes ; à la suite de ces manifestations, ces malades demandent pardon du mal qu'ils ont fait.

Après une durée qui peut aller jusqu'à un nombre d'années assez grand, et après s'être ancré, pour ainsi dire, dans la constitution, cet état morbide cesse tout à coup. Aux névralgies succède un petit tremblement nerveux de la tête et des membres supérieurs. Ce calme trompeur dure quelquefois plusieurs mois ; mais bientôt survient une autre transformation manifeste et bien plus grave. Le mal s'est attaqué aux facultés mentales. Des impulsions dangereuses nombreuses, avec idées délirantes et fausses interprétations, apparaissent. Ainsi une femme nommée L..., âgée de 56 ans, dans une certaine aisance, disait qu'elle était ruinée, gémissait du matin au soir, ne pouvait rester en place ; son état se partageait en jours de calme, où elle était comme anéantie, et en jours où l'agitation était telle qu'il fallait la protéger contre ses tendances suicides et homicides, car elle frappait son mari et le poursuivait avec un couteau. Il n'y avait de repos pour personne. Elle injuriait les domestiques, prétendait qu'ils accéléraient sa ruine. La nuit, elle ne dormait pas. Elle refusait même de manger et ne voulait accepter les soins de personne ni faire les remèdes ordonnés.

Par un traitement hydrothérapique approprié, cet état mental finit par s'améliorer et même guérir. Il reste cependant un état chronique, une véritable hypochondrie plus ou moins intense. Les malades se préoccupent de leur santé, de leurs sensations.

Mais, au lieu du tableau que nous venons de tracer à la suite d'un nervosisme d'une intensité variable, on rencontre un cortége de symptômes moins effrayants,

---

(1) Il est important de séparer l'hypochondrie de la nosomanie ou monomanie nosologique, aberration mentale relative à l'état des organes qui a été désignée par Guislain sous le nom d'*hypochondrie mentale*.

affectant le type chronique, mais non moins caractéristique. Elle est connue vulgairement sous le nom d'hypochondrie et consiste : 1° dans une susceptibilité nerveuse exagérée, une sensation pénible quelconque générale ou locale ; 2° dans une préoccupation soutenue, une erreur de l'esprit touchant l'état de la santé. Beaucoup d'individus vivent dans le monde atteints de cette affection, qui n'est qu'une transformation de l'état névralgique plus ou moins général qui le précède, et qui même reparaît plus ou moins à différents intervalles. L'exagération délirante de la personnalité avec la peur de souffrir et de mourir, les fausses idées, les fausses interprétations, les tendances suicides et homicides ne sont que dans quelques cas portées au point de constituer une situation qui réclame les soins dans un asile d'aliénés. L'hypochondrie peut exister sans que cependant l'individu qui en est affecté soit le plus ordinairement considéré comme aliéné. Il suffit qu'il ne donne pas aux sensations internes qu'il éprouve une interprétation se rapportant à des faits d'un ordre improbable ou surnaturel, et qu'il ne soit pas dominé par des tendances dangereuses.

La folie hypochondriaque offre une série de phases de rémission et d'exaltation. L'instantanéité dans l'apparition et la disparition des accès n'est pas la même que celle que l'on observe dans les folies hystérique et épileptique. Ces accès et les symptômes qui les constituent conservent le caractère nervosique, le point de départ douloureux névralgique, spasmodique, que nous avons signalé précédemment et qui peut aller jusqu'à un éréthisme nerveux des plus pénibles qu'on puisse concevoir. C'est alors que le malade, dans l'impossibilité de trouver dans son intelligence les éléments capables de réagir contre les conceptions délirantes qui l'obsèdent, cède à l'étrange détermination de se suicider, de commettre un meurtre ou tel autre acte compromettant ou dangereux, en faisant toutefois tourner à sa justification les événements du monde extérieur.

M. le docteur Morel rattache à la folie hypochondriaque la forme décrite par M. le docteur Lasègue, sous le nom de *délire des persécutions*. Les malades sont surtout tourmentés par l'idée qu'on en veut à leur existence, à leur honneur, à leur réputation, à tout ce qui touche, en un mot, aux intérêts les plus précieux de l'ordre intellectuel et moral. Le délire des persécutions nous paraît appartenir aux monomanies.

Par suite des perturbations profondes qu'elle produit dans les paroxysmes, la folie hypochondriaque peut donner lieu aux mouvements congestionnels qui devront plus tard constituer la paralysie générale.

FOLIE HYSTÉRIQUE

Comme le dit très-bien M. le docteur Delasiauve (1), « l'hystérie n'a point encore de définition consacrée. A-t-elle, ainsi que son nom l'indique, sa source primitive dans l'utérus ? dépend-elle, comme le veulent dire MM. Girard de Cailleux et Briquet, d'une modifi-

(1) *Journal de médecine mentale*, t. II, p. 242.

cation directe du système nerveux cérébro-spinal et ganglionnaire ? L'incertitude à cet égard n'est pas la seule difficulté. Les attaques qui pour les uns caractérisent la maladie n'en sont, aux yeux des autres, qu'une des manifestations. *Hystéricisme, état hystérique, hystérie,* ces désignations répondraient à une disposition morbide qui, indépendamment des convulsions, s'accuserait par des signes particuliers, entre autres la suffocation spasmodique, les palpitations, le météorisme abdominal, la pâleur des urines et certaines transformations sensitives et morales. »

L'hystérie est excessivement rare chez l'homme et au contraire très-fréquente chez la femme ; toutefois elle ne conduit qu'assez rarement à la folie.

L'hystérie entraîne avec elle presque toujours une certaine modification de la sensibilité, une émotivité très-grande et un état symptomatologique qui ressemble beaucoup à celui de la constitution nerveuse que nous avons donné d'après Griesinger.

« Le tempérament hystérique (1), dit le docteur Co-« nolly, a présenté dans tous les temps un curieux « sujet d'étude et d'observation. La moindre chose « agite l'esprit des malades, la sensibilité est exagérée. « On dirait qu'une sorte d'influence erratique (*some* « *erratic influence*), se dirige vers toutes les parties du « cerveau, vers les dernières ramifications nerveuses, « et y développe une grande énergie maladive. Com-« ment expliquer autrement ces innombrables capri-

(1) Morel. — *Traité des maladies mentales*, 1860, p. 691.

« ces de l'esprit et l'infinité des sensations pénibles
« que ressent l'organisme dans cet état morbide ? Celui
« qui veut étudier l'hystérie dans ses nombreuses ra-
« mifications avec une foule d'états pathologiques n'a
« pas affaire à une seule maladie, mais à un cortége
« tout entier de maladies. » L'intelligence est d'autant
plus compromise que l'hystérie est plus larvée, c'est-
à-dire que son cortége symptomatique ordinaire est
moins apparent, que l'on observe moins ces états nerveux si divers : hyperesthésies, anesthésies, convulsions, paralysies, catalepsies, etc...

La folie hystérique succède à cette excitabilité· si
grande. Elle est caractérisée par l'inconstance et la
variété des symptômes. La spontanéité avec laquelle les
actes s'accomplissent est quelque chose de bien singulier, les impulsions maladives sont aussi nombreuses
et instantanées que les sensations bizarres qu'éprouvent
ces malades. Cet état morbide n'est qu'un enchaînement de péripéties extraordinaires, d'épisodes drama-
tiques, de simulations aussi variées qu'habiles. Les
folles hystériques sont tour à tour calmes, furieuses,
mélancoliques, loquaces, muettes, stupides, halluci-
nées, possédées du diable, érotomanes, faibles d'esprit,
menteuses, libertines, voleuses. Elles ont à leur service l'énergie la plus rare, l'effronterie la plus inouïe
et l'astuce la plus incompréhensible. Tous ces états
qui peuvent avoir une durée variable changent avec
une promptitude et une brusquerie étonnante. On
ne saurait trop étudier la mobilité et la bizarrerie des
actes hystériques. Les actes les plus ridicules sont sui-

vis d'un calme et d'une tranquillité surprenante (1).

Nous signalons (chap. VI) les résultats diagnostiques que l'on peut obtenir avec l'éthérisation dans l'agitation maniaque hystérique qui est ramenée sous l'influence de l'anesthésique aux caractères propres de l'hystérie simple.

C'est sous l'influence de mauvaises conditions physiques surtout et morales, que se produisent les névroses hystériques si complexes, connues sous le nom de *névroses extraordinaires, hystéro-épilepsies*. L'addition de l'épilepsie à l'hystérie se fait par des symptômes d'abord insignifiants. Mais on ne tarde pas à reconnaître, au milieu des symptômes nombreux et divers qui constituent ces états si étranges, que l'épilepsie finit peu à peu par dominer la scène pathologique. Cette transformation se traduit par des caractères particuliers; entre autres principalement, par une perte de connaissance plus subite et par les secousses, phénomène morbide que Moreau, de Tours (1) considère comme appartenant exclusivement à l'épilepsie. Les troubles psychiques coïncident avec ces modifications nombreuses.

La folie hystérique finit par arriver insensiblement au dernier degré de l'anéantissement et du marasme. A certains moments on observe des cris, des vociférations, des chants, des paroles obscènes. Dans les périodes de calme les malades restent accroupis et présentent tous les caractères de la démence apathique.

---

(1) Voir 1° les ouvrages de M. le docteur Morel ; — 2° Moreau, de Tours, *De la folie hystérique*. (*Union médicale*, 1865) , — 3° Bulard, *Étude sur la folie hystérique* (thèses de Montpellier, 1858); — 4° Lachaux, — *De la manie hystérique* (thèses de Paris, 1857).

La folie hystérique a régné plusieurs fois d'une manière épidémique. On peut lire dans le remarquable ouvrage de M. Calmeil (1) l'histoire de ces singulières épidémies. Dernièrement une épidémie de cette affection mentale a été observée à Morzine en Savoie, par M. le docteur Constant, inspecteur général des aliénés.

FOLIE ÉPILEPTIQUE

L'influence fatale exercée sur les facultés intellectuelles par l'épilepsie est un fait presque généralement admis. La conservation intégrale de l'intelligence et des sentiments avec des attaques fréquentes d'épilepsie est chose des plus rares. D'après les résultats statistiques, dans les quatre cinquièmes des cas, les individus épileptiques sont plus ou moins aliénés.

Comme nous l'avons dit précédemment, de même que les genres de folie mixte que nous avons décrits, la folie épileptique a un délire spécial, caractéristique. M. Morel a divisé en trois périodes la symptomatologie de cette forme phrénopathique. Nous en emprunterons la description aux travaux de ce médecin.

« Les premiers changements qu'on remarque dans le caractère des épileptiques menacés d'aliénation est une irritabilité très-grande qui se traduit au dehors, et à la moindre contradiction, sous les formes les plus diverses et parfois les plus compromettantes. Dans les premiers temps de leur affection, il est naturel de voir les préoccupations maladives des épileptiques avoir

(1) *De la folie considérée sous le point de vue pathologique, philoso-phique, historique et judiciaire,* etc.

un point d'appui dans les éléments qui constituent la grande diversité des tempéraments et des caractères. On remarque des craintes relatives à la santé, des récriminations injustes, des tendances vénériennes prononcées. Chez l'épileptique plus que chez les névrosés précédents, nervosique, hypochondriaque et hystérique, les phénomènes perturbateurs empruntent un caractère singulièrement dangereux. La nature des troubles physiologiques est plus saisissante. Les désordres de la digestion et de la circulation se présentent avec une intensité plus grande, et il n'est pas rare de voir apparaître dans cette période des hallucinations sensoriales très-intenses et surgir les tendances au suicide, à l'homicide et à l'incendie. »

« C'est à la seconde période que les malades sont plus particulièrement confiés à nos soins dans les asiles. Rarement avons-nous l'occasion d'observer les épileptiques au début de leur affection, c'est-à-dire quand le délire est restreint et ne vient pas se fondre dans les phénomènes pathologiques d'un ordre multiple. »

« C'est alors qu'est constitué le caractère épileptique, remarquable par l'irritabilité et la colère. Un mot, un geste suffit pour irriter ces malades. Il en est qui ne peuvent soutenir votre regard ; si on les fixe, ils se troublent. Le système veineux s'engorge, la tête se congestionne, les yeux deviennent brillants et la colère éclate. Le retour à des sentiments meilleurs se fait avec un revirement non moins extraordinaire. Un mot d'amitié, la flatterie surtout les apaise et les calme. Ils viennent à vous avec un air soumis. Ils approchent leur figure de la vôtre, vous parlent comme s'ils avaient un grand secret à vous communiquer, une importante confidence à vous faire. On peut être sûr qu'ils vont exhaler une plainte, faire une récrimination dont on peut d'avance alors admettre la fausseté ou l'exagération... Ils sont craintifs, pusillanimes, et, à voir leur irascibilité, les transports de leur colère, on dirait à tout moment que des luttes vont s'engager ; cependant il n'en est rien. La crainte de la punition fait qu'ils se retirent à temps et qu'ils se contentent de faire leurs plaintes en se promenant avec colère et en gesticulant dans quelque allée solitaire. Cet air patelin n'empêche pas que le caractère épileptique soit à la fois irritable, perfide, menteur. Il se signale par les manifestations des meilleurs sentiments, par la religion poussée à l'excès, par les protestations les plus vives de zèle, de dévouement, et à côté de tout cela il combine avec une astuce infinie les actes les plus pervers. »

Ces tendances malfaisantes sont périodiques comme les troubles intellectuels. Elles se reproduisent les mêmes le plus souvent.

J'ai fait remarquer précisément, en fournissant des détails cliniques sur Celorum, malade épileptique qui a assassiné le docteur Geoffroy, alors mon chef de service, que, pendant les accès d'agitation, cet aliéné était repris des mêmes hallucinations qui l'ont déterminé à commettre un meurtre, de la même perversion des sentiments affectifs avec un délire en rapport avec ces troubles nerveux. Pendant les périodes de rémission, il regrettait l'assassinat qu'il avait commis, il se laissait aller au repentir et s'accusait d'être un misérable (1).

Les états phrénopathiques reviennent par accès, tantôt en rapport direct avec les attaques convulsives et les vertiges, tantôt dans l'intervalle des grandes et des petites attaques, tantôt remplaçant les phénomènes convulsifs.

Dans cette seconde période, toutes les formes de folie peuvent se présenter ; chez l'un ce sera la manie, chez l'autre la mélancolie, chez un troisième la stupidité, etc... La durée de ces manifestations morbides est très-courte, l'invasion et la cessation très-rapides ; et on ne remarque, à vrai dire, de ces formes, que les symptômes principaux, l'excitation, la dépression ou l'obscuration, etc.... Elles ne décrivent pas toutes les périodes des types de folie simple que nous avons décrits plus haut.

Un symptôme qui se présente bien plus souvent chez les épileptiques des contrées méridionales que chez ceux des contrées du nord de la France, c'est la fureur, que M. le docteur Cavalier a étudiée avec beaucoup de soin dans sa dissertation inaugurale (2).

Ces malades ont des intervalles presque lucides où ils sont susceptibles de liaison avec d'autres aliénés, et même de vaquer assez bien à quelques occupations. L'irrégularité a également lieu dans leur conduite. A certains moments, laborieux, attentifs, dociles ; à d'autres, ils sont paresseux, oublieux, méchants, voleurs, etc... ; l'intermittence est le trait dominant du caractère des épileptiques.

(1) *Archives cliniques des maladies mentales*, t. I, p. 228.
(2) *De la fureur épileptique* (thèses de Montpellier, 1850).

On doit rattacher à la folie épileptique certains accès subits qu'on a désignés sous le nom de folie transitoire, temporaire, instantanée (1). Il est très-important de constater que les accès de folie épileptique peuvent se produire chez des individus dont l'épilepsie est méconnue ou n'existe réellement pas au moment où l'on observe ces malades. Il faut noter aussi la transformation de l'épilepsie en délire chez des malades dont la folie se déclare plus ou moins longtemps après la disparition de l'épilepsie.

L'épilepsie est une des maladies qui sont le plus souvent simulées. M. le docteur Legrand du Saulle, qui a écrit un chapitre très-important sur l'épilepsie (2) dans ses rapports avec la criminalité et la médecine légale, signale un certain nombre de faits de simulation de cette affection. Il a eu soin aussi de faire un tableau diagnostique de l'hystérie et de l'épilepsie. M. le docteur Jules Falret (3) indique trois sources différentes auxquelles devra avoir recours le médecin-expert qui veut discerner l'état mental des épileptiques :

1° Les caractères et la marche des accès de délire ;

2° Les caractères physiques et moraux des accès ;

3° Les caractères des actes eux-mêmes.

« Dans la troisième période, on voit l'épilepsie perdre de plus en plus son caractère délirant pour

---

(1) Morel. — *D'une forme de délire etc.*, ou *épilepsie larvée* (*Gazette hebdomadaire*, 1860).

(2) *La Folie devant les tribunaux*, p. 357.

(3) *De l'état mental des épileptiques* (*Archives générales de Médecine*, 1860).

venir se fondre dans l'universalité des symptômes qui
signalent la démence et la paralysie générale. Il en est
qui sortent de l'état d'abrutissement pour être en proie
à l'excitation passagère que les convulsions impriment
à leur système nerveux. D'autres s'agitent sous l'influence d'hallucinations pour retomber bientôt après
dans l'anéantissement général et l'automatisme, qui
signalent leur situation. Quelques épileptiques, arrivés
à cette période extrême de leur affection, sont tellement
infirmes, qu'ils ne peuvent plus se soutenir ni opérer
aucun mouvement volontaire. D'autres sont affectés
d'un tremblement général et de mouvements choréiques. Leur langage même devient incompréhensible.
Ils sont hémiplégiques ou présentent tous les symptômes de la paralysie générale. Quand ils en sont arrivés
à ce triste état, la terminaison fatale ne se fait pas
longtemps attendre. Les accès les plus formidables se
répètent coup sur coup. Il n'y a même plus d'intermittence dans les attaques ; et l'existence s'éteint dans
les convulsions, absolument comme chez les paralysés
généraux. »

FOLIES COMPLIQUÉES, OU FOLIES ORGANIQUES
PROPREMENT DITES

Nous comprenons dans cette classe les folies qui
nous offrent des lésions de la motilité à peu près permanentes. Ces lésions, pouvant être considérées comme
la suite d'une dégradation organique plus ou moins
avancée, il nous semble approprié de donner aussi à
ces folies le nom de symptomatiques ou organiques

proprement dites. Nous allons voir qu'on peut encore leur attribuer, comme caractère général, un affaiblissement plus ou moins prononcé de l'intelligence.

Cette catégorie comprend d'abord une forme qui n'est guère connue que depuis un petit nombre d'années, et qui est désignée sous le nom de paralysie générale progressive des aliénés, puis la paralysie générale consécutive aux diverses formes de folie. Nous y décrirons encore des délires dus aux intoxications, aux cachexies, et enfin des délires consécutifs aux maladies de l'encéphale, aux congestions, aux hémorrhagies. Le plus grand nombre de ces formes morbides, en opposition à la paralysie générale primitive et consécutive, que nous allons décrire d'abord, mériteraient le nom de *pseudo-paralysies générales*.

PARALYSIE GÉNÉRALE PRIMITIVE

La paralysie générale est une espèce de folie dans laquelle il y a lésion simultanée de l'intelligence et de la motilité. Elle est constituée : 1° par un délire qui, dans la majorité des cas, est caractérisé par de l'excitation et des idées ambitieuses, mais qui peut être aussi maniaque, mélancolique ou hypocondriaque ; 2° par un affaiblissement des facultés intellectuelles, peu marqué au début parce qu'il est masqué le plus souvent par le délire que nous venons de signaler ; 3° par des troubles de la motilité.

Après une période prodromique, de durée variable, caractérisée par des changements de caractère et d'habitudes qui étonnent singulièrement et dont on recherche vainement la cause. La maladie débute de plusieurs manières. A l'exemple de MM. Jules Falret (1) et Linas (2), on peut admettre quatre variétés bien distinctes. Les variétés expansive, mélancolique, paralytique et congestive.

La variété expansive est de toute la plus commune. Une excitation assez grande se manifeste, il en résulte une manière de vivre irrégulière et désordonnée, des excès de toute nature et des actes délirants qui attirent l'attention. Ces malades quittent leurs demeures, s'égarent dans les rues et dans les champs, se déshabillent, couchent en plein air, entrent et s'installent dans des cafés, prennent des voitures qu'ils gardent des journées entières sans pouvoir payer ou même commettent des vols d'une nature toute particulière, faits sans intention et comme par mégarde. Ils se lancent dans des spéculations hazardeuses. Puis arrive le délire des grandeurs ou des richesses, qu'on a considéré comme caractéristique de la paralysie générale et qui est encore celui que l'on rencontre le plus fréquemment. Bien différents des monomanes orgueilleux qui systématisent leur délire avec un art parfait, conforment leurs actions à leurs paroles et soutiennent leurs convictions avec logique et vigueur, les paralysés généraux se font remarquer par la nature particulière de leurs idées ambitieuses qui sont absur-

(1) *Recherches sur la folie paralytique et les diverses paralysies générales* (thèses de Paris, 1853).
(2) *Recherches cliniques sur les questions les plus controversées de la paralysie générale* (thèses de Paris, 1857).

des, mobiles, multiples et contradictoires. On voit bien
vite que chez ces malades la mémoire, la faculté de rai-
sonner et le sens logique sont profondément atteints. Ils
ne montrent aucune opiniâtreté dans leurs conceptions.
Ils cèdent volontiers si on les contredit, passent d'une
idée à une autre, s'affligent et s'attristent dans la même
minute, oublient les fausses conceptions qu'ils ont eues la
veille et, lorsqu'on les interroge, racontent parallèle-
ment leur vie réelle et leur vie imaginaire sans s'in-
quiéter des choquantes contradictions de leurs discours.
Il est des malades qui vivent dans une béatitude, dans
un contentement d'eux-mêmes que rien ne peut altérer.
Ils ont des prétentions à la poésie, à la littérature, à la
force, etc.... Mais, au lieu du délire expansif, on rencontre assez souvent les symptômes et les actes délirants
qui constituent le délire mélancolique. Au milieu
même des idées fausses les plus dépressives on voit se
glisser des idées de grandeur et de richesse qui ne se
manifestent qu'à intervalles irréguliers et d'une manière passagère, que les malades oublient un instant après
les avoir énoncées et qui contrastent singulièrement
avec leur attitude et leurs lamentations. Le délire mélancolique peut s'associer à des idées hypochondriaques.

L'examen des traits et du système musculaire
fournit de précieux renseignements. On observe
un frémissement irrégulier dans les mouvements des
muscles de la face, une difficulté dans l'articulation des
sons, résultant du tremblement et de la contraction irrégulière et comme convulsive des muscles de la langue, des lèvres, de la face et quelquefois de la mâchoire

inférieure. L'embarras de la parole s'accompagne d'un tremblement particulier de la langue que l'on ne peut bien constater qu'en la faisant tirer fortement et pendant quelques secondes hors de la bouche. Cet embarras devient plus marqué sous l'influence d'une vive émotion, après le repas, pendant les époques menstruelles. Dans quelques cas, au lieu de la difficulté dans l'articulation des sons, on observe certains mouvements automatiques des muscles de la bouche et de la mâchoire.

M. Baillarger a attiré l'attention sur l'inégalité des pupilles au début de la paralysie générale. Dans les cas douteux ce phénomène morbide ne manque pas d'importance.

On constate encore des altérations de la motilité dans les membres inférieurs et dans les membres supérieurs.

La variété paralytique est caractérisée par l'absence des conceptions délirantes et par la prédominance des troubles de la motilité. Les malades s'aperçoivent eux-mêmes que leurs mouvements perdent peu à peu en forces, en régularité; en marchant, ils trébuchent facilement et se fatiguent vite. Les mouvements des mains n'ont plus leur précision habituelle. En même temps la parole s'embarrasse. MM. Baillarger et Lunier ont publié plusieurs observations de paralysie générale sans aliénation.

Dans la variété congestive, le début apparent de la maladie est une congestion cérébrale survenant au milieu d'accidents prodromiques encore mal dessinés. Au bout de quelques heures ou de quelques jours après la disparition des accidents aigus apoplectiformes, on voit

apparaître de l'excitation maniaque avec'idées ambitieuses. Plus souvent encore la congestion semble faire
place à un retour complet à la raison ; mais la parole
est affaiblie ; l'intelligence a perdu de sa netteté et de sa
vigueur. Cette variété progresse par saccades. Ces paralytiques ont une physionomie particulière. Chez eux
le réseau capillaire de la figure est dilaté et comme
variqueux, la face vultueuse.

A la seconde période viennent aboutir, mais non sans
conserver des traces affaiblies de leur aspect primitif,
les diverses variétés que nous venons de décrire. A ce
moment les troubles de la motilité et les symptômes de
l'affaiblissement intellectuel sont assez caractérisés pour
ne plus laisser de doute dans l'esprit de l'observateur
le moins expérimenté. Les malades vivent dans un état
habituel de légère excitation alternant avec des paroxysmes irréguliers d'agitation plus violente. Leur excitation est automatique ; elle n'a ni but ni direction. La
démence fait chaque jour des progrès ; quelles que soient
les conceptions délirantes, elles perdent chaque jour le
peu qui leur restait de vigueur et se bornent à la répétition monotone des mêmes mots et des mêmes idées.
En même temps les troubles de la motilité se prénon-
cent davantage. Dans quelques cas l'affaiblissement musculaire est remplacé par la contracture d'un muscle ou
d'un certain nombre de muscles. Les fonctions digestives qui, dans la première période de la paralysie
générale, se ressentaient de l'acuité du délire, de la violence de l'agitation, ou bien de la dépression mélancolique et du refus d'aliments, reprennent de la force et de

la régularité pendant la deuxième période. Les malades mangent malproprement; ils prennent leurs aliments avec les doigts, avalent avec gloutonnerie et mâchent à peine. Néanmoins la nutrition se fait bien et on les voit prendre, lorsqu'ils sont calmes, un embonpoint qui coïncide d'ordinaire avec le passage à la troisième période. Tout en indiquant un certain retour de forces, cette énergie des fonctions assimilatrices prédispose à la congestion cérébrale en augmentant la masse du sang et devient à son tour un danger pour les malades.

La paralysie toujours croissante du rectum amène un état de constipation qui fait bientôt place à l'évacuation involontaire des matières fécales, de même que la rétention d'urine, que l'on observe de temps à autre, est remplacée par l'incontinence.

Les phénomènes ultimes de la paralysie générale ne viennent que lentement et successivement; on voit survenir la constipation, la diarrhée, la rétention d'urine, l'infiltration des extrémités, les ulcérations de mauvaise nature, les escharres. Les malades sont constamment malpropres. Il se déclare des tumeurs sanguines aux oreilles ; tous les signes d'une décomposition complète se manifestent, et le malade succombe dans le dernier degré de marasme, à moins qu'il ne soit enlevé par une gangrène, par une congestion, par diverses maladies incidentes. Les fonctions intellectuelles sont réduites à la nullité la plus complète.

Il faut remarquer avec soin que la paralysie dont ces malades sont frappés ne ressemble à aucune autre. Ce n'est pas uniquement l'abolition de la contractilité mus-

culaire qui se trouve ici en jeu, puisqu'une fois assis ou
couchés, ils remuent très-bien les bras et les jambes,
puisque dans les moments d'agitation ils retrouvent encore des forces surprenantes ; il s'y joint encore un défaut de coordination, un manque de précision dans les
mouvements qui est bien différent de l'abolition du sens
musculaire ou ataxie musculaire, mais qui seul peut expliquer l'abolition complète des facultés locomotrices.
L'état des muscles et de leur contractilité électrique mérite encore d'être mentionné à ce point de vue ; et en effet, quelle qu'ait été la durée de la paralysie, les masses
musculaires sont relativement très-peu atrophiées ; elles
subissent très-rarement la dégénérescence graisseuse et
jusqu'au dernier moment, même chez les malades qui
restent sur leur lit, elles conservent intacte leurs contractilité électrique (1).

La congestion cérébrale joue un rôle de premier ordre dans la marche de la paralysie générale. Elle en est
quelquefois le phénomène initial ; elle peut aussi la terminer brusquement par la mort. Enfin on la rencontre
à toutes les périodes à titre de complication.

La congestion cérébrale chez les paralytiques revêt
des formes diverses. Auhanel en a distingué huit : 1° forme légère avec excitation, 2° maniaque, 3° convulsive,
4° hémiplégique, 5° coup de sang, 6° comateuse, 7° intermittente, 8° irrégulière avec alternance de tous les
symptômes (2).

(1) Duchenne de Boulogne et Brierre de Boismont (*Annales médico-psychologiques* (1850).
(2) *Annales médico-psychologiques* (1846).

L'étude des rémissions dans la paralysie générale est une des plus graves questions qui s'offrent au médecin légiste. M. le docteur Sauze fait observer que les rémissions peuvent se présenter sous trois formes principales. Dans la première forme, on voit disparaître en entier les signes de paralysie et persister la démence. La deuxième forme est caractérisée au contraire par la persistance des signes de paralysie et par l'absence apparente d'affaiblissement intellectuel. L'amendement simultané des symptômes de démence et de paralysie constitue la troisième forme. En dehors de ces trois formes principales se rencontrent des rémissions auxquelles il serait difficile d'assigner une place bien précise dans le cadre pathologique. La durée des rémissions est très-variable.

PARALYSIE GÉNÉRALE CONSÉCUTIVE AUX DIVERSES FOLIES

Aujourd'hui que la paralysie générale est mieux connue, on ne l'admet guère comme complication du désordre mental. Toutefois on ne saurait nier qu'elle puisse être la conséquence d'une perturbation profonde dans les fonctions cérébrales. Elle peut avoir lieu à la suite de certaines manies aiguës, de la stupidité, de la folie nervosique ou hypochondriaque, de la folie épileptique ; à la suite de cette dernière surtout, les faits sont loin d'être rares.

« Les secousses du mal caduc produisent un double

---

(1) *Études médico-psychologiques sur la folie*, p. 218.

effet ; en même temps que par l'ébranlement elles ato-
nifient la fibre cérébrale, par le trouble de la circulation elles favorisent la distension vasculaire, contribuant ainsi par les influences parallèles à entraver le
fonctionnement nerveux. Aussi l'obtusion à ses degrés
divers en est-elle une conséquence ordinaire. Les
mouvements n'en reçoivent pas une moindre atteinte.
Plus du tiers de ces malades présentent ainsi un affaiblissement uniformément ou inégalement étendu à
l'ensemble des forces musculaires. »

« Soumise à la marche épileptique, la paralysie en
suit les variations quelquefois fort nombreuses, croissant si les paroxysmes se multiplient, diminuant s'ils
s'éloignent, pouvant même à la rigueur s'effacer entièrement avec leur suspension définitive. Ce qui pré-
domine chez l'épileptique paralysé général, c'est l'impuissance d'action, l'embarras intellectuel plus que
l'incohérence ou la divagation des pensées (1). »

Dans son *Traité sur l'Hystérie*, Landouzy cite quelques exemples curieux consécutifs à cette affection.

La description des différentes paralysies générales
consécutifs aux diverses formes de l'aliénation mentale, vu le petit nombre des faits observés, laisse encore
à désirer.

FOLIES PAR INTOXICATION OU SPÉCIFIQUES

Nous comprenons sous ce nom des folies qu'il est
possible de rattacher jusqu'à un certain point à leur
cause par l'ensemble symptomatologique. Elles offrent à

l'observateur un état convulsif particulier, résultat d'une action graduée, continue. Les fourmillements, les tremblements, les crampes, les convulsions, les paralysies résument assez bien tout cet appareil spasmodique. On rencontre encore dans l'ordre physique des troubles considérables des systèmes digestif et circulatoire qui ne laissent pas d'avoir, au point de vue diagnostique, une importance majeure. Les substances susceptibles d'amener des altérations semblables sont les liqueurs alcooliques, le plomb, le mercure, le tabac, l'opium, le haschich, la belladone.

. La folie alcoolique est de toutes la plus fréquente; elle se présente avec des degrés nombreux. Nous ne voulons pas parler ici de ce trouble passager connu sous le nom d'ivresse. Nous mentionnerons d'abord une sorte de délire tout particulier désigné sous le nom de délirium tremens et qui se manifeste surtout chez les individus qui par état ou par passion boivent très-fréquemment, quoique par petites doses, du vin ou des liqueurs. On l'observe chez les personnes sobres exposées à l'influence d'émanations alcooliques.

Le plus ordinairement après quelques prodromes tels que des fourmillements, un commencement de tremblement nerveux, de l'anorexie, un sommeil interrompu, de l'inquiétude, le délire éclate très-général et très-intense. Le malade, circulant au hasard, s'irrite, injurie, accuse; d'autres fois, en proie à la terreur, il crie, fuit, se cache ou lutte contre de vains fantômes dangereux pour les autres et pour lui-même. Une sorte de morosité défiante caractérise les périodes dépressives. La peau est

chaude et turgescente, le visage vultueux, la langue sèche, il existe une soif ardente, une sueur profuse. Mais
ce qui imprime un cachet particulier à la physionomie
générale de la maladie, c'est le tremblement qu'on
remarque principalement aux membres et qui les agite
de petits mouvements répétés et irréguliers, augmentant pendant les mouvements volontaires. Ce tremblement rend la démarche vacillante, empêche le malade
de porter à sa bouche un verre de liquide sans en répan-
dre, et, s'il occupe les lèvres et la langue, produit un
embarras plus ou moins prononcé de la parole. On ne
saurait confondre l'agitation du delirium tremens avec
l'incohérence ou l'agitation du maniaque. L'obtusion
s'offre comme le trait saillant, préexistant et. permanent qui domine l'ensemble phénoménal. Les manifestations désordonnées ne sont qu'en ordre secondaire.
Les scènes de l'alcoolisme dépendent des hallucinations
et en subissent les vicissitudes. Comme le dit M. le docteur Delasiauve, l'ébrieux a peur, pour ainsi dire,
mécaniquement; il agit en automate. Otez les fausses
sensations, l'aliéné rentre, dans la limite de son obtusion, en possession de lui-même.

La folie alcoolique a été décrite par les auteurs dans
l'histoire de l'alcoolisme; elle n'est pas caractérisée
comme le delirium tremens par des symptômes passagers ou aigus, mais par des phénomènes permanents ou
chroniques. Les récidives fréquentes et presque inévi-
tables, en raison des habitudes invétérées auxquelles
les malades ne savent pas résister, conduisent à cet état
pathologique qui s'aggrave peu à peu et qui ressemble

14

beaucoup à la paralysie générale, si ce n'est pas la paralysie générale elle-même.

Les malades alcoolisés se plaignent de percevoir des fourmillements vers les extrémités inférieures et souvent, avant de s'endormir, se disent positivement sentir des fourmis ou d'autres animaux qui remontent des extrémités inférieures vers les bras et les mains et qui redescendent le long du tronc. Ce symptôme est à peu près invariable dans l'alcoolisme. Nous avons déjà parlé dans le delirum tremens du tremblement, il a ici quelque chose de saccadé et de forcé. — Il y a moins d'uniformité dans la période d'atonie où les mouvements irréguliers concordent avec l'action variable des parties et attestent de visibles efforts pour surmonter les obstacles qui s'opposent à l'équilibre de la station, au jeu des muscles, à l'articulation de la parole. Les crampes ne se font jamais sentir dans les membres supérieurs. Les convulsions indiquent un nouveau progrès du mal, leur apparition n'a pas de période fixe. Elles sont souvent précédées de céphalalgie avec bourdonnement dans les oreilles et scintillement devant les yeux, quelquefois d'hallucinations.

Les hallucinations sont de nature terrifiante provenant d'attaques ou de dangers menaçant la liberté ou la vie; d'autres fois le délirant aperçoit autour de lui, sous ses pieds, dans sa chambre, près de son lit, dans ses vêtements, sous ses couvertures, etc., des animaux hideux, petits surtout : des rats, des souris, des araignées, des serpents, des couleuvres, des crapauds, etc...

Dans la paralysie, qui termine ce tableau patholo-

gique, le désordre mental n'est pas toujours manifeste et
si les idées incohérentes de vanité et de grandeur s'y rencontrent beaucoup plus communément, elles s'offrent
escortées par l'ensemble des symptômes propres à la
démence des ivrognes que Magnus Huss a si bien décrit
sous la dénomination d'*alcoolisme chronique* : la pensée
est obscure, la mémoire embrouillée, chancelante : sur
la figure est peinte une sorte d'hébétude tantôt exhila-
rante et niaise, tantôt concentrée et chagrine, suivant
que la nullité est complète et que de sinistres appré-
hensions se font jour à travers les ténèbres de l'esprit.

L'intoxication saturnine ne détermine pas des troubles psychiques moins considérables que l'intoxication
alcoolique. On remarque pendant plusieurs années
l'apparition de la colique dite des *peintres*, sèche, rhu-
matismale, avec rétraction du ventre et constipation
opiniâtre, accompagnée d'une pâleur cachectique *sui
generis* et d'un liséré ardoisé des gencives. D'autres
symptômes nerveux tels que des douleurs arthralgi-
ques, des amauroses passagères, des hyperesthésies ou
anesthésies locales, des paralysies partielles, en particulier des muscles extenseurs, de l'ictère saturnin, etc..., se manifestent aussi.

Puis surviennent les altérations mentales que M. Tan-
querel des Planches attribue à l'encéphalopathie saturnine. Il divise celle-ci en comateuse, épileptique et
délirante. Loin de s'exclure, ces trois modes se confondent fréquemment ou se succèdent ; et l'auteur,
en les exposant séparément, a obéi au seul besoin de
marquer avec plus de clarté les prédominances dont

ils sont susceptibles. Les aspects du désordre intellectuel sont variables. Le fond délirant se rapproche beaucoup de celui de la folie alcoolique. Les frayeurs, les
visions terrifiantes abondent dans l'encéphalopathie
saturnine. Le délire saturnin est surtout caractérisé par
les rapides alternatives de rémission et de recrudes-
cence. C'est surtout la nuit que sévit le délire furieux.
L'aberration dans le jour est plus paisible. La somno-
lence, pour peu que le mal dure, tend à multiplier les
interruptions du délire,

Chez plus d'un tiers des malades, le visage est le siége
de divers mouvements spasmodiques ; la prononciation
s'embarrasse; il y a du tremblement et des contractions
dans les membres, des soubresauts dans les tendons
et comme des irrégularités choréiques. A la suite des
symptômes que nous venons d'énumérer, si le malade
ne meurt pas au milieu d'attaques sérielles d'épilepsie
ou dans un état d'anéantissement complet, se montre
un ensemble symptomatologique qui est à beaucoup
d'égards comparable à celui qui est consécutif à l'abus
des boissons fermentés. MM. Jules Falret et Delasiauve
ont observé des paralysies générales saturnines. On y
trouvait la marche chancelante, le frémissement facial,
l'embarras de la prononciation, la mémoire incertaine,
chez les uns peu d'incohérence, point d'idées ambitieuses, chez les autres des idées confuses et incohérentes, des dignités, des titres, des millions, etc....
mais en outre la teinte bistre de la peau, la cachexie
spécifique et le liséré ardoisé des gencives. La figure
revêt plus fréquemment une teinte mélancolique.

Le mercure conduit à des symptômes qui se rapprochent beaucoup de ceux observés précédemment et qui se résument en morosité irritable, perversion sensoriale, affaiblissement intellectuel, démence et troubles de la motilité, tremblement consistant dans une succession de petites saccades uniformes. Les accidents psycho-cérébraux, conséquences de l'intoxication mercurielle, peuvent affecter la forme de la paralysie générale. Pour distinguer cette variété, M. Morel en réfère aux antécédents et aux symptômes spécifiques ; haleine fétide, salivation, tremblement, etc... Les toxicologistes qui insistent sur ces derniers phénomènes se bornent à indiquer incidemment la paralysie partielle et l'affaiblissement de la mémoire. Plus l'agent est divisé, plus l'effet serait certain. Pourtant dans le cas où ce métal pénètre en vapeur par les voies respiratoires, la salivation peut manquer, comme M. le docteur Delasiauve le signale dans un cas de médecine légale. Dans ces dernières conditions, le système cérébro-spinal est directement compromis.

Bien d'autres substances délétères peuvent, par un usage intempestif et fréquemment répété, produire des troubles psychiques considérables qui peuvent être classés dans la catégorie des folies compliquées, et qui sont caractérisées surtout par un affaiblissement intellectuel, une obtusion mentale et des troubles de la motilité presque permanent. L'opium, la belladone, le tabac, le haschich, l'ergot de seigle, donnent lieu à la longue à ces états pathologiques qui se différencient par quelques phénomènes plus appréciables, quand on les a vus, qu'il n'est facile de les décrire.

.Il est pourtant une variété que nous devons encore rappeler plus particulièrement à cause de sa fréquence dans les provinces septentrionales de l'Italie. La paralysie générale pellagreuse, que M. Baillarger a cherché à différencier des autres formes analogues. Le délire ambitieux s'y·distinguerait notamment par une tendance mélancolique et des idées de suicide qu'expliquent aisément les souffrances insupportables qu'endurent les malades.

FOLIES CACHECTIQUES

Les folies cachectiques se rapprochent beaucoup par leur mode d'action progressif des folies par intoxication. On pourrait les classer parmi les folies symptomatiques de lésions locales plus ou moins graves. Ce que nous disons de ces dernières, à propos de l'invasion lente et insidieuse, leur convient parfaitement; aussi n'insistons-nous pas sur la place que nous leur assignons ici.

Parmi les folies cachectiques qui méritent d'être classées dans la catégorie que nous venons d'étudier, nous citerons surtout un fait très-important observé par MM. Aubanel et Sauze (1). Ces médecins avaient constaté un ensemble symptomatologique conforme à celui de la paralysie générale arrivée au troisième degré. A l'autopsie on trouva une tumeur cancéreuse dans le cervelet. Il n'est guère que par les antécédents et par l'évolution de la maladie qu'il soit possible vé-

(1) Sauze, *Études médico-psychologiques sur la folie*, p. 305.

ritablement de diagnostiquer un semblable état morbide.

FOLIES SYMPTOMATIQUES DE LÉSIONS LOCALES PLUS OU MOINS GRAVES

Sous ce nom, je désigne des états psychiques, dépendant d'une grave altération matérielle et caractérisées surtout par l'abolition plus ou moins partielle de la motilité. Ce n'est plus comme dans la catégorie précédente où on observe particulièrement des mouvements et des tremblements. Ce symptôme est ici assez rare et ne survient que dans les paroxysmes, les recrudescences, les nouveaux mouvements fluxionnaires occasionnés par la présence du dépôt sanguin devenu corps étranger, ou de la désorganisation partielle qui joue le même rôle. Il ne faudrait pas supposer qu'en admettant ce groupe de maladies mentales, nous voulions dire que les démences que nous avons étudiées à la suite des formes simples soient réduites à de purs dérangements fonctionnels, tant s'en faut ; chez les premières décrites, l'évolution de la maladie est très-lente, infiniment graduée. Ici, quand l'affaiblissement mental survient lentement, il a été précédé par de la méningite, des fièvres dites cérébrales, des apoplexies, des hémorrhagies, etc., et dans le cas où des lésions même graves ne sont accusées par aucun symptôme positif, plusieurs signes mettent ordinairement sur la voie. La lésion devient probable quand depuis longtemps sévit dans quelque point du cerveau une douleur fixe et permanente, et, *à fortiori*, lorsqu'à cette

douleur se joignent d'autres accidents tels que ceux-ci :
bourdonnements d'oreilles, éblouissements répétés,
affaiblissement ou perte de la vue, mouvements convulsifs d'un côté de la face ou d'un membre, etc. Un
facies d'une pâleur spéciale effaçant la coloration naturelle ou s'y associant est assez ordinaire en pareil
cas et nous a été un indice presque infaillible, du ra-
mollissement, qui, primitif ou consécutif, joue ici un
rôle évident. Ajoutons un je ne sais quoi d'inquiet,
d'anxieux, répandu dans la physionomie et provenant
des dispositions morales du malade autant que de sa
souffrance physique. Mais le plus souvent l'acuïté des
accidents indique une progression correspondante dans
l'altération de l'organe de la pensée.

« Communément la démence consécutive aux maladies aiguës du cerveau s'accompagne d'un accablement douloureux dont la physionomie réfléchit l'empreinte. La démence apoplectique revêt une expression
différente. Dans la majorité des cas toute lucidité n'est
pas immédiatement éteinte. Les portions du cerveau
demeurées saines permettent l'exercice du jugement
dans une limite plus ou moins restreinte. Mais les
idées sont obscures, le raisonnement impossible, les actes privés de conscience, les sentiments sans énergie.
Le physique participe à cette pesanteur morale. La
physionomie est hébétée, le visage alourdi, flasque, les
joues pendantes. Ajoutons qu'il est peu d'apoplexies qui
ne laissent comme traces une prononciation embarrassée, une hémiplégie diversement prononcée, un rire niais
alternant avec des larmes également puériles, etc. »

M. le docteur Legrand du Saulle, dans son chapitre des testaments, nous fournit sur l'état mental des apoplectiques des considérations très-instructives et qui méritent d'être méditées (1). D'après un mémoire de M. le docteur Jules Falret, il divise en quatre degrés différents les perturbations que l'on peut remarquer dans l'entendement de ces malades.

Chez les vieillards à la suite des hémorrhagies cérébrales, on observe des paralysies qui se généralisent. Ces paralysies présentent bien de l'analogie avec la paralysie générale primitive des adultes, mais elles en diffèrent et par la nature des lésions cérébrales, et par la physionomie spéciale des phénomènes paralytiques.

Comme complément de ces quelques considérations sur les démences symptomatiques, et d'ailleurs pour tout ce qui regarde les folies que nous avons décrites sous le nom de folies compliquées, nous devons renvoyer à l'important traité (2) de M. le docteur Calmeil. Dans cet ouvrage se trouvent énumérées avec beaucoup de détail *les congestions encéphaliques à durée temporaire, les périencéphalites à forme insidieuse, la périencéphalite diffuse à l'état simple et à l'état de complication.*

(1) *La Folie devant les tribunaux*, p. 224.
(2) *Traité des maladies inflammatoires du cerveau.*

CHAPITRE VI

Procédés divers supplémentaires de l'examen direct.

Nécessité de recourir à des moyens qui mettent en défaut la ténacité et la ruse de certains simulateurs. — Questions captieuses. — Passage dans des quartiers d'épileptiques. — Onzième et douzième observation. — Menaces. — Surprises diverses. — Douche et affusions. — Treizième et quatorzième observation. — Fustigation. — Fait cité par Paul Zacchias. — Coups et violences. — Cas de simulation chez un soldat belge. — Piqûres. — Cautérisation. — Fer rouge. — Quinzième observation. — Moxas. — Substances diverses : opium. — Seizième observation. — Datura stramonium, haschich. — Alcooliques. — Dix-septième observation. — Éthérisation. — Résultats obtenus par M. Morel au moyen de l'éthérisation. — Chloroformisation. — Magnétisme. — Hypnotisme. — Le médecin expert doit employer les procédés les plus en rapport avec la dignité humaine.

Il ne semble pas possible après l'énumération que nous venons de faire, après la valeur que nous avons attribuée à tel ou tel signe, après les tableaux que nous avons tracés des différents genres de folie, il ne semble pas possible que le médecin-expert ne puisse pas asseoir un jugement catégorique et que le doute doive rester encore dans son esprit. Malheureusement nous devons avouer qu'il a quelquefois besoin de recourir à d'autres moyens pour mettre au grand jour le véritable état qui lui est soumis. Dans le plus grand nombre des cas, l'examen approfondi, tel que nous en avons posé les règles, suffit pour donner la certitude d'une folie feinte ou réelle. Mais il arrive que l'on a affaire à des hommes tellement tenaces, rusés et habiles dans l'imitation qu'il ne faut pas moins de ténacité, de ruse et d'habilité pour les mettre en défaut et réduire à l'évidence la simulation qu'ils emploient pour arriver à leur fin.

Il est un moyen tout naturel qui se présente à la pensée de l'expert, c'est d'essayer par des questions captieuses de faire tomber ceux qu'on examine dans de grossières erreurs. Ce moyen a été effectivement mis en pratique avec de bons résultats. Nous le trouvons expérimenté en 1792, dans le cas rapporté par Monteggia.

Les médecins de Saint-Ange désignés pour étudier l'état du malade, en raisonnant en sa présence sur les différents symptômes, affectèrent de dire entre eux que, si cet individu avait fait le contraire de ce qu'il avait fait, ils auraient dû nécessairement conclure qu'il était vraiment fou ; ainsi qu'il faisait du bruit la nuit et qu'il était tranquille le jour, qu'il répandait la nourriture qu'on lui donnait, qu'il ne soupirait jamais, qu'il ne fixait ses regards sur aucun objet. Cet aliéné avait coutume d'être attentif aux discours qu'on tenait devant lui ; il discontinuait même ses bruits accoutumés. En effet, il ne fut point sourd aux derniers discours des médecins. Il répondit à leurs vœux en se mettant à faire tout ce qu'ils avaient dit qu'ils voulaient qu'il fît pour le juger maniaque. D'après ces faits et d'autres phénomènes que je passe sous silence, ces médecins ont été portés à conclure qu'il y avait simulation (1). Mais ce procédé, qui réussit quel-

(1) Marc. T. I, p. 490.

quefois, ne saurait fournir un succès certain, car il est des malfaiteurs qui se méfient et qui ont étudié d'avance le rôle qu'ils jouent avec tant de persistance. D'autres se renferment dans le silence le plus absolu, et se gardent bien de répondre aux insinuations des observateurs.

On s'est vu obligé d'employer une ressource plus puissante et non moins habile, l'intimidation. L'emploi des menaces a été en effet dans quelques cas suivi d'un aveu complet.

Voici un exemple emprunté à un médecin légiste distingué. Se rappelant le fait rapporté par Paul Zacchias et que je citerai plus loin, Fodéré a fait l'essai du procédé en se bornant à une simple menace. Une jeune fille d'environ 25 ans, détenue pour récidive de vols faits sur les grands chemins, contrefaisait très-bien la maniaque. Pour s'assurer davantage de la réalité de la folie de cette accusée, il fit en sortant de la chambre de l'aliénée, d'un ton ferme et décidé, la recommandation suivante au concierge : « *Demain je la verrai ; si elle continue à hurler, si elle ne s'habille pas et si la chambre n'est pas propre, vous lui appliquerez un fer rouge entre les deux épaules.* » Ces paroles furent un coup de foudre. Le lendemain tout était dans l'ordre; la chambre qui, la veille, était tapissée d'excréments, avait été lavée. La prétendue folle avait laissé dormir les prisonniers, et elle était vêtue. Un examen plus prolongé confirma la simulation (1).

(1) *Médecine légale*, t. II, p. 461.

Mais lorsque ce système borné à la simple menace échoue devant des volontés trop opiniâtres, jusqu'à quel point doit-on pousser cette même intimidation ? jusqu'à quelles épreuves est-il permis d'aller ?

Pour tâcher de mettre en défaut la persistance des simulateurs, on a eu recours à mille expédients divers que nous pouvons désigner sous le nom de surprises. C'est d'abord l'arrivée brusque et inattendue des médecins-experts ou des surveillants ; puis des coups de pistolets, des coups de fusils, des pétards enflammés soudainement, des chutes inattendues dans un bassin rempli d'eau, des jets d'eau plus ou moins inattendus. On a même été, comme nous l'avons cité dans une des observations précédentes, jusqu'à loger le prévenu dans une baraque dont pendant la nuit on incendia la partie supérieure. Ces surprises ne donnent pas toujours les résultats qu'on en attend. Nous allons faire l'énumération d'autres moyens qui ont été employés.

Nous signalerons en premier lieu le séjour dans le quartier des furieux et des épileptiques.

M. le docteur Chambert a inséré, dans un excellent rapport sur le service de l'asile d'aliénés de Rodez (2), le détail de cet expédient qui lui réussit au delà de ses prévisions.

Onzième observation. — Le nommé C..., extrait des prisons de Rodez, où il avait été séquestré pour vol et où il avait donné des signes de folie, fut transporté

----

(1) *Rapport sur le service d'aliénés de Rodez*, 1856, p. 15.

dans l'asile des aliénés au commencement de l'année 1855. D'après les renseignements qui avaient été fournis, cet homme n'avait jamais manifesté antérieurement aucun signe d'aliénation mentale ; et cette affection n'avait jamais été observée dans sa famille.

Quelques jours après son incarcération, C... se fit remarquer par des actes bizarres et un mutisme absolu. On le vit se dépouillant de ses vêtements et se mettant dans un tel état de nudité, qu'on fut obligé de l'isoler de ses camarades. Se voyant considéré comme fou par les gardiens et par les personnes qui l'approchaient, cet individu se livra aux scènes les plus étranges, tout en persévérant dans le silence le plus complet.

Averti de cette situation, M. le procureur impérial demanda et obtint sa séquestration dans l'asile des aliénés.

Admis dans l'établissement, C... dont l'aliénation ne parut à M. le docteur Chambert, dès sa première visite, rien moins que démontrée, fut livré à lui-même et laissé libre d'agir comme il l'entendait, de parler ou de se taire, de manger ou non, sans qu'il lui en fût fait observation. Mais, en même temps, il fut recommandé d'une manière toute spéciale à la vigilance des gardiens chargés de rendre compte de tout ce qui frapperait leur attention, et de l'examiner, surtout aux heures où il pouvait se croire affranchi de toute surveillance. Or, C... dans ces moments d'épreuve, ne donna jamais le moindre symptôme de folie. M. Chambert put s'en convaincre lui-même en l'observant à son insu. Il n'a constaté dans son regard, sa physionomie, dans ses gestes et mouvements nulle trace d'aberration mentale. Son habitude extérieure contrastait singulièrement alors avec l'expression tantôt de stupidité, tantôt de bizarrerie, d'exaltation même observée chez lui, notamment en présence des gardiens et des malades.

Pour parvenir à se fixer définitivement sur sa situation mentale, le médecin en chef eut recours à un expédient dont les résultats dépassèrent ses prévisions. Il prescrivit un jour, au moment de sa visite, la translation de C... dans le quartier des épileptiques. Il avait pensé que le spectacle des accès convulsifs auxquels ces infortunés sont en proie pourrait opérer sur son esprit une forte impression et lui faire regretter le séjour de la prison qu'il avait paru quitter avec une grande satisfaction. Ces prévisions se réalisèrent, car, très-peu de jours après l'exécution de cette mesure, C... reprenant tout à coup une attitude naturelle et recouvrant la parole, s'avança vers le médecin pour demander sa sortie de l'asile, préférant, dit-il, la prison à l'hospice des fous. Sur les observations de M. Chambert, au sujet des extravagances auxquels il s'était livré jusque-là et dont personne n'était dupe, il répondit qu'il avait été fou, mais qu'il ne l'était plus. C... avait espéré, d'après ses propres aveux, pouvoir se dérober, en simulant la folie, aux poursuites de la justice. Sur le rapport qui fut fait à la suite de cette épreuve, cet homme fut réintégré dans les prisons de Rodez où il n'a donné ultérieurement aucun signe d'aliénation.

Inspiré par cette observation, M. le docteur Auzouy, actuellement directeur-médecin de l'asile de Pau, a recouru à ce moyen pour découvrir la simulation du nommé Marchandé. Quoique la forme du délire ne fût pas la même, il a pensé qu'il y avait assez d'analogie dans le mode de causalité du désordre de la raison comme aussi dans la sensibilité physique et morale de ces deux individus pour pouvoir établir un rapprochement.

Voici le résumé du rapport médico-légal (*Annales médico-psychologiques*, 1857, p. 210).

Douzième observation. — Marchandé, inculpé de plusieurs vols qualifiés, donnant des signes d'aliénation mentale dans la prison, est envoyé à l'asile de Fains pour être livré à l'observation du médecin en chef. Les réponses toujours étudiées, malgré une apparente divagation, tantôt n'avaient aucun rapport avec les questions posées, tantôt exagéraient outre mesure l'incohérence qui se remarque chez certains aliénés. D'ailleurs faites avec une évidente hésitation, elles éveillèrent de la défiance sur la sincérité de la folie de cet homme qui parlait avec volubilité et dont l'agitation affectée contrastait avec le calme des aliénés qui occupaient au même moment les baignoires voisines de celle où on l'avait placé en arrivant. En émettant au malade lui-même quelques réflexions sur le doute qu'il éprouvait au sujet de la réalité de l'aliénation, M. Auzouy crut remarquer un moment de dépit sur la physionomie de Marchandé. Celui-ci cherchait une transition pour changer de tactique. En effet peu à peu l'agitation fit place à des airs de niaiserie et de bêtise qui parurent tout aussi suspects.

Au bout de quelques jours d'un délire présentant un mélange de propos décousus, de réponses incohérentes toujours hésitantes et évidemment étudiées et d'une imbécillité qui se développait en présence du médecin en chef, M. Auzouy prit le parti de faire à l'improviste de fréquentes apparitions dans la section. Il le fit placer dans un local disposé de manière à pouvoir l'observer sans qu'il en fût averti, tout en le faisant séjourner au milieu d'épileptiques agités. Mais bientôt un profond dégoût des misères dont il était le témoin forcé se révéla en lui, et il se vit contraint d'en faire part au chef de service et de lui demander avec instance sa rentrée parmi les aliénés tranquilles. Peu à peu il se dépouilla du rôle d'aliéné qu'il avait jusqu'alors revendiqué ; et il finit par se retrancher dans de fréquents vertiges, qui, dit-il, le prenaient tout à coup et le privaient passagèrement de son libre arbitre. Il attribuait ces éblouissements fugitifs, ces absences momentanées de raison aux suites d'une congestion qu'il aurait eue, il y a quinze ans, à Chaumont. Il affirmait que dans certains instants il n'était plus maître de lui, tout en confessant n'être maintenant ni aliéné ni imbécile.

L'incrédulité de M. Auzouy et les visites réitérées de ce médecin déterminèrent Marchandé à expliquer à sa manière les motifs d'une grave condamnation qu'il avait déjà subie en cour d'assises, aussi bien que les nouveaux griefs qui lui étaient actuellement imputables. Il laissa percer l'espérance que sa bêtise, sinon sa folie, en excluerait la criminalité qu'il rejetait tout entière sur d'autres individus arrêtés comme ses complices. Il supplia M. Auzouy avec attendrissement et les larmes aux yeux de rédiger un rapport qui lui fût favorable.

La conclusion fut que Marchandé ne devait pas être considéré comme aliéné et qu'il jouissait de la plénitude de son libre arbitre et de ses facultés intellectuelles. La cour d'assises de la Meuse le condamna à vingt ans de travaux forcés.

Comme on le voit par ces deux exemples, il y a là un moyen que l'asile d'aliénés par son organisation et sa disposition fournit au médecin expert. Il en est un autre qui appartient en propre aussi à l'asile ; c'est l'emploi de la douche comme instrument d'intimidation. On a fait à cet agent hydrothérapique une accusation bien exagérée de procédé barbare et cruel. On a cité contre lui les accidents que l'imprudence avait amenés. Bref on est généralement assez prévenu contre l'emploi de la douche. Sans me déclarer partisan de ce procédé, j'avoue que j'ai entendu des malades louer le bien-être qu'ils avaient ressenti après que le jet d'eau leur avait été administré. L'effet complexe qui en résulte est loin d'être comparable à celui d'autres procédés que je vais citer bientôt ; attendu que, sous une main éclairée et prudente, il ne saurait survenir la moindre conséquence fâcheuse. Il ne reste même aucune trace ni aucune plaie produisant la moindre douleur.

Treizième observation. — M. le docteur Morel a publié dans les *Annales médico-psychologiques* en 1854, un rapport médico-légal où il mentionne l'usage de la douche.

Le nommé Joseph Rambaud, âgé de 22 ans, ayant déjà subi de la prison pour vol, fut envoyé à l'asile de Maréville à cause de son état de fureur. Il se précipitait sur ses gardiens ; ses paroles étaient incohérentes ; ses réponses n'avaient trait à aucune des questions qu'on lui faisait. Après avoir fait ôter la camisole à cet individu, M. Morel le prévint que, s'il continuait à courir dans tous les sens, à grimper sur les talus, à briser tout ce qu'il trouvait sur ses pas, il serait conduit aux bains et recevrait la douche. Rambaud resta tranquille, se plaça dans les rangs avec les autres malades et continua à murmurer des paroles incohérentes. Le lendemain, les gardiens se plaignirent de son indocilité ; on le conduisit à la salle des bains, et il reçut la douche. Il devint plus calme. Mais le lendemain il recommença encore et on lui appliqua le même remède. Il est bon de faire observer que la douche n'était administrée à cet individu que d'une manière très-modérée. Elle lui était donnée avec une tête d'arrosoir, et ses plaintes étaient évidemment hors de proportion avec la douleur qu'il pouvait ressentir.

A la troisième épreuve Rambaud ne put continuer son rôle. Il avoua que, s'il avait dit des choses inconvenantes, il fallait s'en prendre à ses migraines ; que c'était sous l'influence des douleurs qu'il éprouvait périodiquement et sous l'influence encore du chagrin que lui avait causé un mariage manqué, qu'il avait fait une foule de bêtises. Le lendemain, sixième jour de son arrivée, il fut calme, répondit avec politesse, promit de rester tranquille ; on chercha à l'occuper en lui faisant faire quelques écritures, genre de besogne dont il s'acquitta très-bien.

Mais on remarqua, quelque temps après, qu'il ne quittait presque pas la salle des épileptiques et des paralysés. A cette époque il parvint à s'échapper. Mais, repris le soir même, il prétexta qu'il était sorti pour porter une lettre à sa bonne amie. Le lendemain, il chercha à s'étrangler; puis il fut en proie à un violent accès de fureur avec état convulsif, écume à la bouche, yeux fermés, respiration précipitée. Reconnaissant une attaque simulée, M. Morel fit conduire Rambaud aux bains et le soumit à une simple affusion d'eau sur la tête qui lui fit reprendre le langage des premiers jours. Une seconde tentative de strangulation entièrement simulée eut lieu et fut suivie d'un nouvel accès de fureur, puis du refus de nourriture, mais il demandait en secret du pain et de la viande à d'autres malades.

Au reste l'état physique a été tout le temps parfaitement sain.

M. Morel, comparant tous ces différents symptômes mélangés et les antécédents de cet homme, conclut à la simulation que Rambaud ne tarda pas à lui avouer en détail.

M. Renaudin, analysant le travail de Snell, cite qu'à Fains un individu qui avait simulé pendant trois années la surdi-mutité et l'imbécillité sans que sa ruse eût été reconnue, soit en prison, soit dans les asiles d'où il s'était évadé, fut découvert par l'effet du hasard. Un jour il se livra à des violences envers un aliéné qui le tourmentait. Conduit au bain, il y reçut inopinément une douche qui surmonta aussitôt sa longue résistance. Il parlait, entendait et écrivait, et il avait simulé avec un certain succès, puisqu'il avait ainsi échappé aux poursuites qui avaient été dirigées contre lui pour des vols commis à la campagne (1).

Voici le résumé d'un rapport médico-légal de M. le docteur Billod, directeur médecin en chef de l'asile public d'aliénés de Sainte-Gemme (2).

· *Quatorzième observation.* — Le nommé D...., âgé de 53 ans, ancien maître filateur, inculpé de vol, donnant des signes d'aliénation mentale. est soumis à l'examen des docteurs Daviers et Billod.

Procédant dans la prison d'Angers à un premier examen par le judas de la porte de la cellule, ces médecins remarquent une exaltation qui se traduit par une marche plus ou moins rapide autour de la cellule avec des dandinements de corps et des mouvements de tête et de bras plus ou moins variés. Mais ne prononçant aucune parole, cet individu jetait de temps en temps vers le judas un regard qui trahissait l'intelligence. Quand ils pénétrèrent dans la cellule, l'inculpé se tourna vers eux ; puis, s'arrêtant, imprima à ses gestes un redoublement d'énergie. Parmi les gestes prédominent visiblement les mouvements de la tête de droite à gauche et *vice versâ*, alternant parfois avec des mouvements de flexion et d'extension. La physionomie est éclairée par un rire que l'inculpé s'efforce de rendre niais, mais un œil scrutateur y découvre une arrière-pensée d'intelli-

(1) *Annales médico-psychologiques,* 1857, p. 412.
(2) *Annales médico-psychologiques,* 1860, p. 377.

gence et jusqu'à un certain point d'astuce. Il est évident que le regard trahit un effort pour paraître égaré et semble éviter de se fixer sur l'interlocuteur. L'inculpé rompt le silence dans lequel il paraît se renfermer quand il est seul et répond aux questions en affectant un ton larmoyant et des manières puériles, en traînant sur les mots et prenant le plus souvent pour le sens de ses paroles le contre-pied des questions qui lui sont adressées. L'attention du prévenu est beaucoup plus facile à fixer qu'on ne l'observe d'ordinaire chez les véritables aliénés.

Pendant qu'on lui fait part de l'impression de simulation produite par ses menées et qu'on lui dit que ce système n'aboutirait qu'à un changement de prison, l'inculpé cherche à interrompre par des paroles plus ou moins incohérentes et en montant son exaltation sur un diapason de plus en plus élevé. Mais en même temps le visage semble trahir une certaine expression attentive aux remarques qui lui sont faites.

A la seconde visite, même système et mêmes manifestations, mais de plus un caractère de désordre dans l'accoutrement. Le prévenu est en chemise, ses vêtements épars, sa tête enveloppée d'un mouchoir dont les bouts se relèvent en avant et y forment une bifurcation véritablement prétentieuse.

Dans toutes les entrevues, on constate une certaine animation avec rougeur de la face. La peau est du reste fraîche, le pouls calme et régulier ; le jeu des fonctions physiologiques ne paraît nullement troublé. L'inculpé, assure-t-on, mange et dort peu.

Les antécédents apprennent que, pendant plusieurs années, il avait été à la tête d'une maison assez importante de filasserie, qu'il avait fait faillite, que, son fils ayant pris la suite des affaires, il n'y avait eu depuis qu'une part indirecte et qu'il avait été jugé en 1856 pour outrages à la pudeur et excitation à la débauche et acquitté à raison de l'état mental attesté par deux médecins. L'accès de folie avait cessé immédiatement après l'acquittement et D... avait joui de l'intégrité la plus parfaite de ses facultés intellectuelles. Il n'a été repris de délire qu'immédiatement après son arrestation, le 3 décembre 1858. Cet individu passe du reste pour être intelligent, fin et astucieux.

On ne dit pas qu'il y ait eu aucun cas de folie ou d'épilepsie dans sa famille, soit chez les ascendants, soit chez les descendants. On ne signale parmi les collatéraux qu'une sœur imbécile à un certain degré. MM. Billod et Daviers étaient convaincus que D... simulait l'aliénation mentale, et ils n'auraient nullement hésité à conclure dans ce sens, si le désir d'éclairer plus complétement la conscience des juges dans un cas qui pouvait entraîner condamnation ne leur avait suggéré la pensée de soumettre l'inculpé à l'emploi d'un moyen qui a souvent réussi en pareilles occurrences.

Suivant l'offre qui en avait été faite par le procureur impérial, D... fut transféré de la prison à l'asile de Sainte-Gemme où il arriva le 28, à 7 heures du matin, et où son attitude fut absolument la même qu'à la prison jusqu'à trois heures de l'après-midi. Conduit alors à la salle des bains et placé sous le robinet de la douche, il ne tarda pas à lever le masque et à déclarer *qu'il n'é-tait pas fou, qu'il ne l'avait jamais été, et qu'il avait si-mulé la folie*, bien moins dans le but de se faire acquitter que dans celui de se blanchir, aux yeux de tous, du crime qui lui est imputé et qu'il nie du reste avoir commis. *En faisant le fou, dit-il, et en étant considéré comme tel, ma réputation restait intacte.*

Les réponses qu'il fit ensuite témoignèrent de l'intégrité parfaite des facultés intellectuelles.

Il retourna le 29 à la prison. Depuis lors l'expression de la physionomie est redevenue et restée naturelle. Les paroles ont toujours été sensées et ont même dénoté un certain degré d'intelligence.

Nous devons joindre aux observations précédentes celle qu'a bien voulu me remettre M. Campagne et que j'ai rapportée précédemment.

Ces faits démontrent suffisamment par eux-mêmes quel parti on peut tirer en médecine légale de la douche judicieusement employée. Pour compléter ce que nous avons à dire sur la douche, nous allons en résumer les effets.

D'une manière générale on peut dire que la douche agit promptement et avec force dans les aliénations mentales avec excitation, tandis que son action est lente et obscure dans les aliénations mentales avec concentration.

Elle produit trois effets immédiats : le refroidissement de la tête, un choc sur la voûte crânienne et la gêne de la respiration. Ces effets se combinent le plus souvent et se traduisent en une sensation très-douloureuse ; mais dans des cas peu rares, chacun d'eux modifie à sa manière les actes fonctionnels de l'encéphale.

La douche agit surtout moralement en imprimant un sentiment de crainte et de terreur par la douleur et par la gêne de la respiration qu'elle produit. Il est pourtant certains individus qui parviennent à supporter les effets de ce moyen et à dissimuler l'impression qu'ils ont reçue.

Les moyens suivants, relatifs à l'intimidation, ont réussi dans quelques circonstances. Ils sont loin d'avoir notre approbation. Nous ne les citons que pour mémoire et pour compléter notre travail. D'ailleurs nous allons revenir à leur sujet. Paul Zacchias raconte ainsi un cas où l'expédient des verges et de la fustigation fut suivi de succès.

«Scio doctissimum et expertissimum quemdam medi- «cum, cujus nomen justis ex causis non profero, cùm « sibi oblatus esset is casus, in quo de simulatâ insaniâ «ambigebatur, insanum illum multis verberibus affici «illicò jussisse, eo fine et intentione, ut si verè insaniret « iis verberibus humores ad vapulantes partes diverteret; «sin verò simularet, eorumdem verberum virtute vel « nolens respiceret; ut res ipsa commonstravit (1). »

Marc reproduit dans son ouvrage (t. I, p. 466), extrait du *Mémorial de l'expert dans la visite des hommes de guerre*, un cas de simulation où la violentation a fait découvrir la feinte.

Un soldat récemment incorporé fut conduit à l'hôpital, atteint depuis trois jours de manie furibonde. Il vo-

(1) *Quæstiones medico-legales*, Lib. III, Tit. III, quæst. v.

ciférait, jurait, se démenait comme un possédé. Quand on voulut le vêtir des effets de l'établissement, il opposa les voies de fait, coups, morsures, égratignures. A cause d'autres actes de violence, on ordonna de lui mettre la camisole de force. Mais sa résistance opiniâtre obligea de le terrasser pour y arriver. Serré de cette manière, le prétendu maniaque renonça sur-le-champ à son rôle et avoua qu'il simulait.

Quinzième observation.—Nous trouvons encore dans Marc la relation d'un cas de simulation par Brachet, Faivre et Biessy (t. I, p. 361), où le moyen employé est plus cruel.

Le nommé Gérard, coupable d'un assassinat, s'était caché sous un faux nom dans la section des vénériens à l'Antiquaille. Livré aux mains de la justice, il répondit d'abord avec présence d'esprit à l'interrogatoire devant le commissaire de police; mais devant le juge d'instruction il commença à déraisonner, à simuler du délire et des hallucinations. Il feignit d'abord quelques actes de manie et plus tard se renferma dans le rôle de la démence accompagnée de mutisme. Ce ne fut que par degré qu'il s'habitua d'abord à parler peu et ensuite à paraître complétement muet et stupide. Les docteurs Brachet, Biessy et Faivre furent chargés de faire une enquête sur l'état mental et de le traiter si c'était une folie réelle. Il y avait quatre mois environ que le crime avait été commis.

Deux mois avant cette réquisition des trois médecins experts, pendant huit jours il était resté sans manger, couché, immobile, ne répondant que quand on l'appe-

lait, se remuant à peine quand on lui secouait les membres ou le corps, et montrant sur sa physionomie un
air hébété et stupide sans paraître entendre, sans prononcer un mot, sans même articuler un son et sans tirer la langue; puis il s'était remis à manger avec les
mêmes manifestations. Quelque temps après, on était
parvenu par signes à le faire travailler à des cardes. Du
reste il mangeait et buvait bien, et rien n'aurait pu lui
faire proférer une parole.

Dans cette situation il était impossible de songer à
des moyens moraux et à une conversation habilement
dirigée. En conséquence, les médecins convinrent de
charger le concierge de la prison de Roanne de trouver
un prisonnier adroit et intelligent qui voulût engager
brusquement Gérard dans une rixe, afin de lui faire perdre son impassibilité et lui faire rompre le silence.

Le concierge ne trouvant pas de personne capable
d'employer l'expédient, les médecins jugèrent indispensable de soumettre l'aliéné à des moyens de traitement capables de le guérir. Il fut donc convenu qu'il
serait mis à l'usage de la décoction de valériane et
qu'on aurait recours à la cautérisation légère. Ce
moyen parut d'autant plus convenable qu'il était le seul
dont on pût raisonnablement se promettre quelques
succès contre le genre d'aliénation mentale dont paraissait affecté Gérard. D'un autre côté, si cet état n'était
qu'une ruse, il lui était facile de se soustraire tout de
suite à cette mesure douloureuse. Pendant trois jours
de suite, vers les huit heures du matin, la cautérisation
à la plante des pieds est pratiquée un instant, légère-

ment et par saccade. On n'en obtient aucun résultat.

La coloquinte, comme purgatif, associée à la cautérisation, les deux jours suivants, ne réussit pas davantage.

Le lendemain de cette dernière épreuve, les médecins sont d'avis de surprendre Gérard pendant son sommeil afin de produire une révolution salutaire. Ils conviennent aussi qu'il faudra pratiquer l'adustion à la nuque, afin d'agir plus près du siége du mal et de ranimer plus sûrement les organes engourdis ou paralysés. Le soir, à onze heures, l'un des trois se rend auprès de Gérard ; mais le bruit qu'on fait en ouvrant les portes l'éveille et rend cette tentative inutile. Cependant on cautérise un peu la nuque.

Pendant deux jours encore, on continue la cautérisation à la nuque. On songeait à passer un séton en cet endroit ; mais le lendemain, à sept heures et demie du matin, pendant les préparatifs de la cautérisation, Gérard fait à plusieurs reprises et pour la première fois des signes expressifs de refus. Sollicité de s'expliquer : *—On m'accuse d'un grand crime dont je suis innocent*, dit-il à la fin à haute voix, *on dit que je fais le fou*, etc... En rompant le silence, Gérard venait de prouver qu'il n'était ni fou ni muet.

Bien des procédés peuvent être classés comme se rapportant à l'intimidation. A ceux que nous avons mentionnés on peut ajouter les piqûres, les moxas, les ustions de toutes sortes, enfin les différents modes de provoquer une douleur vive et instantanée.

Après tout ce que nous avons dit sur le rôle du médecin expert, on ne saurait nous prêter la pensée que le médecin doive s'associer à celui qui est chargé de rendre la justice en contribuant par quelque peine à punir un coupable ou entrer dans cette voie, dans la supposition que l'auteur d'un méfait est un aliéné simulateur. Bien plus, nous sommes si éloignés de partager une pareille idée, que nous nous empressons de dire que le médecin expert ne doit pas oublier qu'il doit avant tout se rappeler que cet accusé est son semblable ; et, quelque criminel que soit cet individu, il lui doit le respect et les égards comme à tout être humain. Aussi de pareils procédés, qui renouvelleraient de nos jours les mystères de l'inquisition, sont-ils blâmés par nous avec énergie. Grâce aux progrès de la science psychiatrique, le traitement des maladies mentales se dépouille peu à peu des voies de rigueur et des moyens douloureux qui appartiennent à une époque reculée. Le diagnostic doit se ressentir des changements que la juste application des sentiments de l'humanité amène tous les jours. Nous ne voudrions pourtant pas accuser les confrères qui ont usé des moyens que nous blâmons. On reconnaîtra avec nous, en parcourant la série des observations que nous avons recueillies, que les médecins experts n'ont pas recouru de prime abord aux moyens douloureux. Ce n'est qu'après un examen approfondi qu'ils ont employé des procédés qui ne sont plus ceux qu'exige le traitement des maladies mentales, et même lorsque, d'après les symptômes et la marche antérieure, ils avaient déjà une forte présomption et presque la conviction de la simulation.

C'est cette répugnance aux moyens douloureux qui a

entraîné les médecins experts dans une autre voie. On s'est demandé s'il ne serait pas possible, à l'aide de remèdes ou de substances thérapeutiques, d'agir sur le système nerveux, de telle sorte que l'influence des nerfs qui président aux mouvements volontaires se trouvât enrayée, et que l'organisme fût ainsi livré à sa propre activité, de telle sorte encore qu'on se trouvât en face de réactions naturelles.

C'est avec un raisonnement analogue que Monteggia a cherché à briser au moyen de l'influence de l'opium l'obstination du sujet qu'il observait. Ce narcotique, impuissant contre les manifestations de l'aliénation mentale, ne manquerait pas d'agir sur l'homme en état de santé physique et morale et de trahir ainsi la mesure de la résistance vitale qui est si grande chez l'aliéné véritable.

Seizième observation. — Après la conclusion des médecins de Saint-Ange (voir au commencement de ce chapitre), le tribunal d'appel ordonna, en juillet 1793, que l'accusé serait transféré dans les prisons de Milan. Monteggia, qui en était le chirurgien, fut chargé de procéder avec le médecin à un nouvel examen.

Les observations faites sur ce fou, à Milan, ont été reproduites par nous dans le chapitre IV (attitudes et gestes, page 89). Elles portèrent les deux médecins à conclure qu'il était atteint d'une manie véritable et non simulée.

En réfléchissant toutefois aux soupçons des médecins de Saint-Ange, les deux experts désirèrent établir quelque autre preuve plus décisive et pensèrent que, si cet homme avait feint dès le commencement, il devait nécessairement avoir acquis une habitude prodigieuse de faire le fou et de tromper plus facilement. S'il avait voulu boire du vin, on aurait eu l'espoir de l'enivrer ; sa prudence aurait été alors en défaut, et on aurait découvert la vérité.

Pour remplacer le vin, il vint à l'esprit de Monteggia de lui donner de l'opium à forte dose, afin d'obtenir un résultat plus décisif. En conséquence, il mêla, un matin, dans sa soupe, six grains (30 centigrammes environ) d'opium en poudre ; le criminel la mangea tout entière ; mais il ne parut en avoir éprouvé aucun effet.

Plusieurs jours après, l'expérience de l'opium fut renouvelée. Après avoir pesé lui-même six grains d'opium, Monteggia la fit prendre jusqu'à la dernière cuillerée. Six heures après, ne s'apercevant d'aucun effet, il se hasarda de lui en donner six autres grains qu'il prit par précaution dans une autre pharmacie. Il revit l'homme le soir tel qu'il était auparavant.

L'explosion subite de quelques pétards fut essayée sans déterminer la moindre émotion. Un pétard appliqué à son derrière, pendant qu'il était en chemise, n'occasionna aucune surprise ; l'explosion se fit sur les fesses sans qu'il en fût effrayé. Il passa la nuit, comme de coutume, éveillé.

On n'observa aucun changement, dans la matinée du lendemain ; mais, sur le soir, le prisonnier paraissait un peu inquiet et il regardait d'un air épouvanté l'infirmerie où il était ; il se coucha comme de coutume, et, vers une heure du matin, il se leva beaucoup plus chagrin, poussant de gros soupirs et s'ecriant à la fin! *O mon Dieu, je me meurs!*

L'infirmier des prisonniers, qui était à côté de lui et n'avait jamais entendu sa voix, fut si effrayé que les cheveux lui en dressèrent sur la tête, comme s'il eût entendu hurler un mort. Il fit appeler Monteggia sur-le-champ.

Ce chirurgien trouva le prisonnier tranquille, parlant sensément, sans aucune apparence de folie, disant qu'il n'avait aucune idée de ce qui s'était passé. Il conservait cependant l'esprit un peu troublé, parce qu'un moment auparavant il avait demandé un confesseur et le capitaine de justice, pour être interrogé. Il paraissait croire être dans les prisons de Saint-Ange. Il ajoutait que des personnes qu'il croyait entendre aux croisées lui disaient qu'on lui avait donné une soupe empoisonnée qui devait le faire mourir; du reste, il avait la face tranquille et nullement altérée; le pouls était assez calme. Il avouait toutefois qu'il ressentait un certain embarras de l'estomac. Monteggia, présumant qu'il était resté encore de l'opium, lui donna de l'émétique et prescrivit un lavement avec une drachme de camphre, deux onces de vinaigre et quatre onces d'eau, ce qui le fit vomir abondamment. Le matin, il chercha à manger de bonne heure, en disant qu'il se sentait vide et faible.

Depuis lors, cet homme se porta bien, parla, se comporta sagement et remercia plusieurs fois Monteggia de l'avoir guéri. Il s'entretenait volontiers avec lui et demandait souvent du tabac qui lui plaisait, tandis qu'il l'avait refusé lorsqu'il était maniaque. Enfin, après être resté pendant un mois encore à Milan, il fut conduit à Pizzighettone où étaient alors détenus les condamnés.

Monteggia n'a plus eu de nouvelles de cet individu.

Les détails relatifs aux différents actes de ce prévenu sont très-curieux, et, d'après eux, je suis très-éloigné de partager l'avis de Marc, qui paraît pencher pour la réalité de la folie, tout en regrettant qu'on n'ait fait aucune enquête sur les circonstances commémoratives propres à établir chez le criminel une prédisposition à l'aliénation mentale.

Il faut avouer qu'il est difficile de discuter sur des documents aussi incomplets que ceux sur lesquels Marc paraît devoir pourtant émettre quelques réflexions. Le tableau symptomatologique, tel que Monteggia nous le fournit, car cette observation a été traduite de l'italien, nous représente tout autant de faits invraisemblables et non caractéristiques de la folie. Monteggia reste dans la plus grande incertitude sur la manière dont a été produit le si grand résultat obtenu. Pour nous, cet homme feignit constamment, et il se sentit si fatigué de l'opium que, craignant de mourir, il regarda comme inutile de continuer la feinte. C'est cette opinion qui nous paraît le plus conforme à la véritable interprétation des faits. D'un autre côté, le moyen employé par le chirurgien milanais est d'un certain enseignement pour le médecin expert et un sujet de réflexion relativement aux épreuves qu'il croit devoir tenter. Je réserve pour la fin de ce chapitre l'exposition de ma manière de voir quant aux procédés que l'on devra choisir.

16

Nous avons cité dans l'observation précédente l'idée qu'avait eue Monteggia de recourir à l'emploi d'un liquide fort connu du vulgaire qui a créé cet adage *in vino veritas*. Ce moyen était par conséquent déjà conseillé pour arriver au diagnostic de la folie. Voici d'ailleurs une autre observation que j'emprunte à M. le docteur Morel (1), et qui démontre combien l'ivresse, en atténuant la puissance de la volonté, sert à faire découvrir certaines ruses.

Dix-septième observation. — « Un individu, placé dans les prisons de Nancy, simula un accès de manie furieuse et fut amené à Maréville pour y être soumis à mon observation. Je n'eus pas grand mérite à pouvoir éclairer la justice sur l'état mental de cet homme, puisqu'il me fit spontanément les aveux les plus complets. Mais je tiens à citer quelques traits de la vie de l'aventurier en question, pour faire pressentir combien dans certaines circonstances données il serait facile au moyen de l'éthérisation d'arriver à déjouer les ruses les mieux ourdies.

« Joseph R. quitta ses parents à l'âge de huit ans et s'associa à une troupe de jeunes voleurs qui exploitaient les châteaux des environs de Paris. Arrêté et absous pour avoir agi sans discernement, il fut renvoyé à ses parents qu'il ne tarda pas à abandonner de nouveau jusqu'à l'âge de vingt-trois ans, où il les revit une dernière fois pour les quitter sans retour. Les aventures et les méfaits de ce mauvais garnement, pendant ce long

(1) *Archives générales de médecine*, février 1854.

espace de temps rempliraient tout un volume; j'arrive
sans transition à ses grands coups comme il les quali-
fiait. Un Anglais, qui voyageait à pied en Suisse et en
Italie, le prit à son service pour porter ses effets. L'Anglais était sous l'influence d'un spleen profond et im-
posa à son compagnon servant la singulière obligation
de ne pas lui adresser la parole et de s'occuper des détails du paiement dans les auberges où l'on s'arrêtait;
il devait aussi prévoir l'étape du lendemain, pour éviter à ce misanthrope la peine de réfléchir et de parler.
Joseph R. s'accommoda pendant quelques mois de ce
genre de vie ; mais à la fin, fatigué, il vola son Anglais,
voyagea pour son propre compte. Il parcourut l'Italie
et revint par Genève où il fut arrêté comme vagabond.
L'idée lui vint de faire le sourd-muet, et la pitié, qu'il
sut exciter, lui valut une place dans l'institution de ces
infirmes. Croirait-on que cet individu qui était affecté
de la maladie du vagabondage demeura deux années
avec les sourds-muets dont il apprit la mimique par-
lante ? Il se laissa même moraliser au point d'apprendre
différents métiers et de se rendre utile dans l'établissement. Mais sa mauvaise nature reprit le dessus ; on eut
des soupçons, et il fut surveillé. Un chef d'études, entendant et parlant, fut placé dans la section des sourds-
muets ; il surprit Joseph R. *en flagrant délit de mono-
logue.*

« Renvoyé chez ses parents dont il donna l'adresse et
qui vivaient en Alsace, il s'arrêta dans ses pérégrina-
tions à Lons-le-Saulnier, où il se fit passer pour pro-
testant. Il intéressa à son sort des âmes charitables, *se*

convertit au catholicisme, et, muni d'une somme d'argent assez ronde, il la dépensa en orgies et arriva chez lui dans la plus profonde misère. Il fit bientôt connaissance avec un fripon qui revenait dans son pays pour y vivre de ses économies et qui lui donna son secret pour gagner de l'argent. Ce secret consistait à se faire passer pour un soldat français prisonnier d'Abd-el-Kader, et qui avait eu la langue coupée. Muni des papiers de cet individu, il fit le même métier, parcourut presque toute la France, et, pendant deux années, gagna de l'argent *autant qu'il voulut*, pour me servir de ses expressions. Arrêté dans une circonstance où des soupçons graves pesaient sur lui, il fut soumis à une expertise dont il triompha, car il avait acquis (nous avons tous été témoins du fait à l'asile) une si merveilleuse aptitude à replier sa langue jusque dans l'arrière-gorge, que l'on n'apercevait plus qu'une espèce de tronçon rudimentaire du prétendu organe coupé.

« Arrêté de nouveau dans le midi de la France, un jour qu'il était dans un état complet d'ivresse, il ne fut pas difficile au magistrat qui l'examina dans cet état de vérifier que la prétendue victime de la barbarie des Arabes avait la langue intacte. J'ignore les péripéties qui l'amenèrent dans les prisons de Nancy ; mais toujours est-il que Joseph R., qui avait simulé, comme je l'ai dit, une manie furieuse, se vantait d'en avoir trompé *d'aussi forts que nous* avec sa langue coupée. Il ne regrettait qu'une chose, *c'est de s'être oublié un jour* au point de s'enivrer et d'avoir ainsi perdu l'action de sa volonté sur les mouvements de sa langue. »

L'emploi du vin et des alcooliques ne laisse pas d'offrir quelques dangers ; car la proportion capable d'amener l'affaiblissement de la volonté est très-variable suivant les individus ; et de plus, il peut s'en suivre, en raison de cette quantité, des désordres de l'organisme qui resteraient un reproche continuel à l'expert, que le succès ou non eût couronné l'épreuve. Les congestions, les crises épileptiformes, les irritations du tube intestinal qui surviennent à la suite des abus de boissons, prouvent que l'ivresse ne peut être tentée qu'avec une prudence extrême. D'ailleurs, quand il n'y aurait que l'effet consécutif sur les facultés mentales, il y aurait une raison suffisante pour renoncer à cette sorte d'épreuve.

Des physiologistes ont proposé d'autres substances susceptibles de produire un certain trouble intellectuel, la belladone, le datura stramonium. Mais l'inégalité d'action de ces substances sur l'homme et les animaux n'a pas permis d'en pouvoir régler les doses. Les résultats n'ont conduit à rien qui pût éclairer le diagnostic.

L'introduction du haschich en France a donné un instant l'espoir de rencontrer un agent qu'on pourrait utiliser en médecine légale. Les essais de M. Moreau de Tours pour produire artificiellement certains symptômes qu'on retrouve dans la folie ont inspiré les études psychologiques de ce savant médecin. Mais les expériences physiologiques n'ont pu réaliser ce qu'on s'était promis. Quelque incohérentes que soient les idées produites, quelles que soient les illusions et les hallucinations provoquées au milieu des rêves les plus heureux et les plus multiples, le moi reste maître de lui-même en dehors des atteintes de l'agent perturbateur et juge les désordres que cet agent suscite dans les régions inférieures de l'intelligence. Il est vrai que les hallucinations sont le plus souvent en rapport avec les idées habituelles de la personne qui les éprouve, ou avec les pensées qui l'occupaient au moment où les symptômes de l'empoisonnement ont commencé à se manifester, ou encore avec celles qui l'ont surtout occupée pendant la journée. Mais l'observateur reste impuissant devant cette situation délirante, attendu que, s'il peut jusqu'à un certain point posséder quelque influence, ce n'est qu'en ayant agi fortement dans un certain sens sur l'esprit de la personne, avant de la soumettre à l'épreuve, qu'on parvient à obtenir des idées dans ce même sens. Or, en raison de la force de volonté et de la méfiance du simulateur, cette influence est complétement annihilée.

Après avoir étudié les phénomènes auxquels donne lieu l'ingestion des différentes substances que nous venons de nommer (belladone, datura stramonium, haschich), M. Morel expérimenta l'éthérisation, et fut frappé de l'emploi que l'on pouvait en faire comme moyen de diagnostic. Il a publié, en 1854, dans les *Archives générales de médecine*, un mémoire sur cet intéressant sujet. Nous en avons déjà extrait l'observation dernière.

L'éthérisation amène une surexcitation de la mémoire, un défaut de jugement, de réflexion, de coordination dans les idées, des hallucinations et des illusions de la

vue (1). Il en résulte que le délire véritable des aliénés
peut être modifié et fournir une connaissance plus approfondie de la position des malades. D'un autre côté,
les individus qui simulent la démence, l'imbécillité,
l'idiotisme, la stupidité, le mutismene, peuvent résister aux effets physiologiques de l'éther et trahissent
involontairement leur véritable état. Ainsi, un jeune
aliéné de l'asile de Maréville, plongé dans un état de
mi-stupidité, refusait de s'occuper. Ce n'est que lorsqu'il
a été placé sous l'influence de l'éther qu'il a avoué non-
seulement ses habitudes onanistiques ; mais qu'il a mis
sur la voie de faits bien autrement graves qui susci-
taient dans sa conscience les remords les plus vifs et
paralysaient ses mouvements, parce qu'il se croyait le
juste objet de la répulsion générale.

M. Morel cite dans son mémoire plusieurs faits prouvant ces deux sortes de résultats. Par l'éthérisation il a
reconnu la simulation d'un individu qui feignait l'imbécillité. Toutefois, il ressort des observations de ceux
qui se sont soumis à l'éthérisation, et particulièrement
de l'expérience tentée sur lui-même par le docteur
Sauvet que, malgré le délire momentané dans lequel
plonge l'éther, l'individu peut encore avoir assez de puissance sur lui pour ne pas se laisser arracher un secret.
C'est ainsi que M. Sauvet, qui reconnaît avoir déliré pendant vingt minutes, se rappelle parfaitement que l'on ne
put lui faire dire des choses qui auraient été très-désa-
gréables pour une personne présente à l'expérimentation.

(1) *De l'inhalation de l'éther et de ses effets psychologiques,* par le
docteur Sauvet (*Annales médico-psychologiques,* 1847).

Voici comment M. Morel apprécie l'éthérisation et comment il l'a appliquée à l'occasion du nommé Dérozier.

« Lorsque dans un but curatif j'ai cru devoir faire respirer de l'éther aux malades pour modifier un état de stupeur qui se prolongeait d'une manière inquiétante pendant des semaines et des mois, j'ai toujours vu l'excitation factice qui en était le résultat amener des manifestations délirantes en rapport avec les préoccupations maladives des aliénés. Chez les femmes, tel état névropathique qui est masqué par l'aliénation réapparaît souvent avec une intensité remarquable. En un mot, l'éthérisation est, dans certaines circonstances déterminées, un moyen précieux pour modifier l'état maladif et pour éclairer le médecin sur le véritable caractère névropathique de l'affection.

« Dérozier a été éthérisé le 15 septembre 1856. Or voici les phénomènes que nous avons pu remarquer. Disons d'abord que nous n'avons pas poussé l'éthérisation jusqu'à amener l'état de stupeur et d'insensibilité, l'anesthésie en un mot que l'on cherche à produire pour épargner à un malade la douleur d'une opération ; nous nous sommes arrêtés à la phase de l'excitation et de la gaieté qui accompagne ordinairement les inhalations éthérées.

« Cette phase a été remarquable chez Dérozier par une excitation et une gaieté des plus bruyantes. L'hébétude ordinaire de sa physionomie était remplacée par l'expansion la plus franche. On aurait dit que le prévenu avait ôté son masque ; il n'avait plus que le délire produit par l'alcool, et ce délire était bruyant, obscène et menaçant ; il pouvait jusqu'à un certain point nous donner une idée du caractère antérieur de cet homme, de ses mœurs et de ses habitudes ; mais il n'était pas pour nous l'indice d'un délire aliéné. Les mélancoliques que nous éthérisons dans un but curatif ont plutôt des manifestations de tristesse que des expansions de gaieté ; nous les voyons passer de la vie active au sommeil le plus profond sans transition aucune. Lorsque, sous l'influence de l'agent anesthésique, ils parlent, leurs paroles reflètent ordinairement les pensées pénibles dont leur âme est oppressée. Rien de semblable n'a été remarqué chez Dérozier. »

On ne saurait accorder une certitude absolue aux résultats fournis par l'éthérisation seule. Mais, ajoutés à d'autres tirés de l'observation directe, ils permettent d'arriver à une connaissance assez certaine de l'état mental des prévenus.

M. le docteur Morel ne s'est servi que de l'éther, et nous n'avons pas connaissance qu'il ait employé le chloroforme. Nous ne savons pas davantage si quelques médecins français ont essayé cette substance anesthésique dans des cas d'expertise médico-légale relative à la découverte de la simulation de la folie. L'emploi du chloroforme est pourtant adopté par un grand nombre de médecins experts pour d'autres maladies. C'est en Allemagne et en Angleterre que les inhalations de chloroforme sont surtout mises en usage pour le diagnostic de l'aliénation mentale. Nos recherches ne nous ont fait découvrir aucun mémoire ni aucun ouvrage où soit exposée d'une manière précise la valeur de ce procédé. Nous allons pourtant, d'après les travaux sur l'anesthésie, établir quels sont les caractères qui appartiennent en propre au liquide volatil qui a été découvert en France par Soubeiran (1).

Le chloroforme agit à la manière de l'éther et développe les mêmes phénomènes, avec cette seule différence qu'il paraît être moins excitant que l'éther et qu'il procure une anesthésie plus franche. Il faut beaucoup moins de chloroforme que d'éther pour produire l'insensibilité. L'action du premier est beaucoup plus rapide, plus complète et plus durable. L'inhalation est beaucoup plus agréable que celle de l'éther.

Nous devons mentionner encore le magnétisme et l'hypnotisme comme agissant sur l'intelligence et sur la volonté. Toutefois, comme nous le disions (2) en analysant le *Cours théorique et pratique de braidisme* du docteur J. P. Philips, nous croyons qu'il faut des organisations particulières pour obtenir les modifications décrites par les magnétiseurs et par les hypnotiseurs. En outre, toutes ces opérations ne sauraient réussir sans le consentement le plus complet et sans la confiance la plus entière du sujet. Et comme il n'existe aucune chance de succès en l'absence de ces conditions essentielles, on comprend sans de plus longs détails toute l'inanité de pareilles tentatives. Reste à savoir jusqu'à

(1) E. Simonin, *De l'emploi de l'éther sulfurique et du chloroforme, à la clinique chirurgicale de Nancy,* 1849. — F. Bouisson, *Traité théorique et pratique de la méthode anesthésique appliquée à la chirurgie et aux différentes branches de la médecine,* 1850.

(2) *Annales médico-psychologiques,* 1861, p. 336.

quel point il est possible de magnétiser ou d'hypnotiser de véritables aliénés.

Après l'énumération que nous venons de faire il nous reste à exposer les principes qui nous paraissent devoir présider à l'emploi des procédés supplémentaires de l'examen direct. Nous avons dit plusieurs fois déjà qu'il ne fallait pas confondre le rôle du médecin expert avec celui des différents membres du tribunal. Ainsi donc le médecin n'a pas à s'occuper des grandes questions qui dirigent la législation pénale. Pourtant, tout en demeurant en dehors des applications de la pénalité, le médecin expert ne saurait se défendre d'avoir quelques idées fondamentales de la pratique expérimentale. Il ne doit pas se départir de certaines notions humanitaires.

L'expertise médico-légale n'est admissible qu'autant qu'elle est la conséquence de ce principe : *Le droit de punir n'est que le droit de conservation de soi-même qui appartient à la société comme à l'individu.* Cette saine manière d'interpréter la législation pénale écarte bien loin différents procédés barbares qui n'étaient que les résultats fâcheux de théories erronées se reflétant dans les actes les plus minimes. Quand on a fait la justice dépendante de l'intérêt public, du droit de légitime défense ou encore d'une mission d'origine divine, ne retrouvait-on pas ces mêmes convictions dans la conduite des différents instruments de la législation? C'est pour cela qu'il doit répugner au médecin expert d'avoir recours à des procédés qui rappellent les *tortures* ou les conséquences de la *question ordinaire et extraordinaire.*

Ainsi nousre poussons les moyens violents et cruels, tels que les coups, les fustigations, les cautérisations, les moxas, etc...

Un médecin a-t-il le droit pour découvrir la simulation de la folie de provoquer l'ivresse soit alcoolique, soit éthérée ou autre, et de la continuer jusqu'à ce que l'individu perdant la conscience de sa volonté divague et fasse des révélations?

La réponse à cette proposition complexe se subdivise en plusieurs autres.

D'abord l'ivresse est-elle capable de donner des renseignements d'une valeur suffisante sur la réalité ou non de la folie? Nous ne reviendrons pas sur les appréciations que nous avons faites relativement à l'action des différentes substances anesthésiques, narcotiques ou autres. Nos considérations prouvent assez que les médecins experts ne s'en sont servis que comme moyen auxiliaire et n'ont pas établi sur ces expériences mêmes les preuves de la simulation.

Pour ce qui est relatif à la liberté morale, la législation établit que les déclarations et les aveux des accusés doivent être l'expression d'un acte volontaire de la part de l'individu. Pour cette raison l'on ne doit pas approuver la provocation de l'ivresse éthérée. Mais il n'est aucun expert qui soit assez ignorant des véritables notions médicales pour baser ses arguments sur les discours seuls tenus pendant l'ivresse de l'éther et du chloroforme. On trouve différentes confidences mélangées avec d'autres manifestations intellectuelles qui appartiennent au délire.

Il ne s'agit pas, suivant nous, d'extraire des aveux, mais de mettre à jour un état physique plus conforme à la vérité.

Ainsi, en face d'un individu qui contrefait la surdi-mutité que les antécédents antérieurs font soupçonner de simulation, quand par aucun moyen (surveillance, surprise on n'est parvenu à un résultat certain), je crois qu'on ne saurait déroger à la dignité humaine en expérimentant l'ivresse éthérée ou chloroformique qui, en déterminant une excitation éphémère indépendante de la volonté, produit des paroles qui ont plus ou moins de suite. Il suffit de constater si l'individu pouvait parler ou non. Il peut se présenter encore le cas où l'individu émet de temps à autre des syllabes décousues, comme l'on rencontre dans certains cas d'imbécillité et de stupidité, des mots confectionnés de toute pièces et qui n'appartiennent à aucune langue connue. L'embarras de l'expert provient de la difficulté qu'il éprouve de comprendre le prévenu et de le considérer comme étranger. L'excitation éthérée nous fournira encore des indices d'une valeur incontestable. Il en sortira des mots ou des phrases qui démontreront que l'individu avait le pouvoir de parler, n'était pas aussi imbécile qu'on pouvait le présumer, et exprime des mots usités dans tel ou tel pays.

Je ne saurais me ranger à l'opinion de Henri Bayard (1), quand il dit que ce serait un abus blâmable

(1) *Apáréciation médico-légale de l'action de l'éther et du chloroforme* par M. le docteur Henri Bayard. (*Annales d'hygiène et de médecine légale*, t. XXXXII, [1849].

que l'on ferait de sa position médicale si l'on ne prévenait pas l'individu des conséquences de l'inhalation lorsqu'on la propose comme moyen de l'expertise. Quel est donc le simulateur qui consentirait à ce qu'on usât d'un procédé qui pût mettre sa fraude à découvert? N'y mettra-t-il pas déjà suffisamment d'opposition quand on l'éthérisera?

Toutefois la responsabilité des dangers des moyens dont on se sert ne saurait appartenir qu'au médecin. Chemin faisant, nous nous sommes expliqué sur l'emploi du vin et des alcooliques. Nous avons dit que la quantité de liquide capable d'amener l'anéantissement de la volonté était très-variable suivant les individus; de là une incertitude qui pouvait produire des lésions tant physiques que psychiques très-regrettables. L'ivresse éthérée n'offre pas des inconvénients aussi considérables et son effet n'est que momentané. L'ivresse chloroformique n'est pas dénuée de danger, et elle a besoin d'être dirigée par une main habile et prudente.

Les conséquences des moyens employés sont d'une importance majeure dans l'examen de la question qui nous occupe. En effet on ne s'est tant élevé dès le début contre l'emploi de l'éther et du chloroforme que parce qu'on ne connaissait pas suffisamment les effets de ces substances sur l'organisme. Mais à présent l'on revient de cette prévention.

Ce n'est pas que nous voulions consacrer l'emploi de l'ivresse éthérée en matière d'instruction criminelle. Nous nous élevons contre cet emploi, si c'est pour en tirer des aveux qui ne partiraient pas de l'élan spontané et réfléchi de l'individu. Mais quand on sait positivement qu'il n'en surviendra rien qui puisse, consécutivement à son emploi, altérer les facultés mentales, et que les manifestations psychiques qu'on en retire ne sont, dans les cas de simulation, que des jalons qui permettront au médecin de poursuivre plus facilement son expertise médico-légale, on est moins porté à condamner cette ressource diagnostique.

Pour ce qui est des substances, telles que l'opium ou autre, un médecin expert ne doit s'autoriser à les employer que dans le cas où l'individu présente des symptômes d'aliénation mentale comportant tel ou tel remède ; que dans le cas où il y a des indications précises, et qu'un effet clinique prévu doit avoir lieu. L'absence de cet effet deviendrait une nouvelle cause de doute sur la réalité de la folie. C'est dans cette hypothèse qu'aurait agi Monteggia. Mais, pour faire de pareilles expériences, il faut être bien sûr qu'il ne surviendra aucun inconvénient à la suite de l'ingestion du médicament employé.

Il est d'autres procédés dont nous avons prouvé l'efficacité. La douche est à beaucoup de médecins experts d'un secours très-grand pour assurer le diagnostic. Ce n'est encore qu'avec une certaine réserve qu'elle doit être utilisée.

Nous engageons, dans l'emploi des moyens supplémentaires, à commencer par expérimenter les procédés que nous avons indiqués en premier lieu. L'emploi des questions captieuses nous paraît le plus en rapport avec la dignité humaine. Nous conseillons aussi le procédé dont s'est servi Renaudin quand l'individu aura été transféré dans l'asile : avoir l'air de croire à la réalité de la folie, et paraître indifférent aux manifestations désordonnées. Celui-ci finit peu à peu par croire qu'on est persuadé qu'il est fou et renonce quelquefois à sa comédie qu'il ne renouvelle plus que quand il est question d'enquête et de recherches sur son véritable état mental. Pendant la durée de cette indifférence apparente, on peut faire vérifier par d'autres personnes la conduite et les discours du simulateur. Le passage dans un quartier de furieux ou d'épileptiques est encore un expédient qui mérite d'être imité.

Si le médecin expert échoue, la douche est une ressource dont on peut user. Les menaces ne peuvent avoir de valeur que si, en cas d'insuccès, elles doivent être suivies de l'exécution, exécution que le prévenu saura pouvoir être réalisée.

CHAPITRE VII

Observations complémentaires des chapitres précédents.

Quand il s'agit d'une conséquence aussi grave que la condamnation d'un individu et que cet arrêt dépend de l'appréciation de l'état mental faite par le médecin expert, celui-ci ne saurait s'entourer de documents trop détaillés et de preuves trop nombreuses pour arriver à la connaissance de la vérité. C'est pour ce motif que, désirant le plus possible compléter et appuyer les considérations que nous avons émises précédemment, nous réunissons ici plusieurs observations et rapports médico-légaux importants.

Nous devons le premier document à l'obligeance de M. le docteur Lunier, inspecteur général des asiles d'aliénés et du service sanitaire des prisons de France. Nous citons textuellement la teneur de ce rapport médico-légal. M. Lunier était alors directeur-médecin en chef de l'asile d'aliénés de Blois.

Dix-huitième observation.

Monsieur le Procureur Impérial,

J'ai eu l'honneur de vous écrire, le 31 janvier dernier, que le sieur Bimbenet, sur lequel vous m'aviez demandé des renseignements, n'était point aliéné et simulait la folie. Je vous demanderai la permission de vous exposer les motifs sur lesquels je me fonde pour persister aujourd'hui dans cette déclaration.

Le sieur Bimbenet Constant, âgé de 29 ans, vigneron, marié, d'une forte constitution, a été admis à l'asile d'aliénés, le 6 janvier 1860, transféré de la maison d'arrêt, dont le médecin, M. le docteur Dufay, l'avait déclaré atteint d'un accès de manie aiguë.

Bimbenet, en effet, avait offert à la prison des accidents en tout semblables, paraît-il, à ceux qu'il nous a été donné d'observer à l'asile et qu'il était assez rationnel de rattacher à l'existence chez cet homme d'une affection cérébrale, et cela d'autant mieux que Bimbenet aurait éprouvé, il y a cinq ou six ans, des accidents de même nature, assertion, je dois le dire, que n'a point confirmée la femme Mignaux, belle-sœur de Bimbenet, qui m'a donné sur cet homme les seuls renseignements que j'aie pu me procurer en dehors des faits de la cause.

Quoi qu'il en soit, Bimbenet, dès les premiers jours de son entrée, nous présenta des symptômes que je ne savais trop à quelle forme de névrose rattacher, et, dans le certificat immédiat que j'adressai à M. le préfet, con-

formément aux prescriptions de la loi, je fis comme
mon confrère de la prison, je déclarai Bimbenet atteint
de manie aiguë.

Quelques jours plus tard, Bimbenet nous dit qu'il
était souvent, la nuit, tourmenté par des *idées* et qu'il
était obligé de se tenir sur son séant pendant des heures entières. Le gardien nous apprit, et nous pûmes
constater nous-mêmes, que le jour il se promenait habituellement seul dans la cour, faisant des signes de
croix et se frappant la poitrine, les yeux tournés vers le
ciel.

Le 17 janvier, vers cinq heures du soir, Bimbenet
fut trouvé étendu dans la cour, la face contre terre, à
2 mètres du mur extérieur du préau. Il fut relevé
par les gardiens, qui crurent à une tentative d'évasion et ne remarquèrent chez lui rien de particulier. Bimbenet, que nous vîmes quelques minutes plus
tard, avait la face et surtout les lèvres couvertes de sable
et les yeux dirigés fixement en haut. Il n'offrait d'ailleurs aucune trace de contusion.

Interrogé sur ce qui s'était passé, il répondit qu'il
s'était affaissé sur lui-même sans avoir éprouvé ni
symptômes précurseurs ni accidents concomitants;
Bimbenet avait été perdu de vue pendant quelques
minutes à peine; il n'y avait donc que fort peu de
temps qu'il était étendu dans la cour. S'il se fût agi
d'un accès d'épilepsie, et surtout d'un accès assez violent
pour déterminer une chute, nous eûmes constaté chez
lui des symptômes de prostration et d'hébétude dont il
n'existait aucune trace.

Le 23 janvier, à la visite du soir, nous trouvâmes Bimbenet tout en larmes ; il était *poursuivi*, disait-il, *par le grand désir de voir ses petits-enfants*, désir que déjà du reste, à plusieurs reprises, il avait manifesté devant nous. Au gardien qui l'avait engagé, sur notre recommandation, à écrire à sa famille, il avait répondu : *Non, le directeur pourrait s'apercevoir que j'ai toute ma raison.*

Le 30, à 5 heures et demie du soir, peu de temps après que lecture lui eut été faite de l'acte d'accusation qui lui avait été remis, Bimbenet éprouve des accidents ayant au moins une grande analogie avec ceux que je viens de relater.

Tout à coup, en présence des gardiens et malades réunis dans le chauffoir, Bimbenet tombe la face contre terre, mais les deux mains portées en avant, de telle sorte que la figure salie par la poussière ne portait aucune trace de contusion.

Prévenu immédiatement, je trouve Bimbenet renversé sur le dos, maintenu assez facilement, par trois ou quatre gardiens. Je constate des contractions spasmodiques simultanés des membres, des muscles de la face, de l'abdomen et du globe oculaire, contractions à peu près régulières, intermittentes, aussi prononcées d'un côté du corps que de l'autre. Les doigts sont fortement fléchis, bien que les bras soient portés dans l'extension forcée. En saisissant brusquement le bras droit de Bimbenet, je parviens facilement à le ramener dans la flexion. Les yeux sont fixes, presque constamment tournés en haut ; les pupilles n'offrent rien d'anomal et se contractent sous l'influence de la lumière ; il n'y a pas d'écume à la bouche ; Bimbenet n'a pas vomi, bien qu'il vienne de manger. Il n'a pas lâché ses urines. Le pouls marque de 80 à 88 pulsations.

J'approche de la main de Bimbenet, et, à son insu, une clef chauffée à la flamme d'une lampe ; il retire brusquement sa main et se tourne de mon côté. Je lui laisse voir ce que je fais ; puis je lui touche de nouveau la main avec la même clef chauffée un peu plus que la première fois ; Bimbenet ne bouge pas.

Par instants, Bimbenet paraissait comme se reposer ; ses muscles se détendaient, mais incomplétement ; puis dans un autre moment, il ouvrait les mains en étendant et écartant fortement les doigts.

Au bout d'un quart d'heure environ, je fais relever Bimbenet qui se tient debout sans la moindre difficulté ; il paraît fatigué — on le serait à moins ; mais il n'offre aucune trace de cette prostration comateuse qui accompagne les convulsions épileptiques ou épileptiformes quelque peu prolongées.

Nous n'avons du reste constaté chez Bimbenet, pendant la crise, ni écume à la bouche, ni grincement de dents.

Deux heures plus tard, Bimbenet, couché dans une cellule et surveillé de près, marmottait des prières, les mains croisées sur la poitrine. Puis tout à coup, voyant qu'on l'observe, il étend le bras, le poing serré : *Si j'avais un sabre*, dit-il, *comme je le tuerais*.

Le 2 février, à 2 heures du soir, je fais venir Bimbenet dans mon cabinet et lui adresse force questions au sujet de son affaire et de sa maladie. Je lui fais entrevoir notamment qu'il n'a point intérêt à simuler la folie. Il me répond *qu'il n'est pas fou, qu'il me donnera 200 francs, si je veux le faire sortir*. Il paraît convaincu, en effet — on le lui a dit à la prison et il l'a répété au gardien du service — qu'il suffit qu'il ait été dans la maison pour qu'on abandonne toutes poursuites contre lui, et que sa sortie dépend uniquement de moi. La veille, il avait fort bien répondu à toutes les questions du gardien relatives à l'acte d'accusation qui venait de lui être lu. Aujourd'hui, il paraît avoir changé d'idée; il va jusqu'à dire qu'il *ne connaît ni Ménard ni Semelle* (1); puis, un peu plus tard, il dit que *tout cela n'est pas vrai*.

Le même jour, à la visite du matin, en présence de M. Chevrier, substitut, nous n'avons constaté chez Bimbenet qu'une certaine feinte du regard qui disparaissait, nous a dit le gardien, dès que nous avions le dos tourné, ce que du reste nous pûmes constater nous-mêmes en le regardant brusquement au moment où il croyait que nous ne songions plus à lui.

Le 3 février, Bimbenet paraît avoir renoncé à simuler la folie. Il essaye bien encore devant M. Picot, son avocat, de faire l'imbécile et l'ignorant ; mais dès qu'il s'agit de raconter à ce dernier, et en ma présence, les faits relatifs aux méfaits qu'on lui impute, il retrouve toute sa mémoire et son intelligence. M. Picot a donc dû, je crois, le quitter convaincu que son client n'était ni aliéné ni encore moins imbécile.

(1) Personnes dont il est question dans l'acte d'accusation.

Aujourd'hui même, monsieur le procureur impérial, j'ai de nouveau interrogé Bimbenet. Il persiste bien encore à soutenir que les crises convulsives dont il a été atteint une fois à la prison et deux fois à l'asile n'étaient point simulées ; mais il reconnaît qu'il n'est point aliéné et que, s'il a un instant essayé de se faire passer pour tel, suivant en cela les conseils qui lui ont été donnés à la prison, il y a renoncé complétement aujourd'hui.

En présence de cette déclaration qui rend ma tâche si facile, monsieur le procureur impérial, je crois devoir me dispenser de démontrer que les symptômes offerts par Bimbenet n'étaient point de nature à faire admettre chez cet homme l'existence d'une forme quelconque d'aliénation mentale et que, sous ce rapport, il a fort mal profité des leçons qu'il paraît avoir reçues à la prison.

Je n'ai pas besoin, je le suppose, de démontrer que Bimbenet n'est point non plus imbécile. Je le déclare au contraire doué d'une intelligence plus qu'ordinaire. J'ai rarement vu de paysan plus retors.

Bimbenet est-il épileptique ? Je ne le crois pas d'avantage. Les crises convulsives qu'il nous a été donné d'observer chez lui, si elles n'étaient pas complétement simulées — ce que j'incline fort à penser — étaient au moins fort exagérées. Elles n'offraient, d'ailleurs, aucun des caractères des affections convulsives graves, telles que l'épilepsie et la catalepsie. Elles pourraient, tout au plus, être attachées aux affections vaporeuses, si communes chez les femmes, mais assez rares chez l'homme.

Je me résume :

Bimbenet n'est ni aliéné, ni imbécile, ni épileptique et ne l'a, je crois, jamais été.

Il a donc simulé, s'il ne simule encore, la folie.

Et en même temps il a simulé, s'il ne simule encore, des crises convulsives épileptiformes.

M. le docteur Valéry Combes, directeur médecin de l'asile de la Rochegandon, a eu la bonté de me remettre le rapport médico-légal que j'insère ici *in extenso :*

Dix-neuvième observation. — Je soussigné, Valéry Combes, docteur en médecine, appelé par M. le juge d'instruction près le tribunal de Rodez, à donner mon avis sur l'état mental de Blanc Baptiste, inculpé de vol et actuellement détenu à la prison de Rodez, après avoir pris communication des pièces du dossier et avoir examiné le prévenu longuement et à plusieurs reprises, ai rédigé le rapport suivant :

Jetons un coup d'œil sur la vie et les moyens d'existence de Blanc. Dans cet aperçu nous ne ferons, d'ailleurs, la plupart du temps, que reproduire les expressions employées, soit par les divers témoins, soit par l'inculpé lui-même. Blanc, dit-il lui-même, fait le commerce des peaux ; mais on pourait ajouter qu'il y joint habituellement et depuis longtemps la mendicité, la rapine et le vol. « Il a déjà été en jugement trois fois. La première fois, il avait volé une vache ; mais il eut l'adresse de se faire passer pour fou et il fut acquitté. La seconde fois, il fut poursuivi pour divers vols commis dans des maisons; cette fois, il ne simula pas la folie et fut condamné à quelques mois de prison. La troisième fois, il fut condamné par la cour d'assises pour vol d'une somme d'argent dans une maison habitée..... Lors de l'une de ces condamnations, en allant se remettre en prison, il entra dans la maison d'une de ses voisines, et, pendant que tout le monde était autour du feu, il vola une montre qu'il vit suspendue au chevet d'un lit. » (Dépos., Enjalh.)

A la suite de sa dernière condamnation, Blanc a passé trois années dans la maison centrale d'Aniane; il en est sorti dans le mois d'octobre dernier.

Dès le mois de janvier, nous le retrouvons commettant une série de vols.

Il pénètre, une nuit, chez le sieur C...., et surpris, le lendemain matin, il parvient cependant à s'échapper après s'être donné un faux nom et avoir indiqué un faux domicile. Presque aussitôt après, il vole 33 francs chez le sieur U...; quelques jours après, une blouse et des souliers chez B...; puis, une épaule de mouton, un pantalon, une paire de bas, divers morceaux d'étoffe ou de toile chez R...; enfin, le 15 février, après avoir bu et mangé, une partie de la journée, chez les époux D... et payé sa dépense avec des œufs qu'on sut plus tard avoir été volés, il se retira, vers 9 heures du soir. Mais il n'alla pas loin; car un peu plus tard, au milieu de la nuit, il rentra dans cette maison par une fenêtre. Vers 3 heures du matin, les époux D... réveillés par le bruit, se lèvent, trouvent Blanc et l'arrêtent. Sur leurs interpellations l'intrus leur dit simplement au premier abord : « *C'est moi, je voulais aller me mettre au lit.* »

Malheureusement il ne trouve que des incrédules ; on le prend bel et bien pour un voleur et on se met en devoir de s'assurer de sa personne.

Blanc cherche d'abord à fuir ; mais voyant que ce serait difficile, sinon impossible, il devient suppliant, prie qu'on le laisse partir, et promet aux époux D... de consentir à leur profit une obligation de 300 francs, on refuse ; alors il veut vendre chèrement sa liberté, lutte, frappe, essaye à diverses reprises de fuir, réussit même une fois à sortir de la maison, mais est repris presque aussitôt. Tous ses efforts sont devenus inutiles par suite de la présence de plusieurs autres personnes venues au secours des époux D... ; et Blanc finit par être garrotté et attaché aux pieds d'un lit, où il reste jusqu'à l'arrivée des gendarmes. — Il faut noter ici qu'à un moment de la lutte Blanc fut frappé à la tête avec un manche d'outil par la femme D...

Nous devons encore signaler ici les particularités suivantes :

D'après le témoin Enjalb..., personne de la commune ne croit que Blanc fils soit insensé. Et le témoin M..., qui habite la même maison que l'inculpé, dit que ce jeune homme, à qui il parlait quelquefois, ne lui avait jamais dit une mauvaise parole, qu'il était fort tranquille et qu'on ne s'était pas douté qu'il n'eût pas joui de tout son bon sens. Enfin Blanc père, associé et complice, paraît-il, de Baptiste, et écroué aussi lui à la prison de Rodez, nous a dit que son fils n'était point aliéné quand il a été arrêté, et quand nous lui avons demandé si maintenant il n'était pas étonné que Baptiste fût devenu fou, il nous a répondu qu'il en était étonné.

Cependant nous devons ajouter ici que, d'après des renseignements donnés par M. le directeur de la maison d'Aniane, Blanc dans les derniers jours de sa détention aurait présenté quelques signes de démence, et que l'on aurait dû, son état pouvant troubler l'ordre des ateliers, le faire placer parmi les détenus inoccupés.

Maintenant suivons Blanc à la prison de Rodez.

Au moment de son arrestation, il a déclaré aux gendarmes qu'il avait nom Blanc Baptiste, qu'il était âgé de 28 ans, était né et domicilié à Calmont et qu'il exerçait le commerce des peaux.

Entré dans la prison de Rodez, quand ses codétenus lui demandèrent si c'était pour vol qu'il avait été arrêté, il répondit que c'était lui qui avait été battu et volé. Il était tranquille, ne disait rien de déraisonnable et se préoccupait seulement de l'épaule de mouton qu'il avait dans son hâvre-sac, demandant qu'on la lui donnât à manger.

Devant M. le juge d'instruction (3 jours après l'arrestation), changement complet. Blanc dit : *Je m'appelle Blanc et Noir ; vous êtes le commis du Pape ; nous allons partir pour Rome ; j'entends les cloches ; le Pape est parti pour l'Angleterre ; c'est moi qui vais être nommé Pape ; j'ai commandé toutes les troupes ;* puis il termina en priant qu'on lui *servît un dinde truffé.*

A partir de ce moment, Blanc n'a cessé de divaguer, répétant surtout les propos décousus que nous venons de signaler. Il resta, d'ailleurs, inoffensif, mangeant bien, causant peu avec ses codétenus, mais parlant souvent seul et à demi-voix.

Pour moi, par suite de diverses circonstances, je n'ai pu voir Blanc qu'environ une quinzaine de jours après son premier interrogatoire. Il m'a abordé avec un certain air de défiance, tournant la tête de côté et d'autre et ne fixant longtemps aucun objet.

Blanc est de taille moyenne; la tête est allongée, la face anguleuse; les yeux sont fauves, injectés, très-mobiles; le regard souvent oblique; la peau est fraîche; le pouls bat soixante-cinq à soixante-dix pulsations environ à la minute. La peau a sa sensibilité normale. Bien constitué, d'ailleurs, Blanc est plutôt maigre que gras; il doit être très-agile. — Il sait lire.

Voici quelques-unes de réponses à mes diverses questions :

D. Votre nom ? — R. *Blanc et Noir.*

D. Répondez sérieusement. — R. *Blanc Baptiste.*

D. Votre état ? — R. *Je suis le pape, je vais remplacer le pape.*

D. Mais le pape est à Rome? — R. *Le pape est en Angleterre, je vais le défendre.*

D. Vous venez de dire que vous alliez le remplacer? — Pas de réponse.

D. Où êtes-vous ici? — R. *Au dépôt, en attendant mon départ; les troupes impériales sont déjà parties.* Puis il débite en bredouillant et sans aucune suite les mots *pape, Angleterre, armée impériale.*

D. Quel âge avez-vous? — R. *Trente ou quarante ans, je ne sais pas.*

D. Vous mentez, quel âge avez-vous? — *Quarante ou cinquante ans.*

D. Etes-vous marié? — R. *Je ne sais pas.*

D. Avez-vous des enfants? — R. *Non.*

D. Savez-vous lire? — R. *Oui.*

D. Savez-vous écrire? — R. *Non.*

D. Lisez ce qui est écrit sur la porte. (Il y a sur un papier et en assez grosses lettres : entrée du préau). Blanc regarde un instant.

D. Voyons, lisez : — *Il est perdu, il est perdu.*

Puis Blanc se retourne et regarde sur les murs de la pièce et au plancher.

D. Restez tranquille et répondez-moi mieux que vous ne l'avez fait.

Blanc ne marche plus, mais il remue la tête latéralement et fait claquer la langue à son palais.

D. Savez-vous compter? — R. *Oui.*

D. Comptez alors? — R. *Un, deux, quatre, cinq, six, dix.*

D. Comptez mieux que cela, comptez sur vos doigts? — *Blanc refuse.*

D. Combien avez-vous de doigts à chaque main? — R. *Cinq.*

D. Combien en avez-vous aux deux mains réunies? — R. *Vingt.*

D. A quel jour de la semaine sommes-nous aujourd'hui? — R. *Je ne sais pas.*

R. C'est mercredi, aujourd'hui, quel jour sera-ce demain? — R. *Jeudi.*

D. Et après-demain ? — R. *Mercredi*.

D. Dans quel mois sommes-nous ? — R. *Avril. Je n'en sais rien.*

D. Sommes-nous en hiver ou en été ? — R. *Dans le mois d'août.*

D. Quand on est dans le commerce, comme vous, on doit connaître la valeur des diverses pièces de monnaie, qu'est-ce que ceci (une pièce de 50 centimes) ? — R. *Oh ! c'est blanc ça.*

D. Mais de quelle valeur est-ce ? — Pas de réponse.

D. Et celle-ci, qu'est-ce (une pièce de 10 francs)? — *Oh ! c'est jaune ça.*

« Allons, mon pauvre garçon, lui dis-je en le quittant, vous perdez votre temps ; on dirait que vous voulez faire le fou, mais vous vous trompez à chaque parole que vous dites ; vous ne connaissez pas encore votre rôle. D'abord vous voudriez nous faire croire que vous avez perdu la mémoire; mais ne croyez pas vous-même que les fous n'ont plus de mémoire. »

Lors de ma seconde visite, quatre jours après la première, Blanc émit les mêmes divagations, mais eut un peu plus de mémoire que précédemment : D. Quelle est cette pièce (celle de 50 cent.)? — R. *C'est la blanche ça.*

D. Mais sa valeur? — Après un peu d'hésitation : R. *Dix sous.*

D. Et l'autre (celle de 10 francs)? — R. *La jaune, c'est un louis, peut-être* 10 *francs.*

Je ferai remarquer en passant que, quand on interroge Blanc, il est rare qu'il réponde immédiatement; ou bien il hésite un instant, ou bien il se laisse poser la question une seconde fois.

En lui parlant un peu sec, on fixe assez facilement son attention ; et en notre présence, du moins, il ne parle que quand on l'interroge.

A la fin de la seconde visite, je lui dis : « Blanc, plus je vous observe, plus je trouve que vous jouez une comédie ; vous voulez vous faire passer pour fou bien que vous ne le soyez pas. Savez-vous si un fou est responsable des méfaits qu'il peut avoir commis ? » — Blanc ne veut pas répondre.

« Vous ne trompez personne, et maintenant ce que vous avez de mieux à faire, c'est de ne plus répondre quand on vous interrogera ; d'abord, c'est ce que font souvent les fous ; et puis vous ne vous exposerez plus à tomber dans des contradictions incessantes comme toutes celles que vous avez faites jusqu'ici. »

A la troisième visite, nous ne pûmes presque tirer aucune réponse de Blanc ; il tournait sur lui-même, regardait sur les murs, sur le plafond, levait et baissait rapidement les paupières et faisait claquer sa langue. Il faut lui parler assez impérieusement pour le faire rester tranquille.

Enfin à la question suivante : « Dites-nous ce que vous avez fait pour que l'on vous amène ici en prison ? » Blanc se détourne, regarde le mur, et nous l'entendons dire à demi-voix : — *Moi pas fou, moi pas fou, moi pas fou.*

Dans les visites suivantes, d'ailleurs, nous ne pûmes rien en obtenir. Blanc ne dit plus rien ; il n'émit plus que de rares monosyllabes, et encore ne répondit jamais directement.

Il paraît que, en dehors de nos visites et à l'égard de ses codétenus ou des gardiens, il observe la même règle de conduite ; il évite toute conversation, mais parle quelquefois seul et entre les dents.

Enfin nous noterons encore les faits suivants qui nous ont été signalés par M. le Directeur de la prison et par les gardiens :

En arrivant à la prison, Blanc avait sur lui quelques effets provenant d'un vol qui n'était pas encore connu, une paire de souliers en bon état, une blouse et un pantalon. Quelques jours après, il donna les souliers en échange d'une autre mauvaise paire de chaussures à un détenu libéré qui les emporta en s'en allant. — Un peu plus tard, sous le plus futile prétexte, Blanc entra ou parut entrer en fureur et mit en pièces et pantalon et blouse sans que ses autres effets, à lui appartenant, eussent reçu la moindre atteinte.

On doit se rappeler aussi que, lors de son entrée à la prison, une de ses premières préoccupations était de faire disparaître l'épaule de mouton volée qu'il avait dans son hâvre-sac.

Un jour que Blanc croyait n'être pas vu, il essaya, dans un des coins du préau, de grimper dans l'angle du mur en s'aidant des épaules, des coudes et des pieds ; puis quelqu'un s'étant approché, il cessa immédiatement ses tentatives.

Quelles conclusions tirer de toutes ces données? Blanc serait-il réellement aliéné?

Nous ne voyons nulle part que depuis sa sortie de la maison d'Aniane, et avant son arrestation, Blanc ait donné des signes d'aliénation mentale. Deux témoins, même, l'un, le maire de sa commune et l'autre, son plus proche voisin, affirment qu'il ne passait point pour aliéné. Le père de l'inculpé, qui, pour son propre compte, aurait peut-être eu quelque intérêt à imputer un trouble mental à son fils, dit qu'il avait été étonné quand on lui apprit qu'il avait perdu la raison.

Tous les faits et gestes de Blanc signalés dans l'instruction dénotent une perversion morale profonde; mais on ne trouve rien qui puisse franchement avoir du rapport avec son état actuel.

Reste l'assertion émise par M. le Directeur de la maison d'Aniane; cette assertion est importante; mais il est regrettable qu'elle soit aussi peu explicite. Il nous paraît, cependant, difficile de supposer que le trouble mental manifesté dans la prison de Rodez (en supposant que ce trouble ne soit pas simulé) puisse être lié à celui qu'on a remarqué dans la maison d'Aniane.

Dans tous les cas, comme après ce dernier il y a eu au moins rémission complète, nous n'avons à nous occuper que de l'état actuel de Blanc. Si Blanc est réellement fou, dans quelle catégorie de fous le classerons-nous? Mais, nous dira-t-on, les variétés de la folie sont très-nombreuses, la nature ne les groupe pas, ne les classe pas; toutes les classifications ne sont qu'artificielles et faites après coup. — C'est vrai; mais on a cependant admis un certain nombre de cas, types auxquels tous les autres peuvent être plus ou moins assimi-

lés et dont le cadre et le cercle sont sinon complète-
ment satisfaisants, du moins à peu près suffisants.

Cherchons où nous pourrions classer les faits signalés chez Blanc. Rejetons d'abord, d'emblée, et l'imbécillité ou l'idiotisme, qui sont habituellement congéniaux
ou consécutifs à de graves affections physiques, et la
démence qui n'est le plus souvent que la terminaison
des autres affections mentales ou nerveuses, et enfin, la
paralysie générale dont Blanc ne présente aucun signe.
Serait-il monomane?—Non, on ne peut pas dire qu'il ait
une idée fixe ni même un délire partiel. Tantôt il se
dit chargé de défendre le Pape et de le ramener à Rome
avec l'aide des troupes impériales, tantôt il se dit le
Pape lui-même, ou appelé à le remplacer. Il n'y a rien
de coordonné, rien de systématisé dans ce délire. —
Dans la monomanie au contraire, le malade est toujours conséquent avec lui-même ; il ne varie pas dans
ses assertions ; le point de départ seul est faux, les conséquences sont justes ; et, en dehors de l'idée fixe ou
d'un cercle restreint d'idées fixes, le monomane parle
comme tout le monde. Chez Blanc, non-seulement le
genre de délire qu'il a choisi n'est pas systématisé,
mais à toutes les autres questions que vous pouvez aborder avec lui, vous ne trouvez de sa part que réticences,
hésitations, souvent même refus de répondre ou encore
réponses absurdes, invraisemblables.

Passons à un délire plus étendu, la lypémanie. « La
lypémanie est une folie avec dépression générale et sentiment pénible et de nature triste (1). » Là, quoique plus

_____

(1) Baillarger. — *Leçons orales.*

étendu, le délire a encore des limites ; les lypémanes
sont poursuivis par des idées de persécutions, des idées
hypochondriaques, des idées de possession démoniaque
ou de damnation ; on veut les empoisonner, on leur en-
lève le cœur, le cerveau, leurs attributs sexuels, etc., etc ;
toutes idées qui souvent sont accompagnées, alimentées
même par des hallucinations diverses plus ou moins
fréquentes, plus ou moins intenses. Dans certains cas, le
malade est davantage absorbé par ses conceptions délirantes, et tombe dans un état de stupeur profonde ;
c'est le seul cas où il soit quelquefois impossible de sonder ses préoccupations maladives. La plupart du temps,
d'un autre côté, la lypémanie, surtout au début, s'accompagne de troubles gastriques prononcés. — Blanc n'a
jamais présenté de conceptions délirantes de nature triste.
Son attitude n'est même pas celle de la tristesse. Il est
préoccupé ; mais il n'est pas triste ; il est encore moins
stupide. D'ailleurs, en dehors des idées qui sont le fond
de son délire, le lypémane, habituellement du moins,
répond aux questions qu'on lui pose et souvent y répond juste. Et dans tous les cas, si par des questions
on le fatigue et on l'ennuie, il reviendra sur les objets
qui le préoccupent, ou même aimera mieux se taire que
de répondre des non-sens.

Arrivons à une forme dans laquelle le trouble mental
est plus mobile, plus généralisé. La manie est une folie
caractérisée par de l'excitation cérébrale, de l'agitation, des emportements, des conceptions délirantes et
des hallucinations. — Il n'y a point de dépression dans
l'état de Blanc ; mais il n'y a point non plus d'excita-

tion; il n'y a point d'expansion de son délire. Les quelques idées fausses qu'on pourrait regarder comme
folles, il ne les met en avant qu'avec une certaine hésitation. Quant aux autres absurdités qu'il débite, on ne
les retrouve jamais chez le véritable fou ; on les retrou-
verait à peine dans le délire aigu, dans le délire des
affections fébriles. Quand on lui demande son nom, un
maniaque répond, je n'ai pas de nom, je suis Dieu, je
suis Napoléon, et souvent une minute après, il ne se
souvient plus de ce qu'il a dit. De même si on lui demande son âge, il dira ; j'ai cent ans, j'ai mille ans, je
n'ai pas d'âge, je suis mort une fois, je ne mourrai plus.

Très-souvent aussi on arrivera à fixer son attention ;
et alors il répondra juste. Mais quand on manifeste des
troubles de la mémoire analogues à ceux dont Blanc
nous a donné des exemples, on ne doit plus savoir se vêtir, on doit oublier de manger, ou au contraire demander continuellement des aliments ; on est poursuivi par
des insomnies ; on tourmente ses voisins; on rit, on
pleure, on chante, on est, en un mot, en proie à une
grande agitation. Blanc n'est pas plus maniaque que
nous ne l'avons trouvé monomane ou lypémane.

Chez l'inculpé, d'ailleurs, il paraît que la mémoire
est assez complaisante. Aujourd'hui, il croit qu'il est
bon de n'en point avoir, et il n'en a pas ; demain, au
contraire, elle lui serait utile, il en aura. Elle s'exerce
chez lui quand on lui fait voir qu'il peut en avoir sans
inconvénient pour son rôle. Il s'imagine probablement
que non-seulement un fou doit répondre le contraire
de ce qu'on lui demande ; mais que souvent encore il

doit avoir perdu la mémoire, et alors il fait un jeu de mots à propos de son nom ; il ne sait pas son âge ; il ne connaît pas la pièce de monnaie la plus usuelle. — Puis vous lui dites que ses réponses sont extraordinaires, et qu'un fou les aurait faites autrement et se serait rappelé ce qu'on lui demandait ; et quelques jours après, quand vous questionnez Blanc, il vous répondra plus nettement et fera preuve qu'il se souvient. — Quand dans une de nos visites, Blanc, alors que je lui parlais de toute autre chose, me dit : *Moi pas fou, moi pas fou*, c'est bien là encore une réminiscence, et une réminiscence de choses récentes, celle qui précisément disparaît le plus facilement d'une mémoire lésée.

Grâce à cette heureuse mémoire, Blanc peut encore, suivant son intérêt, changer la forme de son trouble mental. Quand je lui ai dit que ce qu'il avait de mieux à faire, c'était de ne plus parler, il s'est bien gardé de l'oublier. — Cette modification dans l'état de Blanc est, d'ailleurs, par elle-même un fait capital ; et, à moins d'être le résultat d'une étrange coïncidence, elle est un signe accusateur à invoquer contre la manière d'être de l'inculpé. Outre l'action de la mémoire, on y rencontre encore l'exercice régulier de la volonté. L'aliéné n'est pourtant pas maître de lui. Ou si, dans quelques cas curables, il devient maître de lui, c'est quand il s'améliore, quand, à l'instigation des conseils qu'on lui donne et du traitement qu'on lui fait subir, il réagit contre la maladie ; et encore, dans ce cas-là, la lumière se fait-elle souvent malgré lui.

Mais l'aliéné n'est jamais maître de modifier à son gré la forme de sa maladie. Si dans la folie on rencontre quelquefois des transformations, elles s'opèrent malgré le sujet. Elles font tantôt partie du caractère même de la maladie et suivant un mode déterminé comme dans la folie circulaire; tantôt elles sont un accident dans la maladie, et dans ce cas sont toujours produites par de violentes commotions physiques ou morales.

Le début même de la prétendue folie de Blanc s'est manifesté beaucoup trop brusquement. Il faudrait admettre, comme cause déterminante, une forte émotion morale, et Blanc est trop habitué à l'intervention de la justice dans ses affaires pour en avoir éprouvé une lors de son arrestation; ou bien il faudrait supposer une cause physique comme des coups, une violence, une chute sur la tête, etc. Blanc a été battu et a reçu des coups sur la tête; mais il est impossible de supposer que ces coups sont pour quelque chose dans l'état qu'il présente aujourd'hui. Ils auraient produit immédiatement, soit une violente commotion cérébrale, on n'a point noté que Blanc, dans sa lutte contre les époux D.., ait eu le moindre étourdissement, la moindre perte de connaissance; il a toujours lutté avec présence d'esprit, lutté quelquefois avec avantage, le nombre seul a pu le réduire; soit encore un travail inflammatoire ou congestif dans les organes cérébraux, et rien de semblable n'a été observé chez l'inculpé.

Avant comme après l'interrogatoire fait par M. le juge d'instruction, il n'a présenté aucun signe de maladie physique et toutes ses fonctions (sommeil, circulation, digestion) s'exécutaient avec la plus grande régularité.

La folie se développant spontanément et à la suite de causes prédisposantes, sans l'intervention d'une cause occasionnelle très-puissante, ne débute jamais aussi brusquement.

Résumons les termes principaux de cette discussion et concluons :

Le trouble mental affecté par Blanc n'est assimilable à aucune des affections mentales connues ; l'apparition brusque du mal, les propos décousus malgré la conservation des diverses facultés intellectuelles, l'absence d'excitation et de dépression, l'exercice régulier des fonctions physiques, l'état normal de l'innervation périphérique, le prouvent suffisamment.

L'état de Blanc n'est même pas compatible avec l'idée générale de folie ; la tentative de faire disparaître des objets compromettants, les caprices de la mémoire d'accord avec les intérêts du sujet, la transformation inqualifiable de la maladie, sont autant de faits qui nous montrent que Blanc n'est point absorbé par ses conceptions délirantes comme il voudrait nous le faire croire, qu'il a conscience de son état et qu'il est maître de diriger sa volonté.

En un mot, Blanc n'est point aliéné comme il cherche à le paraître.

Rodez, le 1er mai 1863.

Par jugement en date du 22 mai 1863, le tribunal de Rodez a condamné Blanc Baptiste à dix ans d'emprisonnement et dix ans de surveillance.

Les deux observations suivantes me sont fournies par M. le docteur Prosper Lucas, médecin en chef à l'hospice de Bicêtre.

Vingtième observation. — Le nommé Migaut, voleur de la pire espèce, a feint à l'hospice de Bicêtre des accès de mélancolie suicide, alternant avec de l'excitation maniaque. Ce voleur est venu à cinq ou six reprises dans cet établissement, d'où il a chaque fois, excepté la dernière, réussi à s'évader. Il venait d'être condamné à vingt ans de travaux forcés, pour plusieurs tentatives de meurtre et trente-deux vols. Le jour de son jugement, il dit au président qui prononçait l'arrêt : *Je me f... de vos travaux forcés ; Je ferai ce que j'ai déjà fait et je trouverai bien moyen a'être ramené à Bicêtre où je serai mieux qu'au bagne.* Il se remit, en effet, à jouer l'insensé et au bout de peu de temps fut reconduit à Bicêtre. Mais, soumis à une surveillance infatigable et à certaines rigueurs que sa mauvaise conduite forçait de lui infliger, il se lassa bientôt de ce régime de vie, demanda son avocat, et lui déclara : qu'il n'avait jamais été fou que pour la forme et dans l'espoir d'une nouvelle évasion ; qu'on le rendait si malheureux à la Sûreté, qu'il aimait mieux le bagne et qu'on l'y fît conduire.

Vingt-et-unième observation. — Un autre cas de simulation a été présenté par un nommé Loguet. Il était, lui aussi, voleur de profession, d'une rare intelligence et d'une habileté consommée : il a été ramené sept à huit fois à Bicêtre et il a toujours eu l'art de s'en évader. La police, chaque fois, l'y reconduisait sous un nom supposé, et chaque fois son identité ne fut

prouvée qu'à Bicêtre. Il avait pris comme type de simulation, la monomanie de la découverte du mouvement perpétuel, délire dont il remplaçait parfois la
fiction par celle de l'épilepsie. « Mais, assure le surveillant Gallet, je suis intimement convaincu qu'il n'é-
tait ni fou ni épileptique ; l'incomparable adresse qu'il
mettait à préparer ses évasions, à les accomplir, à se
dérober à toutes les recherches de la police, à défaut
d'autres preuves, ne permettraient pas de douter. »

Vingt-deuxième observation. — M. le docteur H. Dagonet, médecin en chef à l'asile de Stéphansfeld en
nous écrivant au sujet des faits qu'il avait pu rencontrer
relatifs à notre sujet, nous mentionne le fait suivant.

Ce savant médecin n'a été à même d'observer qu'un
seul cas de simulation chez un individu accusé de vol
et de quelque autre méfait et qui voulait se soustraire à
une peine de trois ou quatre mois de prison à laquelle
il a été condamné plus tard. En prison déjà on avait des
doutes sur la réalité de sa folie ; comme il était dangereux, on le fit néanmoins conduire à Stephansfeld. On
ne tarda pas à s'apercevoir du rôle qu'il cherchait à
jouer. Il simulait une sorte de bêtise turbulente, répondait de travers aux questions qu'on lui adressait et
quelquefois ne répondait pas quand il était embarrassé.
Sa figure portait l'empreinte de l'astuce, et rien qu'à
observer sa physionomie, on pouvait concevoir des
doutes. Quoi qu'il en soit, on le mit aux bains. On lui
donna une douche et on lui dit très-sérieusement qu'il
aurait la douche chaque fois qu'il recommencerait à

dire ou à faire des bêtises. Il se le tint pour dit. A la prison, il voulut de nouveau recommencer ; mais le directeur averti fit exercer à son égard une très-grande sévérité ; comme il faisait ses ordures par terre, il lui en fit frotter la figure. Ce misérable cessa son jeu de guerre lasse.

Voici le résumé d'un rapport médical fait par M. le docteur Morel sur un cas de simulation de folie et inséré dans les *Annales médico-psychologiques* (1857).

Vingt-troisième observation. — Dérogier, se disant Dérozier (Pierre), âgé de quarante et un ans, marchand forain, accusé de douze vols commis dans autant d'églises différentes, des arrondissements de Dieppe, Neufchâtel, Andelys, Mantes et Beauvais, présente des symptômes d'aliénation mentale. M. le docteur Caron, médecin des prisons de Neufchâtel, constata qu'il était, à n'en pas douter, atteint d'une altération des facultés intellectuelles.

Le Président des assises (session ordinaire de 1856), commit M. Morel, médecin en chef de l'asile d'aliénés de Saint-Yon, pour examiner de nouveau l'état mental du nommé Dérogier.

Dérozier est un homme d'un tempérament sec et nerveux, d'une taille moyenne et dont l'apparence extérieure dénote la santé. Amené en notre présence, le prévenu n'abandonne pas les tics qui lui sont habituels depuis sa détention. Il fait un mouvement de balancement latéral ; ses yeux sont perpétuellement voilés par le clignotement des paupières ; son regard ne se fixe sur rien ; il obéit à ce qu'on lui demande, s'asseoit sans difficulté, mais ne peut rester en place. Il se lève, se replace sur sa chaise, jette un regard furtif dans les coins de la chambre, marche avec précaution, tourne sur lui-même et semble être en proie à des sentiments de crainte et de défiance. Dérozier s'imagine en effet qu'on veut *lui faire du mal, lui jouer quelque mauvais tour*. Le nom d'un certain *Chapoteau* qui lui *a volé* 35 *millions et qui doit être fusillé*, revient perpétuellement dans ses discours incohérents. Ses craintes du moment se rapportent à ce qu'affirment ses gardiens, à des idées d'empoisonnement. Il refuse de manger et n'accepte sa nourriture qu'après l'expérience de la dégustation par un gardien. Il a encore une autre habitude, celle d'arracher à ses camarades de détention le pain qu'ils portent à la bouche. Ceux-ci le laissent faire ; ils regardent généralement Dérozier comme un pauvre fou digne de pitié ; ils s'en amusent aussi et se plaisent à exaspérer l'espèce de terreur que semble lui inspirer la vue d'un chat. Lorsque Dérozier a été poussé à bout, il se fâche. Il a cassé les carreaux de sa prison et a menacé de frapper. Il a suffi d'un simple rappel à l'ordre de la part du gardien pour qu'il ne se livrât plus à des actes de ce genre. Lorsqu'on lui parle de Quatre-mares pour faire allusion à sa folie, il tourne sur lui-même en disant : *Je ne suis pas fou..... Les fous ne tournent pas*. La nuit, il est tranquille ; le gardien de ronde l'a trouvé plusieurs fois assis sur son lit ; mais, dans d'autres circonstances aussi, il a constaté qu'il était endormi.

L'existence de jour de Dérozier, dans la cour de la prison, est celle de quelques aliénés automatiques et extravagants; il est assis dans un coin, n'adresse la parole à personne, se balance de droite à gauche ou d'avant en arrière; il ramasse des fétus de paille, des plumes et d'autres ordures, les fourre dans son bonnet ou s'en coiffe la tête; ses yeux sont continuellement demi-fermés et le clignotement de ses paupières donne à sa figure une expression indécise.

Au point de vue des fonctions physiologiques l'état de santé était normal. La peau est fraîche; le pouls ne présente aucune déviation de son rhythme habituel. Quoique la parole soit un peu hésitante, le prévenu n'offre aucun symptôme de paralysie générale. Le léger tremblement vermiculaire de ses mains, lorsqu'on lui fait étendre le bras, ainsi qu'un peu de trémulation dans la langue, pourraient tenir à des excès alcooliques antérieurs; mais ce n'est là qu'une supposition. La sensibilité générale de la peau n'est pas lésée; Dérozier est sensible à la douleur lorsqu'on le pince. Toutes ses fonctions physiologiques, en un mot, paraissent bien s'exécuter. M. Morel a dû donner une attention particulière à l'examen des fonctions physiologiques, vu que les appréciations du prévenu à propos des millions qu'on lui a volés, ainsi que des fabriques qu'il possède, pourraient se rapporter au délire des paralysés généraux. Dérozier n'offre aucun embarras dans la marche; il progresse en vacillant, il est vrai; il se tient plus ou moins courbé, porte la tête basse; mais il n'y a dans ces phénomènes de tenue extérieure aucun sym-

ptôme maladif, rien, en un mot, qui ressemble à la
paralysie progressive des aliénés.

Nous avons reproduit (page 103) l'interrogatoire que
M. Morel lui a fait subir.

Notre ancien chef de service essaya ensuite si Dérozier serait plus raisonnable dans ses actes et le pria
d'écrire à son père qu'il disait être à Beauvais. Dérozier
demanda s'il fallait écrire de la main droite ou de la
main gauche. Il faisait aller alternativement sa plume
de l'une à l'autre main, en écrivant assez lisiblement, de
l'une ou de l'autre manière, des mots absurdes, sans
suite et sans liaison. Quand on le pria de lire, il ouvrit
un livre, le tint à l'envers et lut le produit de sa phra-
séologie ordinaire. On replaça le livre à l'endroit et il
lut toute autre chose que ce qui était dans le texte. En
quittant la chambre, il ne manqua pas de faire quelque extravagance. Il prit le chapeau de M. Morel, le
mit par-dessus son bonnet, se saisit du livre, puis se mit
à tourner sur lui-même; il offrit ensuite une poignée
de main à M. Morel en lui demandant, comme s'il le
reconnaissait subitement, comment cela allait depuis
qu'il ne l'avait vu à Beauvais.

Après l'examen psychologique de l'interrogatoire
où il établit que les aliénés les plus incohérents ne per-
daient pas et ne pouvaient pas perdre certaines idées
en dehors desquelles la pensée humaine est impossible (voir plus haut p. 111), le médecin en chef de
Saint-Yon se livre à la discussion diagnostique du cas
qu'il a sous les yeux et démontre que Dérozier n'est
pas paralysé général. Son prétendu délire des richesses

se résume dans une phrase banale qu'il émet sans la rattacher à aucune idée systématique de délire ambitieux. Il n'est pas davantage un maniaque à délire général. Les malades de cette catégorie, dans la période aiguë de leur affection surtout, divaguent sur toutes choses, avec toute l'impétuosité des aliénés dans le cerveau exalté desquels se créent des images sans nombre, des sensations confuses comme dans le rêve ou dans l'ivresse. Il faut y joindre aussi des illusions et des hallucinations diverses. Dérozier n'est nullement un dément. La démence est ordinairement la forme terminative d'une affection mentale antérieure.

A dater du 12 mars 1856, alors que l'instruction devenant de plus en plus accablante contre lui, Dérozier avait subitement refusé de répondre au juge d'instruction et avait gardé un mutisme absolu, on ne pouvait non plus regarder Dérozier comme un imbécile de naissance. C'était un marchand forain parfaitement intelligent. Quant à la monomanie du vol, M. Morel ne saurait la reconnaître comme une entité pathologique spéciale, ce n'est qu'un symptôme d'une maladie principale qui se trouve écartée par la discussion des différents actes.

La conviction de M. Morel était formée quand un nommé Hatté, détenu avec Dérozier à Neufchâtel, avoua que ce dernier lui avait dit qu'il ferait le fou.

M. Morel conclut que Dérozier simulait l'aliénation et la simulait maladroitement comme un homme qui n'a jamais vécu dans le milieu des asiles et qui ne les connaît pas.

Toutefois le jury n'ayant pas osé décider à cause de
l'opposition des deux certificats médicaux, M. Morel
fut invité à examiner de nouveau Dérozier pour la session suivante (novembre).

Les actes présentent peu de modifications. Le seul
changement qui se soit opéré dans l'état de cet individu est une douceur très-grande de caractère. Au commencement d'octobre encore, Dérozier avait fait des
scènes de violence et de menaces. Il est devenu progressivement plus docile et plus malléable. Il obéit à
toutes les injonctions qui lui sont faites, et il est devenu plus communicatif à l'égard de ses codétenus avec
lesquels il fait souvent sa partie de dames.

Sous le rapport de son langage et de ses idées, Dérozier est toujours aussi incohérent, il se dit le *roi de
Beauvais*. On remarque rarement en aliénation une amélioration notable dans les actes d'un individu sans qu'il se
manifeste aucune modification dans les idées. En outre,
à moins d'admettre l'état absolu d'hébétude et de démence, il n'est pas ordinaire qu'un aliéné chez lequel
l'invasion de la folie est aussi récente, puisse vivre dans
le même état intellectuel sans qu'aucun changement,
si peu sensible qu'il soit, n'ait apparu dans la situation.

La folie, lorsque cette maladie ne guérit pas, se déroule
avec des phases diverses et suit ordinairement une marche progressive. Il y a, dans cette marche, des périodes
de rémittence, des alternatives de raison et d'égarement, un ensemble, en un mot, de phénomènes complexes qui constituent dans leur développement, leur

coordination et leur dépendance réciproque, les caractères essentiels de la maladie.

Rien de semblable chez Dérozier qui est toujours im-
perturbablement le même et qui ne peut rester ainsi
que par une volonté des plus énergiques. Mais cette
volonté ne peut lui faire éviter des inconséquences et
des contradictions qui ne sont pas dans la nature de
l'aliénation.

Désireux d'éclairer sa conscience et celle des juges
dans un cas, où s'il s'agissait de la condamnation d'un
homme, M. Morel éthérisa Dérozier, le 15 septembre
1856. Cette phase fut remarquable par une excitation
et une gaieté des plus bruyantes ; l'hébétude ordinaire
de sa physionomie avait été remplacée par l'expansion
la plus franche. On aurait dit que le prévenu avait ôté
son masque. Il n'avait plus que le délire produit par
l'alcool. Ce délire était bruyant, obscure et menaçant ;
il pouvait, jusqu'à un certain point, donner une idée
du caractère antérieur de cet homme, de ses mœurs et
de ses habitudes ; mais il n'était pas l'indice d'un délire d'aliéné.

M. Morel persista dans les conclusions du premier
rapport. Le 4 novembre 1856, Dérozier comparut avec
les décorations dont il s'affublait et avec le bonnet orné
de plumes qui couvrait sa tête. Après la déposition de
M. Morel, M. le docteur Caron, médecin de la prison
de Neufchâtel, abandonna ses premières conclusions et
accepta la simulation. Ces dépositions agitaient le prévenu et même l'exaspéraient. Sur les admonestations du
président, il se calma.

Le jury rendit un verdict de culpabilité sans circonstances atténuantes, et ce malheureux fut condamné
à vingt ans de travaux forcés.

La folie de Derozier disparut avec la condamnation.
Rentré dans sa prison, il cessa son rôle d'insensé, abandonnant son titre et ses insignes et regrettant la peine
et le tourment qu'il s'était donnés en vain durant neuf
mois entiers. Il jeta ses plumes et ses décorations et ne
voulut plus de la qualité de *roi de Beauvais*.

Il dit que plusieurs fois à l'audience la pensée lui
était venue de songer à sa défense et de contredire certaines allégations du ministère public qu'il croyait
erronées ; mais il avait fait tant d'efforts jusque-là pour
paraître fou, ses illusions lui faisaient tellement croire
qu'il présentait l'aspect véritable d'un insensé qu'il
n'avait pu se résoudre à interrompre ses gestes et ses
cris. Il aima mieux poursuivre jusqu'à la fin la rude
tâche qu'il s'était imposée avec une patience et une
persévérance extraordinaires.

Enfin, voyant que désormais pour lui il était inutile
de se mettre davantage l'esprit à la torture, il a jeté le
masque et a fait aux gardiens ses excuses de toute la
peine et le dérangement qu'il leur avait causés. Il s'est
exprimé en des termes qui étaient loin de dénoter une
intelligence affaiblie. Il a même demandé à voir M. Morel et lui a avoué les impressions pénibles qu'il ressentait en simulant. Nous citerons plus loin les paroles de
Derozier à l'appui des efforts que nécessite la simulation.

J'emprunte textuellement aux *Archives cliniques des maladies mentales et nerveuses*, publiées par M. Bailrger, les deux faits suivants dus le premier à M. le docteur Renaut du Motey, le second à M. le docteur Valery Combes.

Vingt-quatrième leçon. — A... Pierre, frère novice des écoles chrétiennes, natif d'E... (Aveyron), âgé de 22 ans, placé d'office, le 19 mars 1857, à l'asile d'aliénés de Rodez, dont j'étais alors directeur médecin, est sorti de cet établissement le 2 avril suivant.

Dans les pièces du dossier de ce jeune homme figuraient deux certificats provenant de deux médecins connus et exerçant dans une grande ville. D'après ces certificats, A... depuis la nuit du 9 au 10 janvier 1857, était affecté de l'état que je décrirai plus bas, et qui était qualifié d'aliénation mentale. Pendant cette nuit, A... avait lutté contre plusieurs voleurs qui s'étaient introduits dans sa communauté et les avait mis en fuite. La cause de la maladie d'A... était évidemment l'impression éprouvée par lui dans cette aventure. Cette maladie, réfractaire à tous les moyens pharmaceutiques, ne pouvait être traitée convenablement que dans un asile d'aliénés.

A... fut amené à l'asile par deux frères. Dès que ces religieux furent partis, il me dit que son supérieur était un ingrat. On aurait dû, ajouta-t-il, me placer dans une maison de santé et non dans un asile. J'ai contracté une affection nerveuse des plus graves en rendant un service signalé à ma communauté. D'ailleurs, je ne suis pas fou : ma maladie me prend le soir et me quitte le matin.

Aussi intrigué par les deux certificats médicaux que par les paroles du malade, je me mis à observer A... avec le plus grand soin.

Chaque soir, vers 8 heures et demie, après avoir subitement éprouvé une secousse comme électrique qui arrêtait sa conversation s'il parlait, sa lecture s'il lisait, A... passait plusieurs fois la main sur son front comme un homme qui souffre de la tête, et se trouvait frappé de surdi-mutité et de manie enfantine. Pendant cet état qui avait beaucoup d'analogie avec le somnambulisme, l'anesthésie cutanée était complète pour certains agents, tandis que la sensibilité de la peau n'était que transposée pour certains autres agents. Si l'on touchait le front d'A... il se grattait la nuque ; si on lui touchait le poignet, il regardait son épaule ; quand on le frappait à gauche, il cherchait à droite la cause de sa sensation. On pouvait, sans qu'il parût s'en apercevoir, le pincer très-fortement avec les doigts et le piquer très-violemment avec des épingles. Il rassemblait tous les objets qu'il trouvait sous sa main, en faisait de petites chapelles, dansant, battant des mains, manifestant une joie et des rires d'enfant ; puis il prenait son chapelet et se prosternait. Si l'on abaissait ses paupières, il s'endormait à l'instant ; si on les relevait, il se réveillait, c'est-à-dire revenait à son état de somnambulisme antérieur. Il ne parlait dans aucun cas, faisant entendre seulement ces sons gutturaux qu'émettent les sourds-muets. Il était insensible aux bruits

les plus forts. Lorsqu'on le faisait lever de son siége
pour le diriger vers son lit, il s'arrêtait machinalement
pour aligner tous les objets qu'il rencontrait, chaises,
tables, etc... Une fois vis-à-vis de son lit, il se déshabillait comme un automate, semblait toujours ne voir
ni n'entendre personne, s'agenouillait une seconde, se
couchait, et s'endormait. Le lendemain, vers 6 heures
du matin, il se levait et s'habillait en état de somnambulisme; puis, tout à coup, soit après avoir fait quelques pas, soit après s'être lavé, il s'écriait : *C'est
passé, la crise est finie.* Il revenait à lui, en effet;
mais c'était en vain qu'on essayait de lui rappeler ce
qu'il avait fait pendant son accès. Il prétendait ne se
souvenir de rien, et soutenait en même temps n'avoir
pas fermé l'œil de la nuit, bien qu'on eût constaté chez
lui un sommeil parfait. Toute la journée, c'était un
homme intelligent, gai, plein de convenance, parfaitement raisonnable, laissant toutefois percer dans sa conversation des éclairs de finesse moqueuse et de vanité.
Puis, le soir, l'accès revenait à l'heure indiquée pour
durer toujours le même temps.

Ces phénomènes étaient fort singuliers, et mon attention redoubla, d'autant plus qu'en causant avec A...
j'avais découvert que les questions de somnambulisme
et de magnétisme lui étaient familières.

Je remarquai d'abord que cette grave névrose, qui
durait depuis deux mois et demi, avait néaumoins
laissé à A... une santé florissante. Je constatai ensuite
que pendant les accès, bien que les yeux fussent fixes,
les pupilles n'étaient ni dilatées ni immobiles; je con-

statai aussi que les fortes odeurs impressionnaient vivement A... Quelques-unes de ses actions me prouvèrent qu'après les accès il conservait parfaitement le souvenir de ce qui s'était passé pendant leur durée, et qu'en conséquence son somnambulisme était loin de le rendre aussi étranger à une partie du monde extérieur qu'il voulait le paraître. La certitude chez moi avait donc fait place au doute. Cependant, curieux de savoir jusqu'à quel point A... pousserait les choses, je ne manifestai rien de mes opinions, et, je l'avoue, ne me fis aucun scrupule d'inviter aux représentations données par A... la plupart des employés de l'asile. Une sœur de l'établissement voulut même voir un des derniers accès de cette névrose extraordinaire, et cette religieuse ne fut pas un seul instant dupe des jongleries auxquelles elle assista.

Voici, entre autres scènes, quelques-unes de celles dont A... nous rendit témoins. Je lui écrivis quelques mots, et, ce qu'il n'avait pas fait jusque-là, il indiqua par signes qu'il les comprenait. A force de le presser, de le tourmenter, je lui fis faire une addition et une multiplication. Je traçai une tête et il y ajouta quelques traits plaisants. Il joua sur un accordéon, juste et en mesure, un air entier. Tout en jouant il approchait l'accordéon tantôt de l'une, tantôt de l'autre oreille, et manifestait un étonnement burlesque de n'entendre aucun son.

Je lui frappai les épaules, le front, la poitrine très-ostensiblement, et il attribua les coups que je lui donnais à un livre, à un tablier, à une clef, à une chaise, et se mit à frapper ces objets pour les punir, comme un enfant ferait à sa poupée. Il déposa la lampe par terre et en approcha ses deux pieds, comme il l'eût fait d'une cheminée. Il mit dans la poche d'un infirmier des livres, puis s'efforça d'y introduire un tas de linge et même une chaise, etc.

Cependant je soumettais A... à des épreuves peu agréables. Une fois, par exemple, je lui jetai plusieurs verres d'eau à la figure pendant qu'on lui versait de l'eau sur la tête. Surpris à l'improviste, il s'écria : *L'accès est passé.* Mais le lendemain il se plaignit de mon action en disant que les médecins de X... avaient déclaré qu'il courrait de grands dangers si l'on faisait cesser subitement ses accès. Une autre fois, je renouvelai l'expérience d'une manière plus complète, mais après en avoir hautement annoncé l'intention ; il résista et l'accès ne cessa pas.

En outre, dans l'intervalle de ces prétendus accès, je lui avais fait raconter plusieurs fois la lutte soutenue par lui, seul, en chemise et sans armes, dans la nuit du 9 au 10 janvier, contre deux ou trois vigoureux voleurs qu'il aurait mis en fuite, lutte sans contrôle possible, puisque personne n'en avait été témoin, et que la police, malgré ses recherches, n'était parvenue à rien découvrir à cet égard et avait même laissé percer des doutes sur la réalité des faits. Son récit, toujours invraisemblable, avait chaque fois présenté de fortes variantes. La prétendue cause de la maladie simulée n'était évidemment qu'une fable.

Le 28 mars, je fis connaître à A... mon opinion sur

son compte, et je lui annonçai que j'avais demandé sa sortie. Il soutint que malheureusement pour lui je me trompais. Le même jour il dit en confidence à deux préposés, comme je l'ai su après sa sortie de l'établissement, que sa guérison aurait lieu le lendemain, qui était un dimanche. Effectivement, le 29 mars, à la chapelle, il eut la hardiesse de simuler une guérison miraculeuse précédée d'une sorte de secousse électrique, et de s'écrier d'un air d'inspiration : *Je suis guéri de mes accès, et pour toujours.* Je n'ai besoin de dire ni comment fut reçue l'annonce de la guérison miraculeuse, ni comment A... sortit de la chapelle.

Je dois ajouter que sur les renseignements qui me furent demandés et que je fournis, A... fut immédiatement expulsé du corps aussi utile que respectable auquel il appartenait seulement en qualité de novice. Le supérieur d'A..., du reste, avait antérieurement conçu de violents soupçons, que les certificats des deux médecins de X... avaient seuls pu faire cesser.

Quant aux motifs qui avaient pu porter A... à une simulation aussi longue et aussi laborieuse, ils sont fort simples. D'un côté, ce jeune homme était un assez mauvais sujet et avait failli plusieurs fois être renvoyé de sa communauté. De l'autre, plein d'orgueil et d'ambition parce qu'il savait quelque peu de latin, et se croyant appelé à devenir supérieur très-jeune, il trouvait qu'on ne rendait pas assez vite justice à ses talents. Il avait voulu se donner le double mérite d'un grand service rendu et d'une grave maladie contractée en rendant ce service.

Les accès de somnambulisme d'A... jusqu'à ce qu'il se fût enhardi jusqu'à l'absurde, avaient été véritablement joués avec une habileté extrême. Cependant, ils n'ont pu résister à un examen attentif. Il est même certain que si, de prime abord, le moindre sentiment de défiance se fût élevé en moi, j'aurais facilement découvert la simulation dès la première séance ; mais les certificats délivrés, après deux mois d'observation et de traitement, par deux médecins, et la contrariété que manifestait A... de se voir dans un établissement d'aliénés, avaient éloigné tout soupçon primitif de ma part.

Si les somnambules à sens transposés, à seconde vue, etc., étaient séquestrés dans un asile, leur histoire, j'en suis convaincu, se terminerait comme s'est terminée celle du novice A...

En publiant cette observation (1), j'ai voulu aussi donner un exemple du degré jusques auquel les simulateurs de névroses plus ou moins extraordinaires peuvent pousser l'effronterie, lorsqu'ils se figurent qu'on est leur dupe.

Vingt-cinquième observation. — Le 24 juillet 1855, on amenait à l'asile de Saint-Gemmes, deux filles de la campagne, sœurs, et que l'on disait aliénées.

Il y avait, du reste, certificat médical, procès-verbal d'enquête et ordre d'admission.

L'aînée, Marie C..., âgée de 38 ans, célibataire, tissait de la toile. On la dit aliénée depuis deux ans, mais on n'a aucun renseignement sur sa famille, et le certi-

(1) *Loco citato*, p. 73.

ficat médical ne fait rien connaître qui mérite d'être signalé.

Il y a deux ans, cette fille aurait été sur le point de se marier ; mais alors elle continuait à avoir des relations peut-être trop intimes avec un autre homme que le futur époux. Ce dernier eut connaissance de cette particularité, et quelques jours seulement avant l'époque fixée pour le mariage, il abandonna Marie C... Celle-ci crut alors son avenir perdu, et sa raison ne tarda pas à s'altérer. Dans les commencements elle travaillait encore ; mais elle était incessamment obsédée par des idées de mariage ; elle ne rêvait que cela et ne parlait que de cela. Elle porta d'abord ses vues sur le facteur de sa commune, puis sur le maire, puis sur le curé, puis sur le vicaire, enfin sur le premier-venu. Elle ne fut plus alors aussi assidue à son travail, et elle finit même par l'abandonner tout à fait.

Puis, l'agitation allant croissant, elle brisa et brûla les quelques meubles qu'elle possédait ; et, quand ses dernières ressources eurent été épuisées, elle se mit à errer çà et là dans sa commune et les communes environnantes. Souvent elle était à peine vêtue. Elle parlait encore de mariage ; mais de plus elle proférait mille menaces contre ceux qui refusaient de la prendre pour femme, et contre ceux qui, selon elle, l'empêchaient de trouver un parti. Ordinairement ses menaces s'adressaient à quelques personnes de sa connaissance, mais quelquefois aussi c'était à des ennemis imaginaires.

Cependant il n'est pas fait mention qu'elle ait fait le

moindre tort ou le moindre mal à qui que ce soit.

Marie traînait avec elle sa sœur cadette qui paraissait aussi folle qu'elle ; et toutes les deux, refusant obstinément de travailler, et souvent même de répondre aux questions qui leur étaient adressées, s'en allaient tantôt mendiant, tantôt injuriant et proférant des menaces, tantôt provoquant les hommes par des gestes et des propos lubriques, tantôt enfin usant de tous ces moyens l'un après l'autre.

Enfin, trouvées un jour complétement nues, elles sont arrêtées, et on ne tarde pas à les diriger sur l'asile des aliénés.

Mais je reviens à Marie C..., réservant sa sœur pour un examen ultérieur ; Marie est très-brune, bien constituée et de taille moyenne. L'œil est noir, vif et mobile et le regard est provocateur ; la parole est brève ; elle ne répond guère que par les monosyllabes oui et non ; et quand on la questionne sur ses ennemis et sur ses idées de mariage, elle ne répond pas, ou bien elle répète que cela ne regarde qu'elle, qu'elle n'a point fait de mal, et qu'elle ne veut point rester ici. Elle est, du reste, impatiente, frappe du pied en disant qu'elle veut s'en aller, ne peut rester tranquillement assise et ne veut s'astreindre à aucune occupation.

Elle ne peut pas voir ouvrir une porte sans se précipiter de ce côté pour s'enfuir. Elle ne s'enquiert, du reste, nullement de sa sœur, dont on l'a séparée. Plusieurs fois elle a cherché à contenir les filles de service qui voulaient la contenir. En dehors de cela, cependant, elle ne se montre pas violente. Elle ne parle pres-

que pas, et ce que l'on remarque le plus chez elle, c'est
un besoin incessant de mobilité. On n'a noté aucune
hallucination.

Le diagnostic porté par M. le directeur médecin fut :
manie aiguë avec tendances érotiques. Il prescrivit de
grands bains fréquents et prolongés. Ces bains furent
administrés tous les deux jours et durèrent à chaque
fois deux ou trois heures.

Toute la première quinzaine se passa au milieu de la
même agitation. Quelquefois il y eut même du délire
général. D'ailleurs toutes les fonctions s'exécutaient
normalement.

Vers le milieu d'août, les règles parurent et furent
assez abondantes. Soit sous l'influence du traitement,
soit par suite de l'apparition des règles, la violence de
l'agitation diminua graduellement. Il resta bien une certaine mobilité dans les idées et un certain besoin d'aller
et venir sans aucun but, mais enfin il y avait un amendement réel.

Septembre. L'amélioration progresse sous tous les
rapports ; l'attitude de Marie C... est plus calme ; elle
travaille un peu ; demande à voir sa sœur. Ses traits se
sont adoucis, et le regard devient de moins en moins
lubrique. Une nouvelle apparition menstruelle n'amène
rien de fâcheux.

A partir de ce moment, Marie C... est revenue graduellement à la raison et à des habitudes d'ordre et de
calme. Elle a beaucoup pleuré quand on lui a appris
que sa sœur était déjà repartie ; mais elle s'est cependant facilement tranquillisée sur l'assurance que M. le

docteur Billod lui donna qu'elle la rejoindrait bientôt.

Dès le mois d'*octobre*, Marie put être considérée comme convalescente, et elle quitta l'asile le 15 du même mois.

Cette observation n'a rien de bien saillant, mais j'ai dû la citer avant d'arriver à celle de la sœur de Marie C....

Françoise C.... a 35 ans, est célibataire et journalière. Elle est très-brune, vive, alerte, vigoureuse et un peu plus grande que sa sœur; ses traits sont un peu moins accentués que ceux de cette dernière : son œil est également noir et vif, mais le regard n'a rien de provocateur. Toute sa figure respire la naïveté et la bonté. Le certificat médical qui la concerne ne mentionne rien de particulier.

Voici ce qui résulte de l'examen auquel s'est livré M. le directeur médecin. Si l'état mental de Françoise n'est pas tout à fait normal, il ne présente cependant aucune déviation, mais seulement une certain degré de faiblesse.

Sans doute, on avance que cette fille, qui s'était toujours montrée laborieuse, a presque subitement abandonné ses occupations sans motif appréciable ; sans doute elle n'a pas empêché sa sœur de détruire les quelques meubles qu'elles possédaient ; puis enfin, sans ressources, elle a préféré vivre avec cette dernière en vagabonde et en mendiante. On lui reproche bien des desseins de mariages impossibles, et des propos lubriques, et entre autres le suivant : *Pour moi, je n'ai pas besoin de tant de maris, je me contenterai bien de celui de ma sœur.* Enfin, quand elles ont été derniè-

rement arrêtées, Françoise était aussi complétement
nue que sa sœur.

A toutes les questions qui lui sont posées sur sa vie
antérieure et sur les faits qu'on lui impute, Françoise répond avec assez de raison. Elle avoue presque tout ; mais
elle ajoute qu'elle n'a pas beaucoup de tête, qu'elle
aime beaucoup sa sœur, et qu'elle s'est pliée volontairement à tous ses caprices, quelque bizarres qu'ils fussent, non pas seulement pour lui obéir et lui plaire,
mais aussi pour pouvoir la suivre partout ; pour l'empêcher de commettre quelque malheur et empêcher aussi
qu'on ne lui fît du mal. *Je savais bien qu'elle faisait des
folies, mais je ne pouvais lui en vouloir, parce qu'elle ne
pouvait faire autrement ; je savais bien aussi que l'on
me prenait pour une folle, parce que je faisais absolument comme ma sœur ; mais je le faisais exprès, parce
que ce que nous demandions dans les maisons, on nous
le donnait tout de suite pour se débarrasser de nous.*
Quant à ses idées de mariage et au propos que nous
avons signalé plus haut, elle est plus embarrassée, elle
en parle moins facilement et elle rougit beaucoup.
Mais elle dit cependant : *Je sais bien que j'ai dit cela ;
quelquefois il m'est arrivé de me désoler, parce que je
pensais que je ne pourrais plus me marier ; mais la plupart du temps, quand je disais de ces choses-là, je ne
les aurais pas faites, et même je ne pensais pas ce que
je disais ; c'était pour dire comme ma sœur. D'ailleurs
j'ai toujours su que tout cela n'était pas bien, et si, depuis plus d'un an, j'ai mené cette vie-là, ce n'est que
par affection pour ma sœur. Enfin, si l'on m'a trou-*

vée toute nue dans la campagne, voici pourquoi : on nous avait renfermées, ma sœur et moi, dans une salle de la mairie et on nous avait pris nos vêtements, afin que nous ne puissions pas nous en aller. Nous avions peur d'être mises en prison, ma sœur s'est sauvée par une fenêtre, et moi, je n'ai pu faire autrement que de la suivre. L'exactitude de ce fait a été vérifiée plus tard.

En résumé, Françoise ne paraît nullement aliénée. Chez elle l'imitation de la folie n'a point été instinctive ni involontaire; c'est en quelque sorte une simulation. Elle a été poussée à agir ainsi par l'affection qu'elle portait à sa sœur. Il est possible que plus tard il s'y soit mêlé un peu d'attrait pour cette vie errante et cette perspective de vivre suivant son caprice et sans travailler. Si elle s'est livrée à des actes, et si elle a tenu des discours que la morale réprouvait, il ne faut pas perdre de vue que chez elle l'instinct sexuel très-développé par suite d'une forte et vigoureuse constitution physique a été sans cesse excité par les propos et les gestes libidineux de sa sœur. Elle a toujours eu conscience de ce que sa conduite avait de blâmable. Le sentiment de la pudeur est même plus développé qu'on ne le penserait. Elle ne répond aux questions qu'on lui pose qu'en rougissant beaucoup et en baissant les yeux; elle ne nie pas, seulement elle cherche à s'excuser. Il y a chez Françoise un degré de faiblesse mentale, qui n'est pas assez prononcé pour entraîner le libre arbitre.

Pendant les jours qui suivent son entrée, Françoise

ne donne aucun signe d'aliénation; elle répond toujours sensément, se soumet à la discipline de la maison et ne se refuse pas au travail. Elle s'enquiert tous les matins de l'état de sa sœur et demande instamment qu'il ne lui soit point fait de mal, parce que, dit-elle, elle est innocente et ne sait pas ce qu'elle fait.

Elle n'a pas, du reste, varié une seule fois dans toutes les explications qu'elle a données ; aussi M. Billod a-t-il cru devoir la faire sortir dès le 15 septembre, un peu moins de deux mois après le jour de l'entrée (1).

Nous empruntons à la chronique judiciaire la relation d'un fait de simulation de folie qui s'est présenté pendant que nous composions ce travail :

Vingt-sixième observation. — Le 2 juillet 1865 , vers midi, une demoiselle Michel, domestique, demeurant rue Vivienne, surprit, en rentrant dans sa chambre, un individu qui, en la voyant, tenta de se cacher sous le lit. Elle appelle à son secours, on accourut, et l'individu fut arrêté. La fille Michel déclara qu'elle voyait cet homme pour la première fois.

Interrogé par le commissaire de police, il prétendit n'avoir d'autre nom que *le Régénérateur* et demeurer à Villejuif. On trouva sur lui une quantité de prospectus de l'Office de publicité générale, et un modèle de circulaire écrit au crayon et paraissant être l'œuvre d'un fou.

Outre ces prospectus, il était porteur d'un ciseau de

_____

(1) *Loco citato,* p. 229.

menuisier, de forte dimension, d'un rasoir et de deux petits couteaux à lame pointue, instruments pouvant devenir autant d'armes dangereuses.

Le concierge de la maison où cet homme a été arrêté déclara qu'à deux reprises, dans la matinée, il avait passé devant la loge.

Interpellé sur le motif qui l'avait déterminé à s'introduire chez la fille Michel, il prétendit avoir sur elle des droits résultant d'anciennes relations intimes et d'un projet de mariage. Il ajouta qu'il venait lui demander compte de sa conduite et la surprendre en défaut.

Conduit à l'administration de l'Office de publicité, il y était absolument inconnu.

Les allures de cet homme étaient celles d'un insensé.

Dans un premier interrogatoire, il dit : *Je suis sur le point d'entrer dans les ordres ; je demande à rester pendant quinze jours dans ma cellule sans boire ni manger ; c'est la règle, ce matin on a violé mon domicile vour m'apporter des vivres.*

Il dit autre part : *Quand j'aurai fini ma retraite, la lumière se fera.*

Conduit une troisième fois devant le magistrat instructeur et invité à s'asseoir, il répond : *On m'a troublé dans ma retraite ; je ne peux pas m'asseoir, parce que je ne puis communiquer avec personne.*

Le magistrat l'interroge.

D. Où preniez-vous vos repas avant votre arrestation?
— R. *Je ne mange jamais; hier on m'a forcé à manger, ça m'a fait mal.*

D. *Où demeuriez-vous ?* — R. *Un peu partout.*

D. Vous ne vous appelez pas le Régénérateur ; qui donc pourrait fournir des renseignements sur vous ? — R. *Il n'en faut pas ; je n'appartiens plus à la vie.*

D. Comment vous appelez-vous ? — R. *Je ne m'appelle pas.*

D. Où êtes-vous né ? — R. *Je ne puis pas communiquer ; je ne communiquerai que quand la retraite finira.*

Requis de signer son interrogatoire, il s'y refuse en disant que cela lui est défendu.

La justice commit MM. A. Tardieu, Ch. Lasègue et Ladreit de la Charrière, à l'effet de constater l'état mental de l'inculpé et de déclarer si le trouble de l'intelligence dont il semble être atteint est réel ou simulé.

C'est seulement quatre mois après que ces trois docteurs ont pu livrer le rapport dont nous donnons les extraits les plus saillants.

L'inculpé est un homme de haute taille, âgé de 30 ans. Il habitait Villejuif au moment de son arrestation.... Le nom de Régénérateur représentait les facultés supérieures dont les membres de sa famille et lui-même étaient doués. Il avait pour mission de régénérer le genre humain. Parmi ses dons surnaturels, il avait celui de guérir les sourds. A Villejuif, chacun s'empressait de lui donner ce qui lui était nécessaire en retour des services qu'il prodiguait.

Ces idées de supériorité imaginaire, en pleine contradiction avec la situation sociale et intellectuelle des

malades, ne sont pas rares chez les aliénés; elles caractérisent même une des formes de l'aliénation ; mais si
l'aliéné se pose comme un être supérieur, immensé-
ment riche, alors qu'il n'a pas même de quoi subvenir
à ses besoins, s'il prétend être artiste éminent, homme
politique, général ou prophète, il n'hésite pas à dire·
où il était la veille, quelle maison il a habitée, quelles
personnes il a fréquentées, sans même s'apercevoir que
les réponses sont des aveux en contradiction avec ces
grandeurs et ces richesses dont il se déclarait quelques
instants auparavant en possession.

Cet homme n'a pas la physionomie très-intelligente ;
mais il a, à un degré remarquable, la faculté de donner à son visage une expression de stupidité morne
qu'il a conservée pendant près de trois mois. Il cachait
son regard derrière des lunettes vertes qu'il ne quittait
que le moins possible. Ses cheveux longs étaient hé-
rissés sur sa tête et dans un tel désordre qu'il eût été
impossible de les démêler ; ils étaient, comme toute sa
personne, d'une saleté repoussante ; ses vêtements
étaient sales et déchirés ; sa chemise, toujours entr'ouverte, laissait voir sa poitrine. Le prévenu affectait de
n'avoir aucun soin de lui-même et de vivre dans une
indifférence sordide.

Après être resté quelques jours au dépôt de la Préfecture de police, il fut transporté à Mazas et placé dans
une cellule avec trois autres prisonniers. On lui choisit
pour compagnon un détenu intelligent, rusé, qui mit
son amour-propre à extorquer de lui quelques indices.
Il ne put y parvenir. Pendant les premiers jours, le Ré-

générateur fut aussi bizarre, aussi délirant pour ses compagnons qu'il l'était pendant nos visites. Il restait toute la journée sur son lit, lisant avec intérêt quelques livres de voyages que l'aumônier lui avait prêtés ; il refusait de prendre la moindre nourriture jusqu'à trois heures du soir. A cette heure, il dévorait, outre un pain de deux livres, sa portion d'aliments et ce que ses compagnons pouvaient avoir laissé de leur repas.

Au bout de quelque temps, il reprit à peu près les habitudes des autres prisonniers, tout en conservant un mutisme absolu. A ses codétenus, comme à nous, il disait vouloir entrer à la Trappe et demandait qu'on l'y conduisît. Il ne souhaitait point sa mise en liberté et ne désirait qu'une chose, c'était d'être seul pour faire sa retraite. Peu à peu on finit par n'obtenir de lui que quelques phrases vides de sens qui se terminaient toujours par ces mots : *Je veux faire ma retraite.*

Décidés à prolonger une surveillance jusqu'alors improductive, nous demandâmes et obtînmes que le prévenu fût transféré au dépôt de la Préfecture de police. Là, il fut maintenu dans l'isolement cellulaire le plus complet et devint l'objet d'un examen plus souvent répété. Pendant deux mois, le Régénérateur ne s'est pas démenti un seul jour, n'interrogeant jamais, ne se plaignant pas, ne prononçant jamais une parole, même pour demander sa nourriture, et déclarant, quand il était pressé de questions, qu'il était satisfait et ne désirait rien.

Sa santé ne paraissait avoir souffert ni de la saleté,

ni de l'absence d'exercice, ni de l'ennui de la solitude. Sa physionomie avait pris un caractère de plus en plus stupide. Quand on s'approchait de lui, il reculait comme saisi de crainte. Au directeur de la prison, qui lui reprochait d'avoir jeté du pain mouillé par terre, il répondait avec l'air et le ton le plus niais qui se puisse imaginer : *C'est pour les mouches*, et cherchait d'un regard stupide s'il ne découvrirait pas quelques mouches au plafond.

Tout le monde dans la prison finissait par être persuadé que le Régénérateur était bien un aliéné, et qu'il fallait le considérer comme un véritable idiot.

Bien que cette enquête ainsi prolongée ne nous eût fourni aucun élément décisif de jugement, ce délire était si peu d'accord avec les formes connues de l'aliénation, que nous étions résolus d'attendre encore avant de conclure. Le Régénérateur le savait ; nous avions eu le soin de le répéter et de le faire redire par les surveillants. De guerre lasse et voyant que notre ténacité égalait la sienne, il céda le premier et déposa le masque : *J'en ai assez*, dit-il un matin à un surveillant qui lui apportait son pain, *je ne peux plus tenir à la vie que je mène; j'aime mieux tout avouer.*

Il écrivit alors au procureur impérial pour le prier de prendre en pitié sa situation, et fournit avec une sorte d'empressement tous les renseignements qu'on avait vainement sollicités.

En abandonnant son rôle, le prévenu s'est en même temps pour ainsi dire transfiguré; il a déposé ses lunettes ; et son visage, sans être intelligent, n'a plus cet aspect d'imbécillité que nous avons signalé. Il a nettoyé ses habits, et sa tenue est propre et convenable. Il déclare avoir simulé la folie dans l'espérance d'être placé dans une maison d'aliénés et d'en sortir au bout de quelque temps sans passer par les mains de la justice.

.   .   .   .

Le prévenu a une intelligence bornée, mais il possède une puissance de volonté et une ténacité peu communes. Il s'est introduit pour voler dans la maison de la rue Vivienne ; mais, avant d'y pénétrer, il semble que son plan est arrêté d'avance; il doit jouer la folie. Aussi, à peine est-il arrêté qu'il pousse des cris et tient des propos incohérents qui inspirent des doutes sur son état mental aux agents de l'autorité.

... Ce qui le perd, comme presque tous les aliénés simulateurs, c'est qu'il dépasse la mesure et qu'il ne veut pas, dans son parti pris de faire le fou, laisser apercevoir une seule idée raisonnable, etc.

Ce prévenu comparut, le 18 novembre 1865, devant la septième chambre du tribunal de la Seine.

Interrogé de nouveau, il déclara se nommer Jean-Edme Charles; il indiqua son lieu de naissance et le domicile qu'il occupait avant son arrestation, allégations dont l'exactitude fut reconnue.

Il avoua qu'il ne connaissait pas la fille Michel : *J'avais faim*, dit-il, *n'ayant pas mangé depuis la veille. Ayant autrefois travaillé dans la maison, je savais que la chambre de la fille Michel servait en même temps de cuisine, et je m'y étais introduit dans l'intention de dérober quelques aliments; j'avais pris un ciseau de menui-*

sier pour ·forcer le buffet, si je l'avais trouvé fermé.

Enfin, il reconnut qu'il avait été condamné, en 1857, à Clermont, à six mois de prison pour bris de clôture et diffamation; en 1859, par la cour d'assises de la Seine, à cinq ans de prison pour vol, et, en 1864, à Meaux, à six mois pour tentative d'escroquerie, peine qu'il venait de subir.

M. le président, après avoir rappelé les faits, demanda au prévenu s'il persistait dans ses aveux.

Le prévenu, qui était resté la tête courbée et les yeux baissés, se borna à répondre par un signe affirmatif.

Le tribunal l'a condamné à deux ans de prison et cinq ans de surveillance.

CHAPITRE VIII

De la simulation de la folie par d'anciens aliénés et par de véritables aliénés.

Vingt-septième observation. — Le mode dont s'opère le rétablissement n'est pas le même pour chaque forme de folie. — Il y a des aliénés qui guérissent réellement. — Signes de la guérison. — Il est des aliénés ayant obtenu un peu d'amélioration ou ayant subi une transformation morbide qui dissimulent. — Importance de la connaissance de cette dissimulation. — La durée prolongée de la maladie mentale use ordinairement l'organisme et altère l'intelligence. — Ce sont les formes simples qui offrent les plus grandes chances de guérison. — Périodicité des maladies mentales. — Paroxysmes, rémissions. — Intervalles lucides. — Le crime peut conduire à la folie, et réciproquement il peut advenir qu'un aliéné guéri devienne criminel dans toute l'acception du mot. — La folie peut être simulée par de véritables aliénés. — Cette sorte de simulation ne saurait avoir qu'une durée éphémère et est bientôt reconnaissable.

La recherche de la simulation de la folie, telle que je viens d'en exposer les principes, nous paraît comprendre tous les cas qui peuvent se présenter; et les règles que nous avons établies nous semblent suffire pour guider le médecin légiste. Nous ne voyons pas qu'il y ait d'autres moyens à employer que ceux que nous avons développés. Nous pourrions donc considérer notre travail comme terminé. Toutefois, l'examen approfondi des différentes observations que j'ai recueillies, m'a engagé à présenter quelques considérations à part sur certains cas spéciaux qui, au point de vue médico-légal, non moins qu'au point de vue clinique, offrent une importance particulière.

Il s'agit de la simulation de la folie par d'anciens aliénés, par de véritables aliénés, par des imbéciles, enfin de la simulation de la folie dans l'état physiologique de la grossesse. Ces considérations spéciales méritent, à notre avis, de fixer l'attention en dehors de toutes les règles générales que nous avons précédemment exposées, aussi me suis-je déterminé à en faire l'objet de chapitres complémentaires.

M. Baillarger a inséré dans les *Annales-médico-psychologiques* (1853), une observation très-curieuse que je trouve, jusqu'à présent, unique dans la science :

Vingt-septième observation. — La femme A..., âgée d'environ 38 ans, avait usé de violence sur une de ses filles âgée de 10 ans, pour la forcer aux manœuvres les plus odieuses, en lui appliquant de force la tête sur ses organes génitaux. Quelques heures avant le jugement, elle avait donné subitement des signes de folie. M. Baillarger fut requis pour examiner l'état mental de cette personne.

La femme A... avait les manières d'un enfant, le rire niais ; elle prétendait ne pas reconnaître une montre, des pièces de monnaie, un chapeau, etc. ; en même temps elle affectait les gestes les plus bizarres.

A cette première visite, ce médecin demeura convaincu qu'il y avait simulation. Toutefois, ne croyant pas devoir conclure après un premier et court examen, il établit dans son rapport une présomption grave qu'une enquête sur l'état mental pouvait seule confirmer. Par suite de ce rapport, le jugement fut ajourné et la femme A... fut renvoyée à Saint-Lazare pour être examinée par MM. Baillarger et Collineau. D'après les antécédents fournis par le tribunal, il était constaté que cette femme d'une conduite irrégulière tenait une espèce de cantine. La voix publique l'accusait d'avoir prostitué sa fille aînée âgée de 16 à 17 ans.

Interrogée sur l'origine de sa maladie, la femme A... la fait remonter à huit années. A cette époque, elle aurait eu à la suite de pertes d'argent plusieurs accès de folie qui se seraient prolongés chaque fois pendant quinze jours ou trois semaines.

Depuis lors elle s'est aperçue que sa mémoire avait peu à peu diminué; elle affirme avoir eu presque constamment des maux de tête et se plaint surtout d'un sentiment de brûlure au sommet du crâne. La moindre émotion lui fait, dit-elle, monter le sang à la tête; alors ses idées se troublent, elle perd la mémoire et devient comme imbécile; elle a en outre des palpitations de cœur assez fortes.

Elle croit que sa maladie est très-grave et qu'il lui reste à peine quelques années à vivre.

Elle a remarqué qu'en général elle était mieux après l'apparition de ses règles qui ont subi depuis quelque temps d'assez grands dérangements.

Quant aux actes odieux qui lui sont reprochés, la femme A... convient qu'il lui est arrivé une fois, mais une fois seulement, de faire une tentative de violence sur sa fille. Elle ne se rappelle ni à quelle époque, ni dans quelles circonstances, cette tentative a eu lieu; elle avait, dit-elle, la tête tout à fait égarée, elle ne savait pas ce qu'elle faisait; la preuve, c'est que cette

tentative s'est passée en présence d'une personne
étrangère qui s'y est opposée.

Tels sont les renseignements donnés par la malade ;
voici ceux qui ont été fournis par le mari :

Avant son mariage, la femme A... aurait eu des
attaques de nerfs très-violentes. Il fallait quatre ou
cinq personnes pour la maintenir. En 1840, il serait
survenu un véritable accès de folie qui se serait prolongé pendant six semaines, sans nécessiter toutefois
la séquestration dans une maison de santé. Le mari
ajoute que, depuis dix-huit mois, sa femme aurait
donné à Paris des preuves de bizarrerie ; on l'a souvent
surprise riant et pleurant sans motif.

Les personnes, qui à l'infirmerie Saint-Lazare entourent la malade, l'ont toujours vue très-tranquille
et vivant à l'écart. Par moments, et à la suite des émotions les plus légères, elle devient très-rouge, puis fait
des gestes bizarres ; enfin, elle est parfois comme
hébétée.

Tout le monde s'accorde d'ailleurs à dire que sa
conduite a été à l'abri de tout reproche.

Outre les faits qui précèdent, les médecins experts
ont directement observé les suivants :

Le 9 juin, jour où la femme A... devait paraître au
tribunal, cette femme, ainsi qu'il résulte du rapport de
l'un des médecins soussignés, semblait être dans l'état
le plus complet de démence. En même temps cependant, elle lisait très-bien à haute voix et avec suite les
pièces relatives à ses affaires ; elle donnait des explications et se rappelait certains faits, etc...

Depuis lors, à Saint-Lazare, les mêmes scènes se sont renouvelées à plusieurs reprises , mais avec des caractères tels que les soupçons de simulation ont dû se changer en certitude. Ainsi , il est arrivé que la femme A... qui pendant la matinée n'avait rien présenté d'extraordinaire, qui répondait et agissait comme d'habitude, appelée dans le cabinet du médecin, perdait tout à coup toute notion, toute idée, arrivant ainsi au dernier degré de la démence. Quand on lui adressait les questions les plus simples, elle feignait de chercher, puis répondait d'un air niais qu'elle ne savait pas ; elle ne savait plus compter jusqu'à trois, ne connaissait plus l'argent, riait ou sanglotait sans motif, etc.....

L'émotion produite par la visite du médecin ne peut expliquer la production subite de tels symptômes qui portaient d'ailleurs, de l'avis de toutes les personnes présentes, les caractères de la simulation à cause de l'attitude et des gestes bizarres de la femme A...

Depuis le 12 juillet, ces sortes de scènes d'imbécillité ont tout à fait cessé. La femme A..., visitée par les experts, a toujours répondu avec précision et netteté aux demandes qui lui ont été faites ; elle déclare qu'elle va mieux, que sa tête est revenue ; elle est encore émue quand on lui parle ; sa face se colore, elle éprouve des palpitations, mais tout cela n'a plus la même influence sur son intelligence qui reste parfaitement lucide. La femme A..., fatiguée de la détention préventive, demande instamment à être jugée.

De tout ce qui précède , les médecins soussignés croient pouvoir déduire les conclusions suivantes :

1° La femme A... paraît avoir éprouvé divers symptômes cérébraux consistant principalement dans un état d'inertie, d'abattement, de la céphalalgie, de légères congestions cérébrales; peut-être même sa mémoire, comme elle l'affirme, a-t-elle un peu diminué. Cette femme est d'ailleurs très-impressionnable et il est possible d'admettre que, sous l'influence d'émotions très-vives et de la congestion, il y a momentanément un peu de trouble dans les idées. Il serait d'ailleurs très-important de savoir, si, comme l'affirme le mari, il y a eu un accès de folie en 1840.

2° Il est certain que la femme A... depuis sa détention, a simulé à plusieurs reprises un état d'imbécillité dans le but évident de donner plus de force à l'excuse de folie qu'elle invoque.

3° Depuis plus de deux mois, la femme A... a cessé toute simulation, sa raison est complète, et nous pensons qu'elle peut désormais, ainsi qu'elle le demande, être mise en jugement pour les faits qui lui sont imputés.

Les renseignements ultérieurs, obtenus de diverses personnes, ont mis hors de doute non-seulement que cette femme avait été aliénée en 1840, mais encore qu'elle avait un caractère empreint d'une certaine exaltation et de bizarrerie. Il était certain aussi qu'elle avait été sujette, jusqu'à son mariage, à des accès d'hystérie, accès dont sa fille aînée a hérité.

Quoique M. Baillarger ait essayé de faire prévaloir devant le tribunal que les antécédents de cette femme pouvaient être une cause d'atténuation, cette proposition n'a pas été admise et la femme A... a été condamnée au maximum de la peine.

Il n'est pas du ressort du médecin de traiter la question de responsabilité qui appartient au tribunal. Nous avons suffisamment insisté sur le rôle du médecin expert. D'après l'examen des phénomènes, des pièces du procès et des documents divers, il doit constater si l'individu observé était malade ou non au moment de l'acte incriminé, si l'état mental du prévenu était ou est encore intact ou non. Aussi n'avons-nous à aborder que la question de l'intégrité des facultés mentales.

Qu'est-ce donc que l'accès d'aliénation mentale ? Que devient l'intelligence après qu'une maladie mentale a été considérée comme guérie ? Ne reste-t-il plus rien de cet état morbide ? Tous les actes qu'exécute l'aliéné guéri doivent-ils être regardés comme partant d'une détermination libre et raisonnée.

Ce sont tout autant de points de vue qui se rattachent à l'examen de ce fait et de cette observation si intéressante dont l'apparition peut se reproduire à l'expertise du médecin légiste.

Nous avons esquissé à grands traits ce que nous entendons par les mots prédisposition et incubation qui aboutissent à l'invasion ou commencement de la maladie (*initium morbi*). La maladie couronne cet édifice pathologique qui, le plus souvent, s'est élevé peu à peu par l'agglomération d'influences étiologiques diverses, par l'enchevêtrement d'effets partiels qui ont fini par constituer un ensemble propre à l'apparition du mal.

Laissons le délire parcourir son évolution, arrivons à la disparition des phénomènes morbides.

Le mode suivant lequel s'opère le rétablissement n'est pas le même pour chaque forme de maladie ; et si, d'une manière générale, on peut dire que l'affection mentale arrive progressivement à son déclin, là se bornent les analogies. Il faut ensuite recourir à une appréciation clinique plus approfondie ; il faut se reporter à la pathogénie de chaque groupe morbide ou même de chaque individualité, tant les conditions pathogéniques sont loin d'être identiques.

Si l'on veut se rendre compte d'une manière exacte de ce qui se passe chez l'aliéné considéré comme guéri, il faut faire appel à l'examen le plus sévère. Il y a certaines opinions qui courent dans le vulgaire qui ne sont pas dénuées de fondement en particulier, mais qui sont fausses si l'on veut les appliquer en général. Elles ont une certaine valeur parce qu'elles sont appuyées sur quelques faits, mais sur quelques faits seulement. Ainsi celle qui dit qu'un aliéné ne guérit jamais et qu'il ne redevient jamais ce qu'il était avant sa maladie, est une erreur évidemment, si on veut en faire une conséquence nécessaire. Il y a des aliénés qui guérissent réellement et qui redeviennent tels qu'ils étaient avant l'apparition des symptômes. Il y a telles aliénations mentales, rares il est vrai, qui se manifestent à la puberté comme le signal d'une évolution qui s'opère dans l'organisme et qui disparaissent avec le développement de cet état physiologique et qui n'apparaîtront jamais plus. L'individu a obtenu l'établissement intégral de ses fonctions tant physiques que psychiques au prix d'un trouble momentané dans ces deux ordres de phénomènes. Il y a d'autres cas, et ce sont les plus nombreux, où tout se rétablit. Nous ne saurions nier toutefois qu'il n'y ait à l'état latent, l'état somatico-psychique qui constituait la prédisposition. Mais avant l'incubation ce même état a pu exister aussi pendant fort longtemps, quelquefois sans qu'on s'aperçût que l'individu allait être aliéné, sans qu'il y eût obstacle suffisant à la manifestation normale des aptitudes intellectuelles et à l'exercice de la raison. L'aliéné guéri a donc parfaitement conscience de toutes ses déterminations. Il existe en outre chez lui un calme parfait des sentiments ; il parle librement de sa maladie comme d'une chose qui désormais lui est complétement étrangère ; il témoigne aux personnes qui l'entourent sa reconnaissance et sa confiance ; mais il ne fait pas éclater d'une façon bruyante la joie que lui procure sa guérison.

Il est certains cas où l'aliéné, quoique non guéri, mais modifié considérablement par la soustraction des causes diverses qui entretenaient le trouble de son état mental, redevient assez maître de lui-même pour dissimuler certains actes morbides ou du moins pour taire certaines modifications intimes qu'il éprouve encore et même pour réprimer certains faits d'impressionnabilité. A ce moment, en même temps que le trouble fonctionnel a considérablement diminué, le malade a reconquis en grande partie un des éléments essentiels de la santé intellectuelle, la conscience de ce qui se passe en lui. Il se dit guéri, demande la vie de famille, la liberté, se livre à certaines occupations, et il paraît avoir secoué ces préoccupations maladives qui le contrariaient et qui détruisaient chez lui la spontanéité naturelle de l'homme véritablement sain d'esprit.

Combien l'on doit se méfier de pareilles situations mentales qui n'en imposent que trop souvent et font croire à une guérison réelle! Combien de fois n'est-on pas induit en erreur par ces maladies à délire partiel, à mélancolie avec tendances dangereuses, avec perversions instinctives homicides ou suicides!

Bien souvent le calme, la discipline, le régime régulier, les bonnes conditions hygiéniques des asiles ont contraint la sensibilité physique et les manifestations intellectuelles morbides à rentrer dans l'ordre. Les inégalités ont disparu dans la conduite qui s'est plus ou moins modifiée et tout porte à croire à un rétablissement. Il n'en est rien; le malade est arrivé à une autre période de son affection; ses convictions délirantes, d'incertaines qu'elles étaient dans le principe, se sont mieux organisées, et le malade a conquis le talent de la dissimulation. Il faut une discussion sérieuse, prolongée, où l'on cherche à mettre en jeu l'orgueil intérieur du malade pour arriver à faire éclater la véritable situation maladive.

La connaissance insuffisante ou l'ignorance même

de la dissimulation fait dire à l'observateur superficiel qu'il y avait guérison. Il en résulte une erreur très-grave à cause des conséquences malheureuses qui apparaissent dans la vie commune, erreur non moins grave au point de vue médico-légal, puisqu'elle entraîne les magistrats à croire à l'intégrité des facultés mentales. D'après cela, il nous paraît essentiel de distinguer les aliénés guéris de ceux qui ne sont qu'améliorés. L'admission de ces deux catégories en médecine légale est d'une valeur réellement pratique.

Il n'est que l'observation méditée des différentes terminaisons de la folie qui permette d'apprécier ce que deviennent les facultés mentales. Le plus souvent la maladie a duré longtemps et a usé certains modes de la puissance intellectuelle. La prédisposition ne reste pas seule conséquence de la révolution qui a eu lieu, et l'aliéné guéri ne peut vivre de la vie commune comme antérieurement qu'à la condition d'y retrouver des soins affectueux ; mais il n'est pas assez fort pour se soumettre aux fatigues d'une initiative spontanée. Mais même dans ces conditions, où la guérison quoique réelle n'est pas aussi parfaite que dans quelques cas où elle est franche et où l'individu est redevenu identique à lui-même, les manifestations d'une rechute n'ont pas lieu confusément et au hasard par des actes appartenant indifféremment à la période d'invasion ou à la période d'état et sans parcourir de nouveau l'évolution appartenant à toute affection mentale.

De toutes les formes de maladie mentale, celles que

21

nous avons appelées formes mixtes offrent au médecin
aliéniste les plus grandes difficultés. Quant au pronostic, et quoi qu'en ait dit l'illustre clinicien de Gand, relativement à la complication de *l'hystérie, que là où elle
apparaît, elle annonce un état de bénignité* (1), les folies
épileptiques et hystériques sont de véritables protées
et donnent au contraire à la maladie un caractère prononcé de gravité. Leurs manifestations exigent l'examen
le plus approfondi. Les savantes études du docteur
Morel sur l'épilepsie larvée (2) et la distinction si clinique des pseudomonomanies du docteur Delasiauve
nous donnent la clef de la perpétration d'un certain
nombre d'actes criminels qu'on a rattachés à la folie
périodique instantanée, à la folie morale, à la fureur
transitoire, à la manie instinctive, à la monomanie
homicide ou suicide, etc... Les connaissances cliniques
nous apprennent qu'il y a un ensemble de caractères
appartenant à l'état mental concomitant qui peut faire
reconnaître la nature des actes perpétrés.

La distinction que nous avons faite des folies simples, états morbides actifs, passagers, est d'autant plus
importante que ce n'est guère que parmi elles que nous
pouvons obtenir ces guérisons franches et naturelles
qui rendent l'individu à lui-même. Ce sont surtout la
manie, la mélancolie simple, la mélancolie avec stupeur qui présentent les chances les plus grandes de cu-
rabilité. Les autres formes sont le plus souvent les
conséquences d'un travail pathologique ancien. La

(1) *Leçons orales sur la phrénopathie,* T. II, p. 269.
(2) V. *Gazette hebdom. de médecine et de chirurgie,* 1860.

durée de la maladie a une très-grande importance au
point de vue du pronostic. Lorsque la maladie a déjà
duré longtemps, et que les troubles psychiques coïnci-
dant avec une altération organique prononcée ont pris
droit de domicile, il faut une secousse bien forte pour
ramener un rétablissement qui encore n'est que relatif.
Les formes qui apparaissent brusquement disparaissent
brusquement aussi, et bien fréquemment ne laissent aucune trace de leur passage, aucune lésion physique sta-
ble, si ce n'est une disposition à la récidive.

Comme toutes les maladies nerveuses plus que toutes
les autres maladies de l'organisme, les maladies mentales sont sujettes à reparaître après avoir cessé plus ou
moins complétement. Cette périodicité peut avoir lieu
d'une manière régulière ou irrégulière. C'est le dernier
cas qui est le plus fréquent. Ou bien, en présentant
une certaine continuité, l'affection peut se manifester à
certains moments par des paroxysmes. L'intervalle de
ces paroxysmes constitue la rémission. Dans toute maladie aiguë ou chronique comme dans l'état physiologique, la permanence des manifestations est une exception très-rare; aussi ne devons-nous pas être étonné
que les rémissions dont nous venons de parler puissent se présenter dans l'aliénation mentale. Toutefois,
ces alternatives qui apparaissent plus ou moins dans les
diverses périodes finissent par céder devant des intervalles de calme. On est convenu d'appeler intervalles
lucides ces états de la maladie présentant un calme
d'une certaine durée. Ils ont attiré toute l'attention des
législateurs. Legrand du Saulle leur consacre un cha-

pitre très-approfondi dans son livre *la Folie devant les tribunaux*. Les courts intervalles ne peuvent présenter qu'exceptionnellement le rétablissement des facultés intellectuelles. Ce ne sont malheureusement que des alternatives d'amélioration et de rechute qui dégénèrent progressivement en folie systématisée et en affaiblissement intellectuel.

L'intervalle lucide de bon aloi offre les caractères que nous avons attribués à la guérison. C'est la cessation temporaire de l'aliénation mentale.

Le meilleur moyen de s'en rendre compte c'est de comparer tous les phénomènes tant physiques que psychiques qu'il présente à ceux qui avaient lieu avant l'invasion de la maladie. Dans le procès célèbre entre le prince de Conti et madame de Nemours au sujet du testament de l'abbé d'Orléans, le chancelier d'Aguesseau a interprété l'intervalle lucide d'une manière qui laisse peu à désirer.

« Deux conditions nous en découvrent, dit d'Aguesseau, la véritable idée (l'idée de l'intervalle lucide). L'une est la nature de l'intervalle, l'autre sa durée. Il faut que ce ne soit pas une tranquillité superficielle, une ombre de repos, mais au contraire une tranquillité profonde, un repos véritable. Il faut, pour nous exprimer autrement, que ce soit non une simple lueur de raison qui ne sert qu'à mieux faire sentir son absence aussitôt qu'elle est dissipée, non un éclair qui perce les ténèbres pour les rendre ensuite plus sombres et plus épaisses, non un crépuscule qui joint le jour à la nuit, mais une lumière parfaite, un

éclat vif et continu, un jour plein et entier qui sépare deux nuits, c'est-à-dire la fureur qui précède et la fu-reur qui suit. . . . .
et comme il est impossible de juger en un moment de la qualité de l'intervalle, il faut qu'il dure assez long-temps pour pouvoir donner une entière certitude du rétablissement passager de la raison. »

Plus loin d'Aguesseau s'exprime ainsi pour lever l'équivoque que l'on voudrait faire en confondant une action sage avec un intervalle lucide :

« Une action peut être sage en apparence sans que celui qui en est l'auteur soit sage en effet ; mais l'inter-valle ne peut être parfait sans pouvoir en conclure la sa-gesse de celui qui s'y trouve. L'action n'est qu'un effet rapide et momentané de l'âme ; l'intervalle dure et se soutient ; l'intervalle est un état composé d'une suite d'actions. »

. . . .

« S'il était vrai qu'il suffît d'avoir prouvé quelques actions sages pour faire présumer des intervalles lu-cides, il faudrait en conclure que jamais ceux qui ar-ticulent la démence ne pourraient gagner leur cause, et que jamais ceux qui soutiennent le parti de la sagesse ne pourraient la perdre. Pourquoi cela ? parce qu'il faudrait qu'une cause fût bien déplorée pour ne pas trouver au moins quelques témoins qui parlassent d'actions de sagesse. Or, si de cela seul on tirait la conséquence des intervalles lucides, et que, les suppo-sant parfaitement prouvés, on voulût en conclure que le testament doit être censé fait dans un de ces intervalles, le succès ne pourrait jamais être douteux. La conséquence serait absurde ; le principe ne peut donc pas être véritable.

« Vous voyez, messieurs, ce que c'est qu'un intervalle lucide. Sa nature est un calme réel, non apparent ; sa durée doit être assez longue pour pouvoir juger de la vérité. Rien de plus distinct qu'une action de sagesse et un intervalle. L'un est un acte, l'autre un état. »

La rémission ne saurait apparaître de la même manière à l'observateur.

Dans la folie périodique, l'intervalle dure depuis quelques jours, un ou plusieurs mois jusqu'à un nombre d'années indéterminé. La maladie revient avec ses périodes diverses après une incubation qui va en diminuant. Nous pouvons citer comme exemple de périodicité la nommée M..., qui vient de mourir à l'asile de Saint-Yon à la suite d'une pneumonie double du sommet. C'était la quarante-deuxième fois qu'elle rentrait à l'établissement. Sa folie était caractérisée par une très-vive agitation maniaque. Elle pressentait le retour de ses accès et demandait à être réintégrée.

Il est une autre question que l'on ne manquera pas de s'adresser au sujet de la simulation de la folie par d'anciens aliénés. Est-il possible qu'un individu qui a toujours été honnête et dont les principes moraux, résultats de l'éducation et de l'exemple, sont assez solides pour résister aux tendances mauvaises qui pourraient surgir, est-il possible que cet individu soit tellement transformé dans son moral par la maladie mentale dont il a été atteint qu'il soit devenu capable d'être criminel dans toute l'acception du mot?

C'est en effet une question qui intéresse le psychologiste et le moraliste autant que le médecin légiste et le jurisconsulte.

Le crime conduit à la folie par les conditions diverses physiques et morales dans lesquelles se trouve placé le criminel, soit pendant qu'il subit sa peine, soit après qu'il l'a subie. Les excès de toutes sortes et les misères qu'ils entraînent peuvent altérer l'organisme de telle façon que les facultés intellectuelles perdent la puissance qu'elles possédaient auparavant. Ne saurait-on accepter que la folie puisse réciproquement conduire au crime? Malheureusement oui. La criminalité peut suivre la folie. Il faut en chercher la possibilité dans l'élément social lui-même, dans les préjugés qui l'assaillent sans cesse et dans une foule de causes très-puissantes. N'est-ce pas avec la plus grande difficulté qu'un chef d'atelier et qu'un maître prennent à leur service un individu qui a été aliéné? Cet individu est l'objet d'une méfiance continuelle qui n'est quelquefois pas dissimulée. Cet individu est pour ses compagnons un être que l'on doit tenir à l'écart, ou bien à la tête duquel ils jettent comme un reproche la qualification de fou, d'insensé. Mais, même dans sa propre famille, a-t-il tous les égards auxquels il a droit? On conçoit facilement que si l'ancien aliéné n'a pas par devers soi quelques ressources pécuniaires, une certaine aisance, ou s'il n'a pour lui procurer le nécessaire le secours d'une âme, d'une société protectrice, il ne tardera pas à retomber malade, ou bien ce qui arrive assez souvent, il simulera des actes de folie pour être réintégré dans l'asile où il trouvait le bien-être et la considération, ou encore il prendra en horreur les hommes et la société. Après avoir lutté contre les tendances mauvaises, poussé par la faim, par l'envie, par la jalousie, etc... il se procurera les objets qu'il désire au moyen du vol ou d'autres actes criminels. C'est dans ces conditions malheureuses que, pris en flagrant délit, il sera possible que l'aliéné simule la folie pour se faire absoudre et éviter une peine plus ou moins sévère.

Les considérations précédentes nous conduisent à un ordre de faits non moins importants. Ce sont les cas de simulation de folie par les aliénés eux-mêmes.

Au premier abord, une pareille catégorie ne paraît pas admissible. On se fait difficilement à l'idée qu'un aliéné puisse être capable de semblables manifestations volontaires, et dans quel but cela pourrait-il avoir lieu ? L'expérience psychiatrique démontre pourtant que ces faits existent et peuvent se rencontrer. MM. Vingtrinier, Griesinger, Baillarger acceptent la possibilité de pareils cas de simulation.

Voici d'ailleurs comment s'exprime à cet égard Griesinger : « La constatation du fait de simulation n'est nullement une preuve certaine que l'individu jouisse de toute sa raison. Quelquefois les aliénés eux-mêmes simulent la folie, et il y a même pour eux un certain plaisir morbide évident à simuler ainsi. Cette circonstance peut être comparée à une disposition analogue que l'on observe chez les hystériques, mais qui cependant ne lui est pas identique. »

M. le docteur Baillarger, dans une de ses annotations de la traduction de l'ouvrage du docteur allemand par Doumic, ajoute : « J'ai déjà parlé d'un malade qui avait beaucoup embarrassé les médecins experts, lesquels, après trois mois d'examen, n'avaient pas osé déclarer qu'il fût aliéné, ni affirmer qu'il fût sain d'esprit. Or ce malade, après avoir entendu pendant deux heures son avocat plaider pour lui la question de folie, fit des tentatives de simulation. Ces tentatives, à mon avis, ne prouvaient rien contre la réalité de l'aliénation. Je crois donc qu'un homme peut avoir une véritable monomanie dont il n'a pas conscience et simuler dans un intérêt particulier une folie qu'il n'a pas.

« J'ai observé, chez une jeune dame, des accès étranges pendant lesquels elle poussait des cris et faisait toutes sortes de contorsions bizarres. En dehors de ces accès qui étaient fréquents et qui se prolongeaient des heures ou même des journées entières, elle paraissait très-raisonnable. Elle m'a avoué depuis que, au début de ses accès, elle simulait et que tout cela était volontaire, mais que peu à peu sa tête s'exaltait et qu'elle n'était plus maîtresse de s'arrêter.

« Quelque chose de semblable a évidemment lieu dans ces accès d'agitation qu'on observe chez certains hypochondriaques, accès pendant lesquels ils crient, font des gestes bizarres ou se frappent eux-mêmes, comme j'en ai vu deux cas (1). »

(1) Griesinger, *loco citato*, p. 144.

Certains aliénés, dans les asiles ou établissements spéciaux, entendent les médecins faire devant eux des explications sur différents symptômes de la maladie, prédire l'arrivée de tel ou tel phénomène morbide ou de telle ou telle transformation. Ils se mettent à simuler ce phénomène ou cette transformation soit pour dérouter le médecin, soit pour se rendre intéressants. Ils éprouvent du contentement à se créer de toutes pièces des hallucinations qu'ils décrivent à leur manière soit verbalement, soit dans des écrits fort longs. Cette sorte de simulation ne saurait avoir une durée fort longue et par conséquent tarder à être reconnue. En outre, le plus souvent, on distingue bientôt l'invraisemblance de pareils symptômes.

Il résulte de ces faits que le médecin expert peut être en position de démontrer qu'un individu simule la folie et que malgré cela il est bien fou, mais seulement d'une autre manière que celle qu'il simule et que sa folie se reconnaît naturellement à d'autres signes que ceux qu'il met en avant.

CHAPITRE IX

Folie simulée par des imbéciles.

On ne doit pas confondre les fous et les imbéciles. — Distinction de l'idiotie et de l'imbécillité. — Principaux caractères de l'idiotie. — Principaux caractères de l'imbécillité. — Simples d'esprit. — Quelques imbéciles cherchent à simuler ou plutôt à exagérer leur imbécillité. — Vingt-huitième observation. — Vingt-neuvième observation. — On ne saurait trop étudier les imbéciles au point de vue psychologique. — Leurs actes présentent des caractères particuliers. — La ruse est un phénomène instinctif. — On doit y distinguer le but et les moyens employés pour arriver à ce but.

Il est certains déshérités de la nature qui ne sauraient être considérés comme fous ou atteints de folie, *proprie inter dementias non connumerantur*, dit avec raison Paul Zacchias. Ce sont ceux désignés en général sous le nom d'idiots et d'imbéciles. Le médecin romain nous apprend (livre II, tit. I, quest. VII), qu'à cette époque les jurisconsultes avaient établi plusieurs divisions de ces individus, d'après lesquelles ils appliquaient les mesures pénitentiaires. Paul Zacchias distingue surtout deux espèces (*macarones et fatui*). Nous ne le suivrons pas dans l'énumération de ces deux classes de débilités intellectuelles, ce qui nous entraînerait trop loin. Nous accepterons la distinction des idiots et des imbéciles, tout en admettant des subdivisions comme l'ont fait certains auteurs ; car, depuis l'oblitération la plus complète de l'intelligence jusqu'à la faiblesse d'esprit, il y a des nuances infinies.

Pour nous, l'idiotie est congéniale ou le résultat d'accidents survenus dès les premiers temps de la vie. Les idiots sont des êtres dégénérés, bien reconnaissables à leur conformation défectueuse, à la forme du crâne, à leur démarche et au manque plus ou moins complet des manifestations intellectuelles, manifestations bornées à des phénomènes instinctifs plutôt qu'intellectuels, et encore, ces phénomènes sont-ils frappés au cachet de l'altération de la myotilité, de la dépravation du goût et de l'odorat. Seguin fait remarquer que les instincts des idiots sont doux et tranquilles, peu agressifs surtout relativement aux personnes. L'idiot aime à détruire, ou à ranger, ou à gratter, ou à frapper méthodiquement. Les choses sont le but de son activité. Pourtant, ordinairement apathiques, ces individus ne recouvrent une énergie momentanée que pour s'abandonner à des accès de colère. Leur vocabulaire est très-restreint. On distingue parmi eux ceux qui sont bornés pour ainsi dire à l'automatisme.

L'imbécillité résulte de causes accidentelles toujours postérieures à la naissance de l'enfant ou d'un vice héréditaire. Elle se produit quelquefois subitement, d'autres fois progressivement. C'est un arrêt des facultés intellectuelles au moment où elles commençaient à se développer.

L'imbécile n'offre quelquefois pas d'anomalie de conformation bien manifeste et quelques-uns paraissent être comme tout le monde. Toutefois dans la grande généralité nous trouvons la tête petite. L'imbécile jouit de facultés intellectuelles et affectives, mais à un degré plus faible que l'homme parfait, et ces facultés ne sont développées que jusqu'à un certain point. Le jugement est erroné, l'imagination nulle ou très-pauvre. On remarque à peine la production de ces idées de contraste ou idées intermédiaires qui appellent l'intervention du raisonnement. Les imbéciles se trouvent dépourvus en partie des instruments rationnels de l'entendement, mais non pas des incitations aux passions égoïstes et sociales, comme la haine, la cupidité, la vengeance, le fanatisme, etc.... Ils ont des sympathies et des antipathies personnelles suivies de manifestations extrêmes qui peuvent aller jusqu'à la violence, jusqu'au délire, jusqu'au crime. C'est pour cela que l'imbécile doit être considéré comme dangereux et doit être surveillé pour le mal qu'il peut faire ou qu'on peut lui faire faire à ses semblables. Mais, en outre, sujet plus que l'idiot à des emportements et à des mouvements de colère, il est menteur, hypocrite et capable d'une dissimulation assez grande, quoiqu'il soit pourtant poltron et sans initiative.

On a fait de la classe la plus élevée de ces imbéciles une catégorie qu'on désigne sous le nom de simples d'esprit qui se rapprochent le plus des gens raisonnables. M. le docteur Trélat, dans son livre si intéressant sur la *folie lucide*, a cité quelques exemples de ces individus imbéciles ou faibles d'intelligence qui réclament l'appréciation d'une observation éclairée. Cet habile aliéniste fait remarquer que le développement des aptitudes peut aller assez loin. Aussi l'imbécillité est-elle quelquefois très-difficile à constater. Certaines facultés peuvent être développées, très-développées même, malgré la nullité complète d'autres facultés plus essentielles.

Il n'entre pas dans notre sujet de parler des crétins et des différentes dégénérescences de l'espèce humaine qu'a signalées M. le docteur Morel. Les quelques mots que nous avons dits sur l'idiotie pour la différencier de l'imbécillité nous paraissent suffire et nous avons surtout à cœur de nous entretenir de certains individus appartenant à cette dernière catégorie. Nous désirons montrer que, malgré l'imperfection intellectuelle décrite par les moralistes et les médecins qui se sont occupés de l'idiotie et de l'imbécillité, on remarque chez ces individus imbéciles ou simples d'esprit des degrés divers de simulation de folie. Quelques-uns, après avoir commis une faute, un vol ou un autre méfait, ont encore assez d'empire sur eux-mêmes pour profiter de ce qu'ils avaient pu entendre dire maintes fois autour d'eux, qu'un fou ou qu'un imbécile ne savait pas ce qu'il faisait et ne pouvait être coupable, ou quelques phrases analogues ayant la même signification. En causant avec eux, en les questionnant sur le châtiment qu'entraînerait tel ou tel acte consommé par eux, il est vraiment étonnant de rencontrer des réponses qui annoncent qu'ils savent qu'ils sont irresponsables parce qu'ils sont niais, simples d'esprit, imbéciles, etc... Quelques imbéciles en effet ont assez de finesse et de ruse pour tâcher de simuler ou plutôt pour exagérer leur imbécillité.

Voici la copie d'un rapport qu'a bien voulu me communiquer M. le docteur Lunier, inspecteur général des asiles d'aliénés :

Vingt-huitième observation...

Je soussigné, médecin en chef, directeur de l'Asile d'aliénés de Blois, invité par M. le Procureur impérial près le tribunal civil de Blois à donner mon avis sur l'état mental du sieur Soudée, Vincent, accusé d'incendie volontaire, après avoir pris communication des pièces du dossier et avoir examiné le prévenu à plusieurs reprises, ai rédigé le rapport sommaire qui suit :

1° Soudée avant le 30 mars 1862.

Soudée, dont la mère, un frère et une sœur ont été aliénés, serait lui-même depuis longtemps, d'après les renseignements qui m'ont été fournis et a même probablement toujours été dans un état habituel de faiblesse d'esprit, d'idiotie incomplète, caractérisé notamment par les symptômes suivants.

Soudée, n'a jamais pu rien apprendre ni su comparer entre eux deux objets, moins encore distinguer le bien du mal. Il oubliait du jour au lendemain les quelques notions qu'à force de patience on était parvenu à lui inculquer ; ce qui cependant n'excluait pas chez lui un certain degré de ruse et de finasserie.

D'un caractère boudeur, capricieux, maussade, d'allures fantasques, triste ou gai sans motifs, fainéant, entêté par instants bien que sans énergie, Soudée s'adonnait assez fréquemment à la boisson.

Tel est dépeint Soudée par les personnes qui l'ont connu avant son arrestation, tel du reste j'eusse présumé qu'il devait être à le voir aujourd'hui.

· 2° Soudée au moment et immédiatement après l'incendie.

Soudée avoue son crime, il dit même avoir mis le feu par vengeance, mais sans préméditation. Il semble l'avoir fait sous l'impulsion du moment et sans se rendre bien compte des malheurs qui pouvaient en résulter. Arrêté presque immédiatement, il entrevoit le châtiment; il a peur et se jette dans la rivière. Il n'échappe à la mort que par des circonstances indépendantes de sa volonté.

3° Soudée en prison.

Soudée à peine en prison se rétracte et se dit innocent. Il semble avoir oublié qu'il a nettement déclaré, et cela presque publiquement, qu'il était l'auteur de l'incendie.

M. le docteur Dufay, médecin de la prison, n'a point observé chez Soudée de signes d'aliénation mentale; il lui a seulement trouvé l'esprit très-borné. Mon impression fut la même lorsqu'il y a trois mois j'allai visiter Soudée à la prison avec M. le Président des assises. Je constatai de plus quelques signes physiques de nature à éveiller mon attention, et dans l'impossibilité où j'étais de pouvoir me prononcer immédiatement sur l'état mental de cet homme, je demandai son transfèrement à l'asile d'aliénés où il est encore aujourd'hui.-

4° Soudée à l'asile.

Soudée au moment de son entrée à l'asile, le 5 juin 1862, était dans l'état suivant :

Au physique : amaigrissement général; pâleur de la face, yeux baissés, regard défiant et en dessous ; démarche lente et en apparence pénible; corps plié sur les jarrets, bras pendants ou croisés sur la poitrine; extrémités froides et cyanosées, pouls petit et lent — tous signes de prostration et d'abattement.

Au moral: il paraît y avoir chez Soudée absence presque complète d'activité intellectuelle et de manifestations extérieures de la pensée. Celle-ci ne se traduit guère chez lui que par un gémissement sourd et anxieux, une espèce de grognement plaintif. On obtient à grand'peine quelques paroles exprimant la crainte : *Je sais bien qu'on veut me faire du mal...*, ou le désir de passer pour malade : *Je suis malade; ma mère, mon frère et ma sœur l'étaient bien.... Je suis comme eux*, ou bien, *Je n'ai pas mis le feu; je souffre de la tête, des jambes et de l'estomac; faites de moi ce que vous voudrez*, tout cela dit à voix basse et entrecoupé de gémissements.

Depuis son admission, Soudée est presque constamment resté le même. Il est sombre, taciturne, et il n'adresse guère la parole aux gardiens que pour leur demander à boire ou à manger. Il reste toute la journée couché dans la cour. Il ne répondait point d'abord aux taquineries de ses compagnons d'infortune, mais il n'a pas tardé à se révolter, et il s'est même battu un jour avec un autre malade. Ce jour-là, il remuait à merveille bras et jambes. Du reste, le lendemain, Soudée nous a raconté tous les incidents de la dispute avec lucidité quoique toujours à voix basse, et il s'est parfaitement défendu d'avoir été l'agresseur.

Dès que Soudée nous aperçoit, il se met à trembler

de tout son corps, à fléchir davantage les jarrets et à faire entendre ce gémissement plaintif dont j'ai parlé plus haut ; en un mot, tous les symptômes de mélancolie et de prostration physique et intellectuelle s'aggravent presque instantanément. Tant que nous restons dans la division, Soudée nous suit des yeux en nous regardant en dessous. Quand j'entre seul et que je vais droit à lui dans la cour, il regarde la porte avec anxiété comme s'il craignait qu'on ne vînt le chercher. Il est évident pour nous que Soudée a peur du châtiment et que la volonté n'est pas étrangère à cette aggravation de symptômes d'une prostration mélancolique dont on ne peut d'ailleurs nier l'existence et qui me paraît avoir été déterminée chez Soudée par la crainte d'être condamné.

CONCLUSION.

Des considérations sommaires qui précèdent, il résulte que.

1° Soudée est et paraît avoir toujours été faible d'esprit ;

2° Il est de plus aujourd'hui sous le coup d'une prostration mélancolique entée pour ainsi dire sur cet état habituel de faiblesse d'esprit et déterminé probablement par la crainte du châtiment.

3° Soudée sait que de notre examen et de notre appréciation peut dépendre son acquittement ou sa condamnation ; il se dit et se fait plus malade qu'il n'est réellement ; mais cela si maladroitement que cette demi-simulation n'est pour nous qu'une preuve de plus de la faiblesse de son intelligence.

4° Soudée ne nous paraît pas devoir être déclaré complétement irresponsable de ses actes ; mais il ne peut être non plus considéré comme jouissant entièrement de son libre arbitre.

5° Soudée appartient à cette catégorie d'individus qu'on ne devrait point, à mon avis, laisser libres et qu'il faudrait interner dans des asiles d'aliénés, ou mieux encore, dans des établissements spéciaux qui tiendraient à la fois de l'asile et de la prison.

En foi de quoi, j'ai rédigé le présent rapport que je déclare conforme à la vérité.

J'emprunte un autre fait à M. le docteur Billod qui l'a fait insérer dans les *Annales médico-psychologiques* (1851). Je résume ce rapport.

Vingt-neuvième observation. — La nommée Marie-Louise, détenue à la maison d'arrêt sous l'inculpation d'incendie volontaire de bois taillis sur pied, fut soumise à l'examen de M. le docteur Billod ; après deux visites faites à la prison, la prévenue n'ayant répondu à l'interrogatoire que par des pleurs ou des apparences de pleurs, des sanglots, des phrases entrecoupées, contradictoires et sans nul rapport avec les questions qui lui étaient adressées et auxquelles elle s'obstinait invinciblement à ne pas vouloir répondre, fut conduite à l'asile de Sainte-Gemmes pour être l'objet d'une observation plus approfondie.

La susnommée, fille naturelle, âgée de 25 ans, est une grosse fille de campagne, de petite taille, aux yeux bleus **et** petits, exprimant l'astuce, à la face ronde, bouffie et inintelligente, d'un tempérament lymphati-

que, d'une constitution assez robuste, mais d'une nature lente et molle. Cette fille a exercé depuis dix ans
l'état de domestique et spécialement de vachère dans
plusieurs maisons, et, en dernier lieu, chez M. Morin,
dans le bois duquel elle a commis le délit d'un incendie volontaire et chez qui elle n'était que depuis dix-
huit jours. Les divers témoignages qui ont été recueillis,
s'accordent à la faire considérer comme faible d'esprit,
mais comme offrant un certain entêtement de caractère, au demeurant, ayant assez convenablement·fait
son service dans toutes les maisons où elle a été employée. Il n'existe dans la famille aucun aliéné idiot,
épileptique. Les manifestations de cette fille sont
particulièrement instinctives et irraisonnées. L'obstination à ne pas répondre aux questions ou à n'y
répondre que par des mensonges évidents, par des
contradictions flagrantes et rapprochées, prouve bien
le caractère plus instinctif qu'intelligent de la ruse
qu'exprime sa figure inintelligente. D'ailleurs, elle ne
sait ni lire ni écrire ; son éducation a dû être aussi négligée que son instruction.

Depuis son entrée dans l'établissement, Marie-Louise
a cessé de pleurer et de sangloter. Elle répond à toutes
les questions qu'on lui adresse, si ce n'est sur ce qui
touche à son crime. Elle travaille convenablement, est
d'ailleurs polie, douce et soumise. Soit à l'aide de l'intervention des religieuses, soit à l'aide de l'intimidation
par la douche, on a obtenu enfin quelques aveux. Il
résulterait que c'est la jalousie qui l'a conduite au crime
dont elle a été inculpée. Aimant son maître sans le lui

faire savoir, elle se serait prise de jalousie pour une seconde domestique nommée Louise, que celui-ci lui préférait. Il paraîtrait qu'en mettant le feu chez M. Morin, elle avait pour double but de se venger de celui-ci à cause de sa préférence pour Louise et de faire accuser cette dernière.

Après ces détails arrachés par la crainte de la douche, Marie-Louise s'est sentie comme humiliée et a répandu de véritables larmes. Jusque-là elle s'était obstinée à ne pas vouloir répondre aux questions, ou si elle répondait, c'était toujours par des phrases comme celles-ci : *J'ai eu bien tort, j'en suis bien fâchée, je vous demande bien excuse, c'est par faiblesse, c'est par bêtise, je suis pauvre d'esprit*, etc. Sa voix en même temps était larmoyante. On eût cru qu'elle pleurait, mais ses yeux étaient secs. Pressée de répondre directement, ses réponses se contredisaient coup sur coup.

D. Savez-vous lire et écrire? — R. *Non*.

D. Savez-vous compter? — R. *Non*.

D. Comment faisiez-vous alors pour recevoir votre paye? — R. *C'est ma mère qui la recevait*.

D. Reconnaissez-vous cette pièce (on lui montrait une pièce de cinquante centimes)? — R. *Non*.

D. Et celle-ci (dix centimes)? — R. *Non*.

D. Comptez sur vos doigts. — R. *Je ne sais pas*.

Suspectant la vérité de ces réponses, M. Billod la pressa et la menaça de la douche. Elle nomma alors les pièces qu'un instant auparavant elle avait dit ne pas reconnaître, et elle prouva qu'elle comptait passablement.

Il résulte de ces faits que la dissimulation est un système suivi par l'inculpée, sinon avec intelligence, du
moins avec une incontestable persévérance.

De l'observation de cette fille et de l'analyse psychologique la plus attentive, M. le docteur Billod reconnut
une faiblesse des facultés intellectuelles sans aucune
trace de délire, le jugement était manifestement lésé,
le sens moral incomplétement développé, et chez cette
personne, la satisfaction des instincts tendait à devenir
d'autant plus fougueuse et désordonnée, que la raison
ne lui faisait pas contre-poids. En un mot, cette faiblesse mentale était sur la limite de l'imbécillité au
premier degré de l'idiotisme.

On ne saurait trop étudier au point de vue psychologique les individus du genre de ceux dont je viens de
citer deux observations. Ils sont fréquents dans certaines classes de la société où il est possible de les employer aux gros travaux. Leurs actes présentent des
caractères particuliers.

J'ai eu, pour soigner mon petit ménage de garçon,
alors que j'étais médecin adjoint à l'asile d'aliénés de
Quatremares, un individu de la catégorie des simples
d'esprit, et à qui la tutelle de l'asile convenait parfaitement, tandis que chez lui il était incapable de gagner
sa vie et vagabondait. Ce garçon, que je voyais sans
cesse, offrait précisément toutes les manifestations psychiques que j'ai signalées brièvement à propos de l'imbécillité; je n'ai pas constaté les tendances au vol, aux
actes de violence, mais des antipathies personnelles
non motivées, de l'entêtement, et s'il lui arrivait quel-

que faute ou quelque maladresse qu'on dût lui reprocher, le silence et le mensonge étaient des ressources
infaillibles.

Je crois devoir insister sur ce caractère des simples
d'esprit et des imbéciles. Quand ils ont commis un méfait, ils ne disent rien, s'obstinent à garder le silence,
ou à nier sans avoir recours à des subterfuges ou à des
mensonges nombreux très-détaillés. Quand ils mentent,
ce qui est très-fréquent, ils n'ajouteront pas à leur narra-
tion les incidents les plus variés, en un mot ils mentent
niaisement.

A la fin de son rapport, M. le docteur Billod s'est
demandé si la ruse ne supposait pas toujours l'intelligence. C'est en effet aussi l'objection que ne man-
queront pas de se faire ceux qui auront lu ces deux
observations. Le médecin-directeur de l'asile de Sainte-
Gemmes, applique précisément sa réponse au cas dont
il s'agit et fait observer qu'il est essentiel de distinguer
le but et les moyens employés pour arriver à ce but.
La ruse est un phénomène instinctif que l'on rencontre
chez les animaux ; mais l'on voit bien que les moyens
employés ne sauraient partir du raisonnement des faits.
Leurs ennemis naturels les poursuivent toujours d'une
certaine façon, et il est si vrai qu'ils emploient les
mêmes procédés pour les déjouer, que c'est avec la connaissance de ces ruses des animaux que l'homme fait
tomber facilement dans ces mêmes procédés les animaux qu'il poursuit et en profite pour les saisir. Chez
l'imbécile, où la vie instinctive l'emporte de beaucoup
sur la vie intellectuelle, cette ruse n'est pas moins une

impulsion naturelle. Mais il y manque la circonspec-
tion ou l'addition d'un raisonnement approprié suffisamment aux différentes circonstances. C'est encore
dans l'inspection rigoureuse des différents actes et
dans les conditions concomitantes que l'on trouvera le
criterium et la valeur de cette ruse. M. Billod a comparé
la ruse de Marie-Louise à celle de l'autruche qui se
croit abritée contre les coups du chasseur lorsqu'elle a
sa tête cachée sous ses ailes. C'est le meilleur caractère
qu'on puisse donner à l'emploi de la simulation de la
folie par les imbéciles.

On reconnaîtra avec moi, je n'en doute pas, que la
simulation chez ces individus offre des caractères assez tranchés pour justifier la distinction que nous avons
faite. Les considérations que nous avons consacrées à
l'exposition rapide de cette distinction nous paraissent
suffire pour la démontrer.

CHAPITRE X

De la simulation de la folie dans certains états physiologiques. Menstruation, grossesse, âge critique.

La femme est un être essentiellement émotif. — Son rôle physiologique est parfaitement défini. — La menstruation est le point de départ du mouvement organique qui doit préparer l'accomplissement de ce rôle. — Modifications du moral à l'époque du flux menstruel. — Troubles psychiques pendant la grossesse. — Loi du 28 germinal an III. — Trentième observation. — Trente-unième observation. — L'état de grossesse seul ne peut déterminer la folie. — Trente-deuxième observation. — Influence de la première menstruation à la suite de l'accouchement sur la production de la folie. — La simulation de la folie à l'âge critique paraît très-difficile.

Ce chapitre ne saurait guère concerner que les femmes, car je ne sache pas que certains états physiologiques, soit le développement de la puberté, soit l'arrivée de l'âge mûr ou de la vieillesse puissent chez l'homme donner lieu à des phénomènes nerveux qui se manifestent par des troubles considérables de l'intelligence et capables de réclamer l'attention des médecins légistes. Il n'y a guère que des exceptions qui trouvent leur explication dans les antécédents ou une prédisposition suffisamment déterminée.

Il n'en est plus de même pour la femme où ces symptômes d'une révolution plus ou moins puissante se présentent assez fréquemment. En raison de cette fréquence et des idées reçues dans le monde, ils peuvent offrir des applications importantes en médecine légale et obliger le médecin expert à se prononcer d'une manière catégorique. Il est donc d'un certain intérêt de traiter ici de quelques cas qui sont susceptibles de donner prise à la simulation de la folie ou de diverses impulsions qui ont été qualifiées d'irrésistibles.

Pour procéder avec ordre, nous traiterons successivement des troubles intellectuels 1° pendant la menstruation, 2° pendant la grossesse, 3° pendant l'âge critique.

La femme est un être essentiellement émotif. Le système nerveux est doué chez elle d'une susceptibilité toute particulière qu'on ne pourrait trop étudier, tant il offre à l'observateur de faces nombreuses qui peuvent échapper.

Le rôle physiologique de la femme est parfaitement défini. La propagation de l'espèce humaine lui a été confiée et tout dans son organisation tend à ce but providentiel. Mais il s'en faut de beaucoup que toutes les femmes possèdent cette aptitude si essentielle sans qu'il doive se produire de perturbation dans leur économie. Il ne faut en accuser que le vice de l'éducation tant psychique que physique si les phénomènes anormaux que nous allons signaler sont aussi nombreux. Très-souvent la fonction naturelle de la conception suivie de la grossesse et de l'accouchement amène une réaction salutaire contre les erreurs des parents, des philosophes et de la société moderne. Notre position de médecin aliéniste nous met à même de connaître particulièrement tous les résultats malheureux de la civilisation mal entendue et nous ne saurions trop insister sur la rigoureuse observance des lois naturelles et des règles hygiéniques appropriées à chaque sexe.

La menstruation est le point de départ du mouvement organique qui doit préparer l'accomplissement du rôle dévolu au sexe féminin. Il est peu de femmes dont le moral ne reçoive quelque atteinte au début, au retour ou à la cessation du flux menstruel. Pourtant, ce n'est vraiment que par exception que le médecin aliéniste se trouve appelé à constater des faits véritablement dignes d'être rapportés à un trouble mental d'une certaine durée. Les brusqueries, les désirs exagérés, les fantaisies capricieuses, les attendrissements sans motifs, les appétits bizarres, les aversions inexplicables ne sont pas rares; mais il arrive quelquefois que des perversions instinctives provoquent des actes malfaisants. M. le docteur Delasiauve, dans son *Journal de médecine mentale,* a étudié d'une manière particulière la folie occasionnée par la menstruation. Il a noté que, dans ces circonstances malveillantes et réellement maladives, le mensonge s'unissait à la méchanceté et à la ruse. On entend les plus lâches médisances, les délations les plus calomnieuses. On observe des trames perfidement ourdies, l'invention de fables sataniques et même des détournements dont on prend le soin habile de faire peser le soupçon sur autrui. Peu de chose suffit pour pousser les jeunes nubiles à des déterminations violentes. On a constaté des suicides, des homicides, des incendies qui n'ont pas d'autres véritables causes que des congestions périodiques. Mais hâtons-nous de dire que ces extrêmes conséquences partent, comme dans les conditions qui vont suivre, d'une prédisposition presque toujours définie, soit par des antécédents héréditaires, soit par des modifications successives depuis l'enfance. C'est la base du jugement que doit porter le médecin expert et qu'il doit opposer aux allégations qui peuvent être faites par des simulatrices.

C'est certainement la grossesse qui, plus que toute autre condition physiologique, peut donner lieu à ces manifestations morbides qui peuvent appeler l'intervention du médecin légiste, à des impulsions criminelles et irrésistibles. L'influence de la grossesse sur la production ou le cours de l'aliénation mentale a été entrevue par les auteurs les plus anciens. Çà et là dans la plupart des ouvrages, on retrouve des exemples isolés. Mais il faut arriver jusqu'à nos jours pour avoir sur ce sujet des notions réellement scientifiques. Le regrettable docteur Marcé a consacré un livre entier à l'étude de la folie des femmes enceintes, des nouvelles accouchées et des nourrices. Nous ne citerons pas moins le savant directeur du *Journal de médecine mentale* qui s'est livré dans ce recueil à l'étude des diverses formes mentales.

Les faits se rapportant aux perturbations psychiques occasionnées par la grossesse sont nombreux. Combien la fausse appréciation de ces faits a conduit à des erreurs médico-légales! Mais aussi, nous devons l'avouer, combien ils doivent servir de prétexte pour justifier certains méfaits! On comprend que le médecin expert doit se livrer à un examen très-sérieux et très-approfondi dans des circonstances aussi délicates et chercher

des signes précis qui l'empêchent de se fourvoyer et
d'induire en erreur le tribunal.

La loi du 28 germinal an III, abrogée lors de la
rédaction du code civil, voulait qu'une femme prévenue d'un crime emportant la peine de mort ne pût
être mise en jugement avant qu'il eût été vérifié qu'elle
n'était pas enceinte. L'oubli de la visite propre à constater une grossesse fit casser un jugement de la cour
criminelle du département de la Dyle, non-seulement
à cause des émotions qui pourraient compromettre la
vie de l'enfant, mais encore parce que, dans cette situation, une femme pourrait ne pas avoir toute la
présence d'esprit nécessaire à la défense (1).

Trentième observation. — Marc reproduit d'après
Worbe une observation très-intéressante (2). Il s'agit
d'une femme, âgée de 29 ans, qui, le 7 juillet 1812,
avait dérobé, en plein marché, dans une boutique,
un coupon de toile rayée de rouge et de blanc. Cette
femme arrêtée à l'instant même et conduite chez le
juge de paix répondit qu'il était vrai qu'elle avait
pris sur le comptoir de la marchande une pièce de
cotonnade, en déclarant toutefois qu'elle était enceinte
d'environ six semaines, qu'elle avait fait ce larcin
malgré elle et qu'elle y avait été poussée par une
envie qu'elle n'avait pu surmonter. Nonobstant elle
fut transférée à la maison d'arrêt de Dreux. Après
un aveu semblable devant les magistrats de ce siége et

---

(1) Eusèbe de Salles, *Traité de médecine légale*, p. 171 (*Encyclopédie
médicale*).

(2) *Loco citato*, t. II, p. 264.

ayant fourni caution, elle sortit de prison en vertu d'une ordonnance du tribunal.

Ce même jour (12 juillet) se rendant chez elle, cette femme tomba de cheval à la sortie de la ville, un chirurgien et une sage-femme après l'avoir examinée furent d'accord sur l'état de grossesse. Cet accident n'empêcha pas la prévenue d'arriver chez elle le jour même. Pourtant, six jours après cette chute, B..., officier de santé, constata dans un certificat qu'un fœtus d'environ deux mois avait été évacué par la matrice au milieu de caillots de sang et de liquides verdâtres. La cause ayant été portée devant le tribunal correctionnel de Dreux, ce même officier de santé assura même devant le tribunal qu'il avait vu le fœtus rendu par la prévenue, qu'il était gros comme un œuf et qu'on l'avait jeté sur le fumier.

Contradictoirement à ces dépositions, le maire de la commune qu'habite cette femme atteste qu'il n'a rien vu qui ressemble à un embryon ou à un fœtus. La sage-femme du village n'a aperçu que quelques gouttes de sang, sans apparence de fœtus ni d'embryon.

La prévenue persistait dans les réponses que nous avons mentionnées. Enfin le défenseur, s'appuyant sur les certificats précédents, sur une consultation sans conclusion affirmative d'un médecin et d'un chirurgien, et sur un grand nombre de faits relatifs aux envies de femmes grosses, peignit cette femme sous les couleurs les plus intéressantes, après avoir fait ressortir la conduite irréprochable qu'elle avait tenue avant d'avoir succombé à la malheureuse tentation de voler.

Le substitut, fils de l'avoué défenseur, donna des conclusions favorables à l'accusée.

Malgré tous les efforts de la défense, l'opinion du barreau resta partagée, et ce ne fut que huit jours après que le président prononça le jugement dont voici le dispositif.

« Attendu qu'il résulte de l'instruction 1° qu'un coupon de marchandises a été soustrait de la boutique et de dessus l'étal d'un marchand établi sous la halle d'.... le mardi 7 juillet dernier, et ce frauduleusement et avec les précautions qui pouvaient en dérober la connaissance à la personne volée; 2° que cette sous-traction a eu lieu de la part de la femme N... qui elle-même n'a ni hésité ni cessé d'en faire l'aveu, en ajou-tant que c'est la suite d'une envie qu'elle attribue à son état de grossesse; envie à l'impulsion de laquelle elle a cédé comme à une force majeure et invincible.

« Considérant que l'accusée ne fait remonter sa con-ception qu'à six semaines ou deux mois avant le vol; qu'à ce terme, la grossesse est toujours incertaine, très-difficile, même presque impossible à reconnaître et à constater; que, plus tard même, la prolongation de la grossesse, les mouvements sensibles de l'enfant dans le sein de la mère, ou bien un accouchement soit à terme, soit avant terme, peuvent seuls dissiper toute sorte de doute, et que, dans l'espèce, tous les moyens manquent, puisque l'accouchement prématuré dont l'accusée argumente pour justifier, suivant elle, sa grossesse, qui ne peut l'être par le seul certificat en-registré qu'elle a produit, n'est lui-même pas prouvé;

la déposition du sieur B...., la seule qui en parle, n'étant rien moins que probante 1° à cause des circonstances dont rendent compte et le sieur ....., maire, et la veuve ....., sage-femme au Bois-Leroy; 2° parce qu'elle n'est que la répétition du certificat qu'on avait eu l'excessive précaution d'obtenir dudit sieur B.... dès le 18 juillet, un mois avant de l'assigner comme témoin, circonstance qui rend tout témoin reprochable en matière civile, suivant l'article 283 du code de procédure, ne permet pas davantage d'accorder à sa déposition entière et pleine foi, dans n'importe quelle matière.

« Considérant encore que, quand bien même la grossesse et l'accouchement de l'accusée seraient aussi constants qu'ils sont équivoques et douteux, il lui resterait encore à prouver que son état de grossesse l'ayant subitement jetée dans un état de démence et de délire exclusif de toute liberté morale, elle se serait portée à l'acte sur lequel il s'agit ici de prononcer.

« Considérant qu'il n'existe dans l'instruction de preuve satisfaisante ni de la possibilité d'un semblable délire, ni que l'action de l'accusée soit l'effet involontaire, de sa part, de cette cause unique.

« Considérant enfin qu'il importe au bon ordre, à la sûreté, à la garantie des propriétés placées sous l'égide des lois sagement interprétées et appliquées, qu'une excuse de la nature de celle invoquée par l'accusée et qui n'est appuyée d'aucune disposition légale, ne soit que très-sobrement, très-difficilement accueillie par les tribunaux, qu'il ne leur est peut-être pas permis de l'admettre, n'étant fondée sur aucune disposition de loi.

« Le tribunal, dans ces circonstances et par ces motifs, déclare la femme N.... coupable d'avoir, le 7 juillet dernier, volé........ et condamne la femme N..... à un an d'emprisonnement et aux dépens. »

Ce jugement fut saisi en appel au tribunal de Chartres. Le procureur démontra jusqu'à l'évidence que dans cette cause, tout était ignorance, fraude, simulation, mensonge, imposture, et il conclut à la confirmation du jugement rendu par le tribunal de Dreux. Ces conclusions furent adoptées. Néanmoins, par des circonstances atténuantes qu'il n'exprime pas, le tribunal de Chartres réduisit la peine à six jours d'emprisonnement.

La *Gazette des Tribunaux* (nov. 1857) a donné l'histoire d'une voleuse très-adroite, surnommée *la femme enceinte* : toutes les fois qu'elle était prise en flagrant délit, elle prétextait un état de grossesse qui la poussait au vol d'une manière insurmontable ; mais rien dans son état mental ne justifiait cette allégation, que jamais les tribunaux ne prirent au sérieux (1).

Voici une observation que j'emprunte textuellement au *Traité pratique de médecine légale* de Casper, t. I, p. 396.

Il s'agit de vols commis par suite d'un prétendu caprice de femme enceinte.

Trente et unième observation. — Madame de X.....

_____

(1) Marcé, *Traité de la folie des femmes enceintes,* p. 126.

était allée commander, au mois de janvier 18.., chez un orfèvre, un cadeau pour son mari, et avait profité d'un moment où elle était seule dans le magasin pour se pencher sur le comptoir. Aperçue par le garçon, elle devint pâle, demanda un verre d'eau dont elle but un peu et s'éloigna à la hâte. Elle était à ce moment au cinquième mois de sa grossesse. L'orfévre s'aperçut tout de suite de l'absence de plusieurs objets dans ce comptoir, entre autres d'un cachet et d'un médaillon.

Au commencement de mai, quatre semaines avant son accouchement, madame de X..... alla chez un deuxième orfévre, choisit des boucles d'oreilles coûtant trois thalers et offrit en échange de vieux bijoux et aussi des fragments de médaillon volé. Le marchand, voyant que le médaillon formait une valeur plus grande, l'engagea à prendre autre chose, elle s'y refusa disant qu'elle n'avait pas pour le moment *besoin d'autre chose ;* cependant, elle se décida à prendre encore des cuillers à café en argent et 10 thalers en monnaie. A la même époque, elle alla chez un troisième orfèvre, demanda une cuiller en argent et offrit en échange la partie inférieure du cachet volé. Dans ces deux magasins, elle avait aussi volé.

Les trois orfèvres étaient amis et se communiquèrent leurs soupçons sur madame de X....., et le second se présenta chez elle au milieu de mai sous un prétexte quelconque pour pouvoir bien la reconnaître. A peine rentré chez lui, la dame arriva ; elle se trouvait tout près de son accouchement, elle le supplia *par ce qu'il y a de plus sacré, de lui dire pourquoi il était venu chez elle.* Il s'y refusa.

Le 29 mai elle accoucha, et le 30 elle reçut une convocation devant le procureur royal, ce qui naturellement étonna beaucoup son mari. Celui-ci rapporta au juge : *elle m'avoua, comme s'éveillant d'un rêve, qu'elle avait eu pendant sa grossesse une envie irrésistible de posséder tout ce qui brille, surtout de l'argenterie neuve. C'est ainsi qu'elle a pris les objets dans les magasins en état de démence complète. Une autre fois elle m'assura ne rien savoir du tout de ce dont on lui parlait, une autre fois encore elle dit qu'elle était sortie avec l'intention de rendre les objets, mais que chemin faisant la certitude lui a été révélée qu'ils étaient sa propriété.*

Voici ce que contiennent les actes sur sa personne :

La femme de X.... est âgée de **22** ans, de bonne famille ; elle montra de bonne heure une vanité ridicule et une coquetterie exagérée ; ce que cependant n'avoue pas son mari, qui la décrit «comme une femme douce, tranquille, honnête et religieuse.» Il fut prouvé par un grand nombre de témoignages, depuis ceux de ses domestiques jusqu'à ceux de ses parents nobles, que bientôt après le commencement de cette première grossesse, il s'est présenté un très-grand changement dans sa disposition d'esprit. Elle devint distraite, insouciante, et surtout il se développa en elle une envie très-grande de tout ce qui était brillant et reluisant ; envie qu'elle satisfit par les moyens les plus extraordinaires, par exemple elle frottait continuellement tous les objets de cuivre de sa maison, jouait toujours avec de la monnaie neuve.

Son mari dépose qu'elle s'est plainte souvent à lui qu'elle voyait chez ses amis des choses brillantes dont elle avait tellement envie qu'elle se sentait prise d'un désir violent de s'en emparer, et qu'elle le priait de ne plus la mener chez ces personnes. De nombreux témoignages prouvèrent ce désir curieux de posséder des objets brillants. Nous citerons, par exemple, ce qui lui arriva chez un de ses parents : elle prit un couteau en nacre et des marques de whist en présence de joueuses. On n'attribuait pas cela à des plaisanteries, mais on se disait seulement qu'elle avait pour le moment la tête à l'envers.

Le médecin de la famille la déclara non responsable, mais mon prédécesseur devant la Cour ne fut pas de cet avis, et n'accepta pas même une responsabilité diminuée. A cause de cette contradiction on eut recours à un super-arbitre du collége médical de la province, et je fus chargé de faire un rapport sur cette affaire.

Mon opinion se basait sur les principes que j'ai développés plus haut dans le texte, au sujet de l'idée fixe et des caprices des femmes grosses. Je niai positivement que l'accusée eût été atteinte d'un caprice de femme grosse qui avait altéré ses fonctions mentales, et je discutai la valeur qu'il fallait attribuer au changement qui s'était opéré dans ses goûts, sa manière d'être, dans ses dispositions mentales ; je disais qu'il était très-naturel qu'elle eût conscience de ce caprice, comme on le voit par la déposition de son mari qu'elle prie de ne pas la

mener chez ses amies qui possédaient des choses brillantes. C'est ce qui arrive à quiconque est atteint d'une
idée fixe ou d'une envie dont il ne peut s'affranchir,
mais qu'il maîtrise encore avec sa raison puisqu'il en
a conscience ; mais il est très-étonnant que cette femme
n'ait pas évité, plutôt que les appartements de ses
amis, les magasins pleins d'objets brillants, qu'au
lieu de charger les domestiques de l'achat qu'elle avait
à faire, elle soit allée, sans nécessité même, en état de
grossesse avancée, dans des magasins dont elle connaissait tout le danger pour elle. Nous examinâmes ensuite
sa conduite vis-à-vis des orfévres volés.

Nous remarquâmes cette circonstance importante
que chez un orfèvre, au lieu de prendre des objets brillants, elle répondit qu'elle n'avait plus besoin de rien
et se fit rendre de l'argent. Elle avait gardé un profond
secret de ses vols même pour son mari : elle avait dit
être sortie pour rendre les objets volés, ce qu'elle n'a-
vait pas fait ; de plus, ce qui ne se rapportait pas du
tout à son envie maladive, elle brisa, afin de les rendre
méconnaissables, les objets volés ; elle a toujours changé
d'orfèvres. Considérant, de plus, les nombreux mensonges contradictoires qu'elle avait faits dans les interrogatoires, nous conclûmes : l'envie maladive de madame de X…. n'a pas été irrésistible, ne l'a pas entraînée
malgré elle à ses trois vols, qui sont au contraire des
actions criminelles dont elle est responsable.

La dame fut condamnée, séparée de son mari, et, après
plusieurs années, tandis qu'elle n'était pas enceinte,
elle vola de nouveau des étoffes dans un magasin !

Dans un travail inédit datant de 1856, travail où, partant de quelques faits que j'avais observés dans l'asile départemental de Vaucluse, je m'appliquais à étudier la physiologie pathologique de la folie chez les femmes enceintes et les nouvelles accouchées, j'étais arrivé aux conclusions suivantes que je reproduis :

« Que l'anémie, conséquence de l'insuffisance de la puissance vitale et des éléments de la nutrition, était le fait principal que frappait le clinicien et qu'il semblait qu'avec un régime tonique parfaitement gradué on pût rétablir l'équilibre détruit par le manque de matériaux nutritifs ; que c'était en effet une indication majeure du traitement de la folie des femmes enceintes et des nouvelles accouchées ; mais que, par une comparaison de ces conditions pathogéniques avec les différents états anémiques que l'on rencontre dans la pratique médicale, il était facile de reconnaître que cet appauvrissement organique ne saurait suffire pour amener la folie ou les perversions de l'intelligence. Il fallait donc, à notre avis, ou une prédisposition héréditaire ou une cause morale ou physique puissante et réellement active.

« En outre, j'avais cru devoir reconnaître que les actes déterminés par l'aberration mentale au moment de la grossesse ne partaient pas tous d'une anémie plus ou moins caractérisée, que les mouvements congestifs étaient aussi bien souvent la cause de ces désordres mentaux. La prescription de la saignée recommandée dans quelques cas de grossesse se retrouvait ainsi indiquée dans des circonstances toutes particulières.

« Enfin que cette influence de la congestion expliquait même certains cas graves où l'anémie avait pour ainsi dire préparé le terrain morbide en diminuant la force de résistance susceptible d'être opposée au molimen congestif ou inflammatoire. »

Ces résultats, que nous constations au début de nos études psychiatriques, nous semblent encore conformes à l'observation clinique. En dehors des causes que nous venons d'énumérer, il faut noter encore les perversions et les exagérations de l'activité nerveuse qui nous conduisent aux faits se rattachant au nervosisme, à l'hypochondrie, à l'épilepsie, à l'hystérie.

Les considérations que nous avons émises relativement aux types des maladies mentales trouvent leur application ici non moins que dans les autres cas qui peuvent se présenter au médecin expert.

En résumé la grossesse détermine de nombreux phénomènes du côté du système nerveux, surtout une mobilité et une impressionnabilité excessives. L'excitation des facultés intellectuelles se rencontre plus rarement qu'une tendance inaccoutumée au découragement et à la mélancolie. Cette situation part d'un équilibre mental qui est loin d'être parfait, mais qui est pourtant distinct de la folie, attendu que la conscience des actes n'est jamais complétement anéantie.

Ainsi nous ne saurions admettre que l'état de grossesse seul puisse déterminer la folie et les impulsions irrésistibles qui anéantissent le libre arbitre. Il en résulte que ce prétexte de grossesse que choisirait une femme prévenue d'un vol ou de tout autre méfait demande un examen approfondi. Il en résulte aussi que les symptômes d'aliénation mentale qu'elle peut présenter réclament une enquête très-sérieuse d'après les règles que nous avons déjà établies.

Il peut arriver aussi que le travail de l'accouchement détermine une telle secousse que l'intelligence en soit vivement ébranlée. Voici un fait que j'emprunte encore à l'ouvrage de Casper, page 287, tome I.

Trente-deuxième observation. — Le 14 septembre, la fille E...., âgée de 36 ans, étant déjà accouchée, il y a quinze ans, avait mis au monde un enfant qui, d'après l'autopsie, a été reconnu comme ayant vécu. L'accusée avait caché sa grossesse, *quoiqu'elle connût très-bien sa position.* Elle raconte que le jour de son accouchement elle sentit un simple frisson, puis enfanta sans s'y attendre et sans douleur.

Elle était couchée dans son lit et couverte d'un drap ; elle disait avoir laissé l'enfant trois à quatre heures sous le drap, entre ses cuisses, parce qu'elle ne le croyait pas vivant. Puis elle disait aussi *avoir arraché le cordon près du ventre de cet enfant mort et l'avoir mis dans le .it à côté d'elle.* Le lendemain, elle s'habilla, enveloppa l'enfant mort dont elle avait caché la naissance, et le porta dans un endroit public où elle le déposa.

Elle avoua ensuite dans un autre interrogatoire *avoir senti que quelque chose glissait hors de son ventre, quoique le frisson lui eût ôté presque toute connaissance.* Après trois heures à peu près, pendant lesquelles elle eut une fièvre qui l'avait empêchée de bouger, elle dit *avoir senti quelque chose de froid aux cuisses, et ce n'est qu'alors qu'elle comprit qu'elle était accouchée, puisque jus-*

qu'à ce moment elle n'avait pas eu assez de connaissance pour se rendre compte de ce qui lui était arrivé. Elle prit alors l'enfant qu'elle trouva froid et roide, sans le moindre signe de vie. Elle se contredisait donc avec ce qu'elle avait dit auparavant.

Voici, d'après le récit des témoins, ce qui s'est passé pendant les trois heures en question. Comme elle s'était plainte en rentrant chez elle de maux de tête, la cuisinière lui apporta du thé de camomille, et trouva l'accusée au lit dans la chambre à coucher, couverte jusqu'au cou ; à la question : Avez-vous très-mal à la tête ? lui demanda sa cuisinière, l'accusée répondit : *Les douleurs sont encore violentes, mais cependant cela va mieux.* La cuisinière n'a remarqué rien de singulier, si ce n'est que sa maîtresse avait la figure rouge, elle ne s'est surtout pas aperçue qu'elle eût perdu connaissance, puisqu'elle lui répondait juste à toutes les questions.

La mère de l'accusée, qui rentra à midi, c'est-à-dire une heure après celle-ci, entendit aussi sa fille se plaindre de maux de tête violents, après trois heures elle revint auprès du lit de sa fille cadette et y resta jusqu'au soir. Il est inutile de dire que la femme E..... causa très-bien avec sa mère et sa sœur, puisque son état mental trois heures après l'accouchement n'est pas en question.

Dans un interrogatoire postérieur, la femme E..... raconte : *Je suis revenue à moi au bout d'un certain temps, je vis la tasse de thé qui se trouvait devant moi, je réussis à en prendre quelques gorgées, et aussitôt le frisson me reprit et je perdis de nouveau connaissance.*

L'autopsie a démontré que l'enfant a vécu, qu'il est mort par suffocation ; mais nous n'attribuons cette mort à aucune cause active, nous pensons qu'il est très-vraisemblable qu'elle a été produite par l'abandon de cet enfant nouveau-né entre les cuisses de sa mère et sous le drap pendant trois heures.

On nous demanda si ce que disait l'accusée était croyable ; je répondis que la perte de connaissance plus ou moins complète pendant l'accouchement n'est pas très-rare; il est surtout fréquent de voir au dernier moment décisif de l'accouchement une perte de connaissance momentanée causée par les violentes douleurs et la congestion cérébrale. De plus cette congestion peut durer plus longtemps, prolonger la perte de connaissance et produire des états réellement dangereux. La perte de connaissance, dont il est question dans ce moment, de trois à quatre heures, serait l'intermédiaire entre les deux états que nous venons de mentionner. La manière dont cette perte de connaissance a eu lieu est extraordinaire, surtout les secours de l'art ayant manqué, quoique nous ne voulions pas nier sa possibilité. Voici les raisons cependant qui nous font douter de sa réalité.

La femme E..... dit être accouchée pendant que sa famille dînait; or, il est confirmé que le dîner était fini et que la cuisinière qui lui apporta le thé avait déjà dîné. Au moment où on lui apporta ce thé, elle était déjà accouchée depuis très-peu de temps, mais elle n'était pas sans connaissance, car elle a parlé très-raisonnablement avec sa bonne, qui ne lui a trouvé rien de singulier. Il est important de remarquer qu'elle n'en est pas à son premier accouchement, qu'elle est accouchée il y a quinze ans et qu'elle a déjà trente-six ans. Ce ne sont pas là des circonstances qui permettent d'admettre une ignorance complète de ce qui concerne l'accouchement. Elle devait surtout savoir qu'avant et pendant l'accouchement, même quand celui-ci se fait vite, on perd une grande quantité de sang par les parties génitales; et l'on ne peut croire qu'une personne qui se plaint de maux de tête, ne s'aperçoive pas qu'elle est couchée dans un fluide chaud. Elle avoue elle-même qu'elle a senti quelque chose lui glisser du ventre; cependant elle tâche d'éviter la contradiction en disant qu'elle s'est rétablie un instant et qu'elle est retombée dans sa perte de connaissance. Cette assertion n'est pas croyable, car l'expérience nous montre qu'il n'y a jamais une telle intermittence dans les accès de l'évanouissement, surtout si l'on n'emploie pas les secours de l'art et si des saignées n'ont pas amené une amélioration momentanée. Or, si la femme E..... avait conscience de son état lorsque la cuisinière lui apporta le thé, il faut aussi admettre qu'elle était en état de donner à son enfant les secours nécessaires, et qu'elle devait savoir que l'enfant pouvait suffoquer dans le lit entre ses cuisses. D'un autre côté, il est impossible de croire que cette femme ne s'est aperçue de la présence de son enfant que lorsque celui-ci était déjà mort.

Nous avons trouvé les poumons de l'enfant remplis d'air, ce qui prouve qu'il a dû respirer, remuer, et

peut-être crier sous la couverture, comme tous les enfants lorsqu'ils viennent de naître. En supposant que
cet enfant ait suffoqué sous la couverture, il est impossible qu'au bout de trois heures il ait été froid et
roide.

D'après ce qui précède je conclus :

Qu'il n'est pas possible que l'accusée pendant et après
l'accouchement, ait pu être dans un état d'évanouissement qui l'ait empêchée de donner des secours à son
enfant, et que l'accusée ment en disant qu'elle n'a pas
remarqué un signe de vie de la part de son enfant.

On peut donc profiter de la situation physiologique de
l'accouchement pour chercher à faire excuser des tendances criminelles. Marcé a réuni un certain nombre
de cas de folie transitoire au moment de l'accouchement (1). Il fait remarquer que dans les uns les actions
et les paroles sont d'une égale incohérence. Le trouble
intellectuel peut revêtir tous les caractères de la manie
suraiguë. Les malades n'ont nullement conscience de
leur état. Dans les autres les actes délirants, motivés
par les vives douleurs de l'enfantement se rattachent
logiquement à leur point de départ ; ainsi certaines
femmes, au milieu d'un véritable accès de fureur, cherchent à exercer sur elles-mêmes ou sur l'enfant, des
actes de violence pour abréger leurs souffrances.

Généralement le délire survenant pendant le travail
de l'enfantement est un phénomène sympathique lié
uniquement à l'acuïté et à la prolongation des dou-

(1) *Loco citato*, p. 134.

leurs ; pourtant il a lieu quelquefois dans les accouche-
ments tout à fait naturels et il coïncide alors soit avec
l'expulsion du fœtus, soit avec l'expulsion du placenta.
Ce délire cède spontanément, lorsque l'accouchement
se termine.

Les faits où l'aberration mentale a été constatée sont
heureusement très-rares, et en raison de cette rareté,
leur admissibilité ne peut être que le résultat d'une
observation très-sévère.

M. Baillarger dans ses *Leçons orales* et Marcé dans son
Traité de la folie des femmes enceintes, ont insisté sur
l'influence que la première menstruation à la suite de
l'accouchement peut avoir dans la production dé la
folie. Comme le dit le savant médecin de la Salpêtrière,
on comprend que la fonction des menstrues supprimée
depuis près d'une année, se rétablissant chez les
femmes qui ont été en proie à des émotions vives et qui
sont souvent dans un état d'anémie, doit déterminer
plus de troubles que la menstruation dans les conditions ordinaires.

L'allaitement prolongé produit aussi un affaiblissement considérable qui peut amener des névroses graves
sous toutes les formes possibles. Mais dans ce cas il
faut des émotions profondes ou persistantes, une certaine prédisposition mentale, etc..., pour donner naissance à cette forme de lésion cérébrale qui engendre
la folie.

Enfin il n'est pas jusqu'à l'âge critique qui ne puisse
devenir le point de départ de maladies mentales. On
sait qu'on a désigné sous ce nom la période où la femme

perd son aptitude à la reproduction. Cette période est signalée par un trouble plus ou moins prononcé de la santé
tant physique que morale. Mais ce ne sauraient être de ces
impulsions subites et irrésistibles qu'on a mentionnées
comme appartenant à la première menstruation ou à
la grossesse et sur lesquelles nous nous sommes suffisamment expliqué. Ces états phrénopathiques entrent presque généralement dans la catégorie des folies
sympathiques et dépendent d'une hyperesthésie ou d'une
hypérémie de l'utérus. Il n'est pas rare de voir ces
troubles psychiques s'accroître peu à peu plus tard par
suite d'une altération organique telle qu'une inflammation chronique, le cancer de la matrice ou des parties
environnantes, etc... La simulation, dans de pareilles
conditions, nous paraît d'autant plus difficile que l'état
chronique imprime au délire un caractère particulier
ou que l'amélioration mentale suit le rétablissement de
l'organe sexuel.

CHAPITRE XI ET DERNIER

Influence de la simulation de la folie sur le simulateur. Conclusions.

La simulation d'une situation mentale quelconque peut donner l'idée des efforts nécessaires au simulateur. — Les éléments de cette contrainte morale et physique ne partent pas chez le simulateur criminel des mêmes éléments émotifs que chez l'homme vertueux. — Il faut que l'imagination du simulateur construise de toutes pièces des phénomènes intérieurs et extérieurs en l'absence de sensations et de sentiments réels. — Ce travail psychique non plus que les efforts corporels ne peuvent être continus. — Effet d'une action exagérée. — Les simulateurs préfèrent en général un type où l'activité physique et intellectuelle se trouve être mise moins en jeu. — Les formes stupides, mélancoliques, ont d'autres phénomènes qui témoignent d'une altération dans la nutrition. — L'essai de production des manifestations psychiques désordonnées ne se trouve avoir été fait que par des personnes qui ont cherché à simuler la folie. — Aveu des simulateurs relativement aux efforts qu'ils sont obligés de faire. — Propres paroles de Dérozier. — Simulateurs devenus réellement fous. — Conclusions.

Après le cercle que nous venons de parcourir et qui nous paraît embrasser tous les points de vue sous lesquels il est possible d'étudier la simulation de la folie, il nous reste encore un point à faire ressortir : c'est l'influence de cette même simulation de la folie sur l'individu qui a persisté à feindre cette maladie.

Il faut essayer soi-même de contrefaire une situation mentale quelconque pour se faire une idée de la contrainte et du travail pénible que doit nécessiter la feinte de la folie. Il est vrai que le simulateur criminel progressivement arrivé à une certaine indifférence morale ne possède pas les éléments émotifs au même degré que l'homme vertueux et qui a toujours été honnête. Ce n'est par conséquent pas parce qu'il trompe, parce qu'il sait qu'il déguise la vérité qu'il éprouve de l'embarras. Mais il ne saurait s'abstenir de la crainte d'être découvert ; il a devant les yeux le châtiment qu'il redoute, l'obligation qu'il doit contracter, les rigueurs qu'il va subir ou un danger plus ou moins imminent. Tous ces tourments de son esprit deviendront plus cruels encore, si le projet qu'il met à exécution s'entoure de difficultés imprévues et laissse entrevoir une réussite douteuse ; il a la perspective d'une addition à ses souffrances. En outre l'imagination s'applique à créer un type trompeur ; mais tout en créant ce type il interroge sans cesse les moindres signes, les moindres mouvements de son entourage, et c'est un travail complexe qu'il élabore au milieu des soucis et de l'anxiété. On constate aussi des efforts physiques nombreux qu'il est obligé de faire pour pouvoir persister dans les manifestations des différents actes qu'il veut offrir à l'observateur, et pour commander à des instruments rebelles à sa volonté et trop habitués à subir l'impulsion la plus naturelle.

Les phénomènes psychiques divers du simulateur entrent pour ainsi dire dans la catégorie de ceux qu'en psychologie on désigne sous le nom d'*images matérielles*. Il faut que l'imagination construise d'elle-même sans le secours de l'extérieur ou des phénomènes subjectifs tout un système d'impressions ou d'expressions. Il faut qu'en l'absence des sensations réelles le trompeur fasse mine de les éprouver véritablement, et qu'il fasse correspondre à ces sensations imaginaires les mouvements qui leur appartiennent en propre quand elles se manifestent naturellement.

Dans un ouvrage postérieur à mon *Mémoire* sur la physionomie chez les aliénés, Pierre Gratiolet s'est appliqué à démontrer (1) : 1° qu'il est impossible de regarder, d'écouter, de flairer, de goûter, de toucher une chose en imagination sans exécuter en même temps les mouvements qui dans la sphère des actions extérieures, répondent idiopathiquement ou sympathiquement à ces actions diverses; 2° qu'il est impossible de vouloir, de désirer, d'agir en un mot par la pensée sur ces images extérieures sans exécuter les mouvements ou du moins donner un indice de ces mouvements qui, dans l'ordre de la vie extérieure, répondent à ces actions. Ces propositions prouvent combien il faut que le simulateur fasse intervenir la volonté pour tâcher de masquer ces mouvements résultant de ses véritables impressions et pouvant compromettre le tableau qu'il crée de toutes pièces. Elles prouvent encore qu'il est obligé de s'assimiler le plus possible au rôle qu'il veut remplir, qu'il est obligé de persister dans cette transformation de son être moral et physique, ce qui demande une tension continuelle de l'activité psychique.

Il est vrai, d'un autre côté, que l'imagination influe sur toutes les formes du mouvement organique non moins que sur les mouvements et sur les sensations extérieures, mais elle n'influe généralement que d'une manière incomplète. En outre, comme nous avons eu occasion de le dire dans le cours de ce travail, il est impossible de tenir longtemps l'esprit dans le même degré d'activité,

(1) *De la physionomie et des mouvements d'expression*, p. 265.

24

de même aussi qu'il est impossible de garder longtemps la même attitude active. L'homme ne saurait continuer un même mouvement, tandis qu'il est capable de le répéter. De là des interruptions nécessaires. C'est précisément ce qu'une surveillance bien faite amène à découvrir chez le simulateur. Malheureusement on ne peut se dissimuler qu'il faut pour cette surveillance des hommes dévoués, et il est à craindre quelquefois que quelques renseignements fournis par des gardiens qui ne sont pas très-zélés, ne remplissent pas les conditions de la plus stricte exactitude. D'après l'observation la plus sévère, les lois que nous venons d'énoncer, quant au défaut de continuité d'action, ne trouvent d'exceptions que dans l'état morbide ou encore au prix de la santé du simulateur.

Les notions physiologiques expliquent parfaitement l'influence d'une action exagérée ou forcée. Les mouvements nombreux désordonnés partent d'une excitation considérable. Cette excitation considérable par sa continuité d'action amène une gêne circulatoire. Bientôt la congestion sanguine qui en résulte finit par être portée à son comble. La perte de la respiration et les suffocations ont lieu. Puis, si les forces permettent encore cette activité surhumaine, la mort ne tarde pas à s'ensuivre. Toutes les fonctions organiques coopèrent aussi graduellement et présentent une exagération de leurs manifestations.

On conçoit que les simulateurs préfèrent un type où l'activité corporelle se trouve être mise moins en jeu, ou même modifient assez promptement la forme qu'ils ont adoptée, si c'est à la suractivité et au désordre général qu'ils ont eu recours.

Toutefois, dans les formes stupides, mélancoliques, on retrouve d'autres phénomènes qui témoignent d'une altération dans la nutrition. Ce n'est pas sans inconvénient que des privations de toutes sortes agissent sur l'organisme.

Les instituteurs et les moralistes insistent sur la nécessité de diriger les opérations intellectuelles de l'enfance. Ce n'est certainement pas sans fondement et sans une expérience suffisante. Tous les jours, alors que l'intelligence est susceptible d'acquérir de la solidité, on voit des méthodes diverses d'enseignement conduire à des résultats divers aussi. La puissance du raisonnement résulte en grande partie de la direction imprimée à la marche du développement de cette faculté puissante. Ce qui a lieu au moment de l'accroissement des fonctions cérébrales ne se montre plus aussi facilement quand cet accroissement est arrivé à son faîte. Les actes qui appartiennent à l'intelligence possèdent alors une habitude et un mode de production dont elles ne se départiront qu'avec peine. Une certaine somme de connaissances acquises, combinées aux idées innées, forment la base de l'édifice mental. Mais, s'il était possible, lors de la croissance de l'élément psychique, de disloquer pour ainsi dire l'agencement mental et d'amener un certain désordre dans les rapports que les opérations intellectuelles ont entre elles, en affaiblissant celles qui sont susceptibles d'une acquisivité plus ou moins considérable, cet état anomal ne peut plus se manifester que par l'altération des instruments qui traduisent les fonctionnements intellectuels.

L'essai de production des manifestations désordonnées ne se trouve avoir été fait que par des individus qui ont cherché à simuler la folie. Il n'entrera jamais dans l'esprit d'un homme raisonnable d'expérimenter de pareilles transformations de sa raison par pure curiosité et dans le simple but d'obtenir ces mêmes transformations qui le priveraient peut-être de ce noble privilége de l'humanité.

En ajoutant les mauvaises conditions physiques que détermine la simulation de la folie au trouble mental artificiel qui vient compliquer la gêne des fonctions encéphaliques, il n'y a pas lieu de s'étonner que la folie puisse rester ancrée après une contrainte physique et morale prolongée.

Mais de plus ces diverses situations s'accompagnent d'une souffrance dont le simulateur seul a conscience. Rien ne prouve mieux cette position douloureuse, l'anxiété et les états forcés de toutes sortes que l'aveu même des simulateurs.

M. Morel a complété le compte rendu de l'affaire Dérozier par les propres paroles de ce prévenu après la découverte de sa fraude. Nous les reproduisons telles que les a transmises notre ancien chef de service.

« Dérozier ayant témoigné le désir de me voir, je me suis rendu avec empressement à la prison. Si, dans mon entrevue avec cet homme, j'ai éprouvé un grand soulagement de ce que ses aveux avaient fini par dissiper les incertitudes qui régnaient dans l'esprit de plusieurs jurés à la sortie de l'audience, j'ai été tristement impressionné de voir autant d'intelligence mise au service d'une aussi mauvaise cause. *Je ne vous en veux pas,* me dit-il, *d'avoir paralysé mon avocat et d'être la cause de ma condamnation; j'ai mérité mon affaire, et si le médecin de Neufchâtel n'avait pas déserté son certificat, j'aurais continué mon rôle avec la certitude de mourir à la peine. Vous ne pouvez croire ce que j'ai souffert. J'ai cru devenir réellement aliéné, et j'avais plus de crainte encore de tomber fou que d'aller au bagne. J'ai passé plusieurs mois sans dormir. Il me semblait que la moitié de mon cerveau était vide et qu'une boule d'eau située dans la partie pleine venait frapper contre la partie vide. Je n'ai été délivré de cette sensation pénible que par la violente inflammation du genou qui m'a fait mettre à l'infirmerie..... J'avais lu que l'autopsie la plus minutieuse ne pouvait donner la preuve de l'aliénation pendant la vie, que les caractères de cette affection étaient loin d'être bien définis, et j'ai pensé qu'une folie avec un caractère nouveau, pris au hasard, serait de nature à dérouter les médecins. Je me suis trompé; ce qui est fait est fait.*

« J'ai cherché à consoler ce malheureux en lui faisant entrevoir une commutation de peine pour prix de sa bonne conduite à Cayenne. Dérozier secoua mélancoliquement la tête en disant : *Une fois qu'on est enferré dans le mal, on a de la peine à s'en tirer. J'ai quarante-deux ans, c'est trop tard. Je me retire du monde maintenant; j'entre au cloître et mon rôle est fini.* »

Bien d'autres simulateurs ont fait une confession

analogue : le nommé M..., dont M. Campagne nous a donné l'histoire, a fourni des détails qui confirment cette influence pernicieuse de la simulation de la folie.

Les simulateurs qui ont prétendu qu'ils seraient devenus fous s'ils avaient continué à simuler la folie quelques jours de plus, avaient parfaitement raison. On connaît de véritables folies survenues à la suite de la simulation. Entre autres faits, l'histoire a consigné que deux marins français, prisonniers sur les pontons anglais, eurent la constance de simuler la folie pendant six mois de suite. Mais, au bout de ce temps, ils ne recouvrèrent leur liberté qu'au prix de leur raison véritablement perdue.

D'ailleurs il n'est pas que la folie dont la simulation laisse à sa suite l'affection réelle qui n'était que simulée. Il est d'autres névroses, telles que l'épilepsie, qui sont restées sur le terrain où l'imitation les avait insinuées. M. le docteur Prosper Lucas, qui a choisi pour sujet de sa dissertation inaugurale la *propagation sympathique des névroses et des monomanies,* a insisté d'une manière particulière sur les résultats de la simulation. Il nous écrivait, il y a quelque temps, qu'il a eu dernièrement l'occasion de voir à la Sûreté un exemple de ce genre bien frappant. C'était un repris de justice, jeune effronté qui avait très-longtemps joué l'épilepsie. Ses accès de commande avaient fini par devenir réels, et il demandait à notre savant confrère, sans détour ni vergogne, de le *débarrasser de cette fin de la farce.*

Ces faits expliquent parfaitement que certains cas de

folie simulée pendant la durée d'une expertise médico-légale assez longue aient pu dégénérer en folies réelles.

CONCLUSIONS.

Les recherches nombreuses que nous avons faites pour traiter la question si importante de la simulation de la folie peuvent se terminer par les considérations suivantes :

La folie est simulée surtout par des criminels. Mais il s'en faut de beaucoup que tous les criminels aient recours à cette ressource fallacieuse.

On rencontre un grand nombre de cas de simulation où le simple bon sens suffit pour découvrir la feinte. Ce n'est pas à ces cas-là que s'adressent tous les développements que nous avons dû donner à l'étude de la simulation de la folie. Il en est qui sont très-difficiles à reconnaître.

On retrouve dans la vie antérieure des simulateurs de cette dernière catégorie des faits divers prouvant une aptitude déjà ancienne à contrefaire et partant d'un caractère rusé.

Certains individus sont doués d'une ténacité et d'une habileté extraordinaires et exigent de la part des médecins experts des connaissances approfondies sur la folie, une ténacité et une habileté capables de mettre en défaut ces mêmes armes des simulateurs et de réduire à l'évidence les stratagèmes qu'ils emploient pour arriver à leur fin.

La folie étant une maladie procédant de l'association

de l'âme et du corps, on doit examiner avec soin les symptômes psychiques et physiques.

L'examen nécessaire à la découverte de la simulation ne saurait être borné à l'examen des pièces, des dépositions et des antécédents de l'individu, mais on doit procéder très-minutieusement à l'examen personnel. On ne saurait s'entourer de preuves trop nombreuses quand il s'agit d'apprécier l'état mental de cet individu et qu'une conséquence aussi grave qu'une condamnation peut résulter de cette appréciation.

C'est l'asile d'aliénés qui offre les meilleures conditions pour l'examen personnel. Là où se trouvent des hommes expérimentés et livrés depuis longtemps au traitement des maladies mentales, se trouvent aussi les moyens les mieux appropriés à l'observation la plus exacte de l'état mental, simulé ou non.

Parmi les formes que les simulateurs ont adoptées, on rencontre surtout l'imbécillité, la stupidité, la démence, la manie aiguë. Il y en a peu qui aient essayé de contrefaire des monomanies ; quelques-uns ont feint l'épilepsie, l'hystérie, le somnambulisme, différentes paralysies.

En raison de la complexité des phénomènes psychiques et physiques constituant chaque forme de folie, complexité indépendante de la volonté, il est impossible au simulateur de fournir au médecin expert le cortége naturel des désordres appartenant à cette maladie.

Les aliénés simulateurs pèchent en général par l'exagération de tel ou tel symptôme aux dépens ou en l'absence de tels ou tels autres.

Il est quelquefois nécessaire de recourir à quelques moyens supplémentaires de l'examen direct pour mettre au grand jour le véritable état de l'individu qu'on examine. On doit alors employer ceux qui sont le plus en rapport avec la dignité humaine.

Enfin la simulation de la folie peut produire sur les simulateurs eux-mêmes des effets très-fâcheux. La contrainte morale et physique et plusieurs conditions très-pénibles exigées par la simulation peuvent amener, par suite de la prolongation forcée de cette feinte, une aliénation mentale réelle.

FIN

TABLE DES MATIÈRES.

CHAPITRE IV.

EXAMEN DIRECT.

CHAPITRE V.

RÉSUMÉ DES PRINCIPALES FORMES DE FOLIE.

CHAPITRE VI.

PROCÉDÉS DIVERS SUPPLÉMENTAIRES DE L'EXAMEN DIRECT.

CHAPITRE VII.

OBSERVATIONS COMPLÉMENTAIRES DES CHAPITRES PRÉCÉDENTS.

CHAPITRE VIII.

DE LA SIMULATION DE LA FOLIE PAR D'ANCIENS ALIÉNÉS ET PAR DE VÉRI-
TABLES ALIÉNÉS.

CHAPITRE IX.

FOLIE SIMULÉE PAR DES IMBÉCILES.

CHAPITRE X.

DE LA SIMULATION DE LA FOLIE DANS CERTAINS ÉTATS PHYSIOLOGIQUES.
MENSTRUATION, GROSSESSE, AGE CRITIQUE.

CHAPITRE XI ET DERNIER.

FIN DE LA TABLE DES MATIÈRES.

CORBEIL. — Typ. et stér. de CRÉTÉ.

VICTOR MASSON ET FILS, A PARIS

Annales médico-psychologiques, journal destiné à recueillir tous les documents relatifs à l'aliénation mentale, aux névroses et à la médecine légale des aliénés, par MM. BAILLARGER et CERISE.

— IVᵉ SÉRIE, commençant en 1863; cette série parait par cahiers bimensuels qui forment, à la fin de l'année, 2 volumes in-8.

Prix de l'année : { Pour Paris.................................... 20 fr.
{ Pour les départements (*par la poste*)............ 23 fr.

DICTIONNAIRE encyclopédique des sciences médicales, publié sous la direction du docteur DECHAMBRE, par une réunion de médecins civils et militaires, membres des académies, professeurs agrégés, médecins et chirurgiens des hôpitaux, écrivains de la presse médicale, etc., etc. — Le Dictionnaire comprendra environ 20 volumes grand in-8 compactes, avec figures, et sera publié par demi-volumes qui paraîtront à époques rapprochées. — Prix de chaque demi-volume.......... 6 fr.

DARWIN (Ch.). — **De l'Origine des espèces** par sélection naturelle, ou des lois de transformation des êtres organisés. Traduit en français par Mˡˡᵉ Clémence-Aug. ROYER. 2ᵉ édition, revue et corrigée, avec une préface et des notes du traducteur. 1 vol. in-8...................... 7 fr. 50

LEPELLETIER (de la Sarthe). — **Traité complet de physiognomonie,** ou l'homme moral positivement révélé par l'étude raisonnée de l'homme physique, avec des considérations sur les tempéraments, les caractères, leurs influences réciproques. 1 vol. in-8..................... 7 fr. 50

MOREAU (de Tours). — **La Psychologie morbide dans ses rapports avec la philosophie de l'histoire.** 1 vol. in-8, avec une planche... 8 fr.

MOREL (A.). — **Traité des maladies mentales.** 1 vol. grand in-8 compacte... 13 fr.

MOREL. — **Traité de la médecine légale des aliénés.** Historique depuis les temps anciens jusqu'à nos jours. 1 vol. in-8........ 2 fr. 50

TISSOT. — **L'Animisme,** ou la Matière et l'esprit conciliés par l'identité de principe et la diversité des fonctions dans les phénomènes organiques et psychiques. 1 vol. in-8.............................. 7 fr. 50

TISSOT. — **La Vie dans l'homme ;** ses manifestations diverses, leurs rapports, leurs conditions organiques. 1 vol. in-8.............. 7 fr. 50

TISSOT. — **La Vie dans l'homme ;** existence, fonction, nature, condition présente, forme, origine et destinée future du principe de la vie ; esquisse historique de l'animisme, pour faire suite à l'ouvrage précédent. 1 vol. in-8... 7 fr. 50

— CORBEIL, typographie de CRÉTÉ. —